BIBLIOTECA UNIVERSALE RIZZOLI

Indro Montanelli

STORIA
DI ROMA

Biblioteca Universale Rizzoli

ISBN 88-17-11505-3

prima edizione BUR Supersaggi: ottobre 1988
decima edizione BUR Supersaggi: febbraio 1996

A Susina Moizzi

INTRODUZIONE

Pessimo amministratore di me stesso e delle mie cose, non so nemmeno io quante edizioni ha avuto questa *Storia di Roma*. Da un conto approssimativo, credo di poter dire che ha venduto oltre cinquecentomila copie senza contare le traduzioni. Non me ne faccio un vanto: non sempre, anzi quasi mai, il successo di un libro dà la misura del suo valore. Ne conosco parecchi che, proclamati a gran voce «libri dell'anno», lo sono stati veramente, nel senso che l'anno dopo tutti li avevano dimenticati. Quando però un libro dell'anno lo rimane per trentacinque anni (tanti ne ha, o pressappoco, questa *Storia*), vuol dire che qualche merito, piccolo o grande, deve averlo.

Costretto a rileggerlo prima di dare il via a questa ennesima edizione, non ho trovato nulla da aggiungervi né da togliervi. Ho solo dovuto aggiornare certi riferimenti al presente, che nel frattempo erano cambiati: per esempio il rapporto fra la moneta di allora (il *sesterzio* e il *talento*) e la lira di oggi, il cui potere d'acquisto varia in continuazione. Ma niente altro. Col che non voglio dire che questa *Roma* sia completa e perfetta. Nessun libro di storia lo è. Secondo una recente scuola francese — cui si debbono, intendiamoci, opere di altissimo livello — lo storico dovrebbe sapere di tutto, e di tutto dare, nelle sue ricostruzioni, il quadro completo: non solo di politica e di economia, ma anche di scienza, di urbanistica, di numismatica, di dietetica, di medicina, di tecnologia, eccetera. Che mi sembra la scoperta dell'acqua calda. Si capisce che lo storico *dovrebbe* sapere tutto questo. Ma di fatto nessuno storico, per quanto enciclopedico, lo sa. E se lo sapesse, forse non sarebbe più in grado di scrivere un libro di storia perché sarebbe trascinato a frammentarsi e perdersi nel labirinto di tutte queste tematiche. Il grande Strachey diceva che fra le tante qualità che occorrono allo storico, c'è anche un pizzico d'ignoranza: quella che, impedendogli di approfondire l'analisi di tanti particolari, gli consente di cogliere la sintesi dei grandi avvenimenti. E a riprova citava l'esempio di Acton che, da tutti considerato il padre della storiografia inglese, non scrisse mai un libro perché mai riuscì a metterci dentro tutto quello che riteneva necessario alla sua completezza.

Io non ho mai avuto l'ambizione di scrivere una storia completa: so benissimo di aver sacrificato molti particolari al quadro generale. Ma il quadro generale, coi suoi grandi eventi e trasformazioni, credo di averlo reso. Trentacinque anni fa, ad epilogo della prefazione apposta alla prima edizione, scrivevo: «Non ho scoperto nulla, con questo libro. Esso non pretende di portare ''rivelazioni'', nemmeno di dare una interpretazione originale della storia dell'Urbe. Tutto ciò che qui racconto è già stato raccontato. Io spero solo di averlo fatto in maniera più semplice e cordiale, attraverso una serie di ritratti che illuminano i protagonisti in una luce più vera, spogliandoli dei paramenti che fin qui ce li nascondevano. A qualcuno potrà sembrare un'ambizione modesta. A me, no. Se riuscirò ad affezionare alla storia di Roma qualche migliaio di italiani fin qui respinti dall'accademismo di chi gliel'ha raccontata prima di me, mi riterrò un autore utile e fortunato».

Nemmeno a questo ho alcunché da aggiungere o da togliere.

INDRO MONTANELLI

Milano, ottobre 1988

CAPITOLO PRIMO
AB URBE CONDITA

Non sappiamo con precisione quando a Roma furono istituite le prime scuole regolari, cioè «statali». Plutarco dice che nacquero verso il 250 avanti Cristo, cioè circa cinquecent'anni dopo la fondazione della città. Fino a quel momento i ragazzi romani erano stati educati in casa, i più poveri dai genitori, i più ricchi da *magistri,* cioè da maestri, o istitutori, scelti di solito nella categoria dei *liberti,* gli schiavi liberati, che a loro volta erano scelti fra i prigionieri di guerra, e preferibilmente fra quelli di origine greca, che erano i più colti.

Sappiamo però con certezza che dovevano faticare meno di quelli di oggi. Il latino lo sapevano già. Se avessero dovuto studiarlo, diceva il poeta tedesco Heine, non avrebbero mai trovato il tempo di conquistare il mondo. E quanto alla storia della loro patria, gliela raccontavano press'a poco così:

Quando i greci di Agamennone, Ulisse e Achille conquistarono Troia, nell'Asia Minore, e la misero a ferro e a fuoco, uno dei pochi difensori che si salvò fu Enea, fortunatamente «raccomandato» (certe cose usavano anche a quei tempi) da sua madre, ch'era nientepopodimeno che la dea Venere-Afrodite. Con una valigia sulle spalle, piena delle immagini dei suoi celesti protettori, fra i quali naturalmente il posto d'onore toccava alla sua buona mamma, ma senza una lira in tasca, il poveretto si diede a girare il mondo, a casaccio. E dopo non si sa quanti anni di avventure e di disavventure, sbarcò, sempre con quella sua valigia sul groppone, in Italia, prese a risalirla verso nord, giunse nel Lazio, vi sposò la figlia del re Latino, che si chiamava Lavinia, fondò una città cui diede il nome della moglie, e insieme a costei visse felice e contento tutto il resto dei suoi giorni.

Suo figlio Ascanio fondò Alba Longa, facendone la nuova capitale. E dopo otto generazioni, cioè a dire qualche duecento anni dopo l'arrivo di Enea, due suoi discendenti, Numitore e Amulio, erano ancora sul trono del Lazio. Purtroppo sui troni in due ci si sta stretti. E così un giorno Amulio scacciò il fratello per regnare da solo, e gli uccise tutti i figli, meno una: Rea Silvia. Ma, perché non mettesse al mondo qualche figliolo cui potesse, da grande, saltare il ticchio di vendicare il nonno, la obbligò a diventare sacerdotessa della dea Vesta, vale a dire monaca.

Un giorno Rea, che probabilmente aveva una gran voglia di marito e si rassegnava male all'idea di non potersi sposare, prendeva il fresco in riva al fiume perché era un'estate maledettamente calda, e si addormentò. Per caso in quei paraggi passava il dio Marte che scendeva sovente sulla terra, un po' per farvi qualche guerricciola, ch'era il suo mestiere abituale, un po' per cercare delle ragazze, ch'era la sua passione favorita. Vide Rea Silvia. Se ne innamorò. E senza nemmeno svegliarla, la rese incinta.

Amulio, quando lo seppe, si arrabbiò moltissimo. Ma non la uccise. Aspettò ch'essa partorisse non uno, ma due ragazzini gemelli. Poi li fece caricare su una microscopica zattera che affidò al fiume perché se li portasse, sul filo della corrente, fino al mare, e lì li lasciasse affogare. Ma non aveva fatto i conti col vento, che quel giorno spirava abbastanza forte, e che condusse la fragile imbarcazione a insabbiarsi poco lontano, in aperta campagna. Qui i due derelitti, che piangevano rumorosamente, richiamarono l'attenzione di una lupa che corse ad allattarli. Ed è perciò che quella bestia è diventata il simbolo di Roma, che dai due gemelli poi fu fondata.

I maligni dicono che quella lupa non era affatto una bestia, ma una donna vera, Acca Larentia, chiamata Lupa per via del suo carattere selvatico e delle molte infedeltà che faceva a suo marito, un povero pastore, andandosene a far l'amore nel bosco con tutti i giovanotti dei dintorni. Ma forse non sono che pettegolezzi.

I due gemelli succhiarono il latte, poi passarono alle pappine, poi misero i primi denti, ricevettero il nome l'uno di Romolo, l'altro di Remo, crebbero, e alla fine seppero la loro storia. Allora tornarono ad Alba Longa, organizzarono una rivoluzione, uccisero Amulio, rimisero sul trono Numitore. Eppoi, impazienti di far qualcosa di nuovo come tutti i giovani, invece di aspettare un regno bell'è fatto dal nonno, che certamente gliel'avrebbe lasciato, andarono a costruirsene uno nuovo un po' più in là. E scelsero il punto in cui la loro zattera si era arenata, in mezzo alle colline fra cui scorre il Tevere, quando sta per sfociare in mare. Qui, come spesso succede tra fratelli, litigarono sul nome da dare alla città. Poi decisero che avrebbe vinto chi avesse visto più uccelli. Remo, sull'Aventino, ne vide sei. Romolo, sul Palatino, ne vide dodici: la città si sarebbe dunque chiamata Roma. Aggiogarono due bianchi buoi, scavarono un solco, e costruirono le mura giurando di uccidere chiunque le oltrepassasse. Remo, di malumore per la sconfitta, disse che erano fragili e ne ruppe un pezzo con un calcio. E Romolo, fedele al giuramento, lo accoppò con un colpo di badile.

Tutto ciò, dicono, avvenne settecentocinquantatré anni prima che Cristo nascesse, esattamente il 21 aprile, che tuttora si festeggia come il compleanno della città, nata, come si vede, da un fratricidio. I suoi abitanti ne fecero l'inizio della storia del mondo, fin quando l'avvento del Redentore non ebbe imposto un'altra contabilità.

Forse anche i popoli vicini facevano altrettanto: ognuno di essi datava la storia del mondo dalla fondazione della propria capitale, Alba Longa, Rieti, Tarquinia, o Arezzo che fosse. Ma non riuscirono a farselo riconoscere dagli altri, perché commisero il piccolo errore di perdere la guerra, anzi le guerre. Roma invece le vinse. Tutte. Il podere di pochi ettari che Romolo e Remo si tagliarono con l'aratro fra le colline del Tevere diventò nello spazio di pochi secoli il centro del Lazio, poi dell'Italia, poi di tutta la terra allora conosciuta. E in tutta la terra allora conosciuta si parlò la sua lingua, si rispettarono le sue leggi, e si contarono gli anni *ab urbe condita,* cioè da quel famoso 21 aprile del 753 avanti Cristo, inizio della storia di Roma e della sua civiltà.

Naturalmente le cose non erano andate precisamente così. Ma così i babbi romani per molti secoli vollero che venissero raccontate ai loro figli: un po' perché ci credevano essi stessi, un po' perché, gran patrioti, li lusingava molto il fatto di poter mescolare degli dèi influenti come Venere e Marte, e delle personalità altolocate come Enea, alla nascita della loro Urbe. Essi sentivano oscuramente ch'era molto importante allevare i loro ragazzi nella convinzione di appartenere a una patria costruita col concorso di esseri soprannaturali, che certamente non vi si sarebbero prestati se non avessero inteso assegnarle un grande destino. Ciò diede un fondamento religioso a tutta la vita di Roma, che infatti crollò quando esso venne meno. L'Urbe fu *caput mundi,* capitale del mondo, finché i suoi abitanti seppero poche cose e furono abbastanza ingenui da credere in quelle, leggendarie, che avevano loro insegnato i babbi e i *magistri;* finché furono convinti di essere i discendenti di Enea, di avere nello loro vene sangue divino e di essere «unti del Signore» anche se a quei tempi si chiamava Giove. Fu quando cominciarono a dubitarne che il loro Impero andò in frantumi e il *caput mundi* diventò una colonia. Ma non precipitiamo.

Nella bella favola di Romolo e Remo, forse non tutto è favola. Forse c'è anche qualche elemento di verità. Vediamo di sviscerarlo sulla base dei pochi dati abbastanza sicuri che l'archeologia e l'etnologia ci hanno fornito.

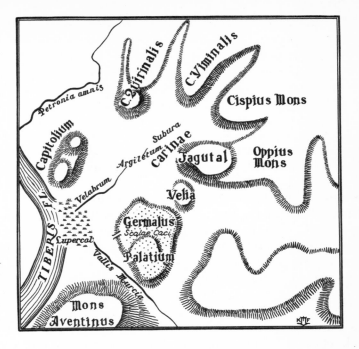

LUOGO DELLA FONDAZIONE DI ROMA

Già trentamila anni prima della fondazione di Roma, pare che l'Italia fosse abitata dall'uomo. Che uomo fosse, i competenti dicono di averlo ricostruito da certi ossicini del suo scheletro trovati qua e là, e che rimontano alla cosiddetta «età della pietra». Ma noi ci fidiamo poco di queste induzioni, e quindi saltiamo a piè pari a un'èra molto più vicina, quella «neolitica», di qualcosa come ottomila anni fa, cioè cinquemila prima di Roma. Pare che la nostra penisola fosse allora popolata da certi liguri a nord e siculi a sud, gente con la testa a forma di pera, che viveva un po' in caverna, un po' in capannucce rotonde, fatte di sterco e di fango, addomesticava animali e si nutriva di caccia e di pesca.

Facciamo ancora un salto di quattromila anni, cioè arriviamo al 2000 avanti Cristo. Ed ecco che dal Settentrione, cioè dalle Alpi, giungono altre tribù, chissà da quanto tempo in marcia dalla loro patria di origine: l'Europa centrale. Costoro non sono molto più progrediti degli indigeni con la testa a pera; ma hanno l'abitudine di costruire le loro abitazioni non in caverna, sibbene su travi immerse nell'acqua, le cosiddette «palafitte». Vengono, si vede, da posti acquitrinosi, e infatti, arrivati da noi, scelgono la regione dei laghi, quello Maggiore, quello di Como, quello di Garda, anticipando di qualche millennio il gusto dei turisti moderni. E introducono nel nostro paese alcune grandi novità: quella di allevare greggi, quella di coltivare il suolo, quella di tessere stoffe e quella di circondare i loro villaggi con bastioni di mota e di terra battuta per difenderli tanto dagli attacchi degli animali quanto da quelli degli uomini.

Piano piano cominciarono a scendere verso il Sud, si abituarono a costruire capanne anche sull'asciutto ma sempre puntellandole su palafitte; impararono, da certi loro cugini, pare, installatisi in Germania, l'uso del ferro con cui si fabbricarono un sacco di aggeggi nuovi, asce, coltelli, rasoi, eccetera, e fondarono una città vera e propria, che si

LE ANTICHE
POPOLAZIONI
DELL'ITALIA

chiamò Villanova, e che doveva trovarsi nei pressi di quella che oggi è Bologna. Fu questo il centro di una civiltà che si chiamò appunto «villanoviana» e che piano piano dilagò in tutta la penisola. Da essa si crede che derivino, come razza, come lingua, come costumi, gli umbri, i sabini e i latini.

Cosa facessero degl'indigeni liguri e siculi questi villanoviani, quando si stabilirono nelle terre a cavalcioni del Tevere, non si sa. Forse li sterminarono, come si usava a quei tempi cosiddetti «barbari» per distinguerli da quelli nostri in cui si fa altrettanto sebbene si chiamino «civili»; forse vi si mescolarono dopo averli sottomessi. Fatto si è che, verso il 1000 avanti Cristo, tra la foce del Tevere e la baia di Napoli, i nuovi venuti fondarono molti villaggi che, sebbene abitati da gente del medesimo sangue, si facevano guerra tra loro e non si rappacificavano che di fronte a qualche comune nemico o in occasione di qualche festa religiosa.

La più grande e potente di queste cittadine fu Alba Longa, capitale del Lazio, ai piedi del monte Albano, che corrisponde probabilmente a Castel Gandolfo. E albalongani si ritiene che fossero quel pugno di avventurosi giovanotti che un bel giorno emigrarono qualche decina di chilometri più al nord, e fondarono Roma. Forse erano dei braccianti, che andavano cercando un po' di terra da appropriarsi e da coltivare. Forse erano dei poco di buono che avevano qualche conto da regolare con la polizia e i tribunali della loro città. Forse erano degli emissari mandati dal loro governo a sorvegliare quel punto, al confine con la Toscana, sulle cui coste era proprio allora sbarcata una nuova popolazione, gli etruschi, che non si sapeva da che parte del mondo venissero, ma di cui si dicevano peste e corna. E forse tra questi pionieri ce n'erano davvero due che si chiamavano uno Romolo e l'altro Remo. Comunque, non dovevano essere più di un centinaio.

Il posto che scelsero aveva molti vantaggi e molti svantaggi. Era a una ventina di chilometri dal mare, e questo

14

andava benissimo per tenersi al riparo dai pirati che lo infestavano, senza rinunziare a farne un porto: perché dalle imbarcazioni di quel tempo, il braccio di fiume che lo separava dalla foce era facilmente navigabile. Ma gli stagni e gli acquitrini che lo circondavano lo condannavano alla malaria, malanno che ha battuto alle sue porte sino a pochi anni orsono. Però c'erano le colline, che almeno in parte proteggevano gli abitanti dalle zanzare. E infatti fu su una di esse, il Palatino, che dapprima si acquartierarono, col proposito di popolare in seguito anche le altre sei che stavano tutt'attorno.

Ma per popolarle, occorreva fare dei figli. E per fare dei figli, occorrevano delle mogli. E quei pionieri erano scapoli.

Qui, in mancanza di storia, dobbiamo per forza tornare alla leggenda, che ci racconta come fece Romolo, o comunque si chiamasse il capoccione di quei tipacci, a procurar donne a sé e ai suoi compagni. Indisse una grande festa, forse con la scusa di celebrare la nascita della sua città, e invitò a prendervi parte i vicini di casa sabini (o quiriti), col loro re, Tito Tazio, e soprattutto le loro figlie. I sabini vennero. Ma, mentre erano intenti a gareggiare nelle corse a piedi e a cavallo, ch'era il loro sport preferito, molto poco sportivamente i padroni di casa rubaron loro le ragazze e li buttarono fuori a pedate.

I nostri antichi erano molto sensibili alle questioni di donne. Poco prima, il ratto di una, Elena, era costato una guerra durata dieci anni e finita con la distruzione di un grande regno: quello di Troia. I romani ne rapirono a dozzine, ed è quindi naturale che il giorno dopo dovessero far fronte ai loro babbi e fratelli, tornati in armi per recuperarle. Si asserragliarono sul Campidoglio, ma commisero l'imperdonabile errore di affidare le chiavi della fortezza a una di quelle loro improvvisate mogli, che evidentemente non era stata molto soddisfatta del marito toccatole in sorte: Tarpeia, una ragazza romana che dicono fosse innamorata di Tito Ta-

15

zio. Costei aprì una porta agl'invasori. I quali, gente cavalleresca e quindi refrattaria a tutti i tradimenti, compresi quelli perpetrati in loro favore, la compensarono schiacciandola sotto i loro scudi. I romani più tardi diedero il suo nome alla rupe dalla quale solevano precipitare i traditori della patria condannati a morte.

Tutto finì in un pantagruelico banchetto nuziale. Perché le altre donne, in nome delle quali la battaglia si era accesa, a un certo punto s'interposero fra i due eserciti e dichiararono che non intendevano restare orfane, come sarebbe successo se i loro mariti romani avessero vinto, o vedove, come sarebbe successo se avessero vinto i loro babbi sabini. E ch'era ora di finirla perché con quegli sposi, sebbene spicciativi e maneschi, s'eran trovate benissimo. Meglio valeva regolarizzare i matrimoni, invece di continuare a scannarsi. E così fu. Romolo e Tazio decisero di governare insieme, ambedue col titolo di re, quel nuovo popolo nato dalla fusione delle due tribù, di cui portò congiuntamente il nome: *romani quiriti*. E siccome Tazio, subito dopo, ebbe la compiacenza di morire, l'esperimento di regno a due quella volta andò bene.

Chissà cosa c'è sotto a questa storia. Forse essa non è che la versione, suggerita dal patriottismo e dall'orgoglio, di una conquista di Roma da parte dei sabini. Ma può anche darsi che i due popoli si siano davvero volontariamente mescolati e che il famoso ratto fosse soltanto la normale cerimonia del matrimonio, come lo si celebrava allora, cioè col furto della sposa da parte dello sposo, ma col consenso del padre di lei, come si fa ancora presso certi popoli primitivi.

Se così fu veramente, è probabile che questa fusione fosse, più che suggerita, imposta dal pericolo di un nemico comune: quegli etruschi che frattanto, dalla costa tirrenica, si erano sparpagliati in Toscana e in Umbria e, armati di una tecnica molto più progredita, premevano verso il Sud.

Roma e la Sabina erano sulla direttrice di questa marcia e sotto diretta minaccia. Infatti non vi scamparono.

L'Urbe era appena nata, e già doveva vedersela con uno dei più difficili e insidiosi rivali di tutta la sua storia. Lo abbatté attraverso prodigi di diplomazia prima, di coraggio e di tecnica poi. Ma le occorsero dei secoli.

CAPITOLO SECONDO
POVERI ETRUSCHI

All'opposto dei romani d'oggi, che fanno tutto per scherzo, quelli dell'antichità facevano tutto sul serio. E specialmente quando si mettevano in testa di distruggere un nemico, non solo gli muovevano guerra e non gli davano tregua prima di averlo sconfitto, anche a costo di rimetterci eserciti su eserciti e quattrini su quattrini; ma poi gli entravano in casa e non vi lasciavano pietra su pietra.

Un trattamento particolarmente severo riservarono agli etruschi, quando, dopo aver subìto da loro molte umiliazioni, si sentirono abbastanza forti per poterli sfidare. Fu una lotta lunga e senza esclusione di colpi, ma al vinto non furono lasciati neanche gli occhi per piangere. Raramente si è visto nella storia un popolo scomparire dalla faccia della terra, e un altro cancellarne le tracce con sì ostinata ferocia. E a questo si deve il fatto che di tutta la civiltà etrusca non è rimasto quasi più nulla. Non ne sopravvivono che alcune opere d'arte e qualche migliaio d'iscrizioni, di cui solo poche parole sono state decifrate.

Su questi scarsissimi elementi, ognuno ha ricostruito quel mondo a modo suo.

Intanto, nessuno sa con precisione di dove questo popolo venisse. Dal modo come si sono rappresentati essi stessi nei bronzi e nei vasi di terracotta, pare che avessero corpi più tracagnotti e crani più massicci dei villanoviani, e lineamenti che ricordano la gente dell'Asia Minore. Molti infatti sostengono che arrivarono da quelle contrade, per mare; e la cosa sarebbe confermata dal fatto che furono i primi, tra gli abitatori dell'Italia, ad avere una flotta. Certo, furono loro a dare il nome di Tirreno, che vuol dire appunto «etrusco», al mare che bagna la costa della Toscana. Forse arrivarono in massa e sommersero la popolazione indigena, forse sbarcarono in pochi e si limitarono a sottometterla con le loro armi più progredite e la loro tecnica più sviluppata.

Che la loro civiltà fosse superiore a quella villanoviana è dimostrato dai crani che hanno trovato nelle tombe e che mostrano opere di protesi dentali abbastanza raffinate. I denti sono un gran segno, nella vita dei popoli. Essi si deteriorano con lo svilupparsi del progresso che rende più imperioso il bisogno di cure perfezionate. Gli etruschi conoscevano già il «ponte» per rinforzare i loro molari e i metalli che occorrevano per fabbricarlo. Infatti sapevano lavorare non solo il ferro che andarono a cercare, e trovarono, all'isola d'Elba e che trasformarono da greggio in acciaio; ma anche il rame, lo stagno e l'ambra.

Le città che si diedero subito a costruire nell'interno, Tarquinia, Arezzo, Perugia, Vejo, erano molto più moderne dei villaggi fondati dai latini, dai sabini e dalle altre popolazioni villanoviane. Tutte avevano dei bastioni per difendersi, delle strade e soprattutto le fogne. Seguivano, insomma, un «piano urbanistico», come si direbbe oggi, rimettendo alla competenza degl'ingegneri, che erano per quei tempi bravissimi, ciò che gli altri lasciavano al caso e al capriccio degl'individui. Sapevano organizzarsi per lavori collettivi, di utilità generale, e lo dimostrano i canali con cui bonificarono quelle contrade infestate dalla malaria. Ma soprattutto erano formidabili mercanti, attaccati ai soldi e pronti a qualunque sacrificio pur di moltiplicarli. I romani ignoravano ancora cosa ci fosse dietro il Soratte, montagnola poco discosta dalla loro città, che gli etruschi già erano arrivati in Piemonte, Lombardia e Veneto, avevano varcato a piedi le Alpi e, risalendo il Rodano e il Reno, avevano portato i loro prodotti sui mercati francesi, svizzeri e tedeschi per scambiarli con quelli locali. Furono loro a portare in Italia come mezzo di scambio la moneta, che i romani poi copiarono, tanto è vero che vi lasciarono incisa la prua di una nave prima di averne mai costruita una.

Erano gente allegra, che prendeva la vita dal lato più piacevole; e per questo alla fine persero la guerra contro i malinconici romani che la prendevano dal lato più austero. Le scene riprodotte sui loro vasi e sepolcri ci mostrano uomini ben vestiti con quella toga, che poi i romani copiarono facendone il loro costume nazionale, lunghi capelli e barbe inanellate, molti gioielli al polso, al collo, ai diti, e sempre intesi a bere, a mangiare e a conversare, quando non lo erano a praticare qualcuno dei loro esercizi sportivi.

Questi consistevano soprattutto nella boxe, nel lancio del disco e del giavellotto, nella lotta e in altre due manifestazioni che noi crediamo, a torto, squisitamente moderne e forestiere: il polo e la corrida. Naturalmente le regole di questi giuochi erano diverse da quelle che si usano oggi. Ma sin da allora lo spettacolo della lotta fra il toro e l'uomo nell'arena era considerato di pregio, tanto è vero che chi moriva se ne voleva portare nella tomba qualche scena-ricordo dipinta sui vasi, per continuare a divertircisi anche nell'aldilà.

Un gran passo avanti rispetto agli arcaici e patriarcali costumi romani e degli altri indigeni, era la condizione della donna, che presso gli etruschi godeva di gran libertà, e infatti viene rappresentata in compagnia dei maschi, partecipe dei loro divertimenti. Pare che fossero donne molto belle e di liberissimi costumi. Nei dipinti appaiono ingioiellate, asperse di cosmetici e senza troppe preoccupazioni di pudore. Mangiano a crepapelle e bevono a garganella, distese coi loro uomini su ampi sofà. Oppure suonano il flauto, o danzano. Una di loro, che poi diventò molto importante a Roma, Tanaquilla, era una «intellettuale», che la sapeva lunga di matematica e di medicina. Il che vuol dire che, a differenza delle loro colleghe latine, condannate alla più nera ignoranza, andavano a scuola e studiavano. I romani, ch'erano gran moralisti, chiamavano «toscane», cioè etrusche, tutte le donne di facili costumi. E in una commedia di Plauto c'è una ragazza accusata di seguire il «costume toscano» perché fa la prostituta.

La religione, che è sempre la proiezione della morale di un popolo, era centrata su un dio di nome Tinia, che esercitava il suo potere col fulmine e il tuono. Egli non governava direttamente gli uomini, ma affidava i suoi ordini a una specie di gabinetto esecutivo, composto di dodici grandi dèi, così grandi ch'era sacrilegio perfino pronunciarne il nome. Asteniamocene quindi anche noi, per non confondere la testa di chi ci legge. Tutti insieme costoro formavano il gran tribunale dell'aldilà, dove i «genii», specie di commessi o di guardie municipali, conducevano le anime dei defunti, appena avevano abbandonato i loro rispettivi corpi. E lì cominciava un processo in piena regola. Chi non riusciva a dimostrare di aver vissuto secondo i precetti dei giudici, era condannato all'inferno, a meno che i parenti e gli amici rimasti in vita non facessero per lui tante preghiere e sacrifici da ottenerne l'assoluzione. E in questo caso veniva assunto in paradiso, per continuare a godervi quei terrestri piaceri a base di bevute, mangiate, cazzotti e canzonette, di cui s'era fatto scolpire le allegre scene sul sepolcro.

Ma del paradiso gli etruschi pare che parlassero poco e di rado, lasciandolo piuttosto nel vago. Forse troppo pochi ce ne andavano, per saperne qualcosa di preciso. Quello su cui erano informatissimi era l'inferno, di cui conoscevano, uno per uno, tutti i tormenti che vi si soffrivano. Evidentemente i loro preti pensavano che, per tenere in riga la gente, valevano più le minacce della dannazione che le speranze dell'assoluzione. E questo modo di veder le cose si è perpetuato sino in tempi più recenti, sino a quelli di Dante che, nato in Etruria anche lui, è rimasto dello stesso parere e sull'inferno ha scialato molto più che sul paradiso.

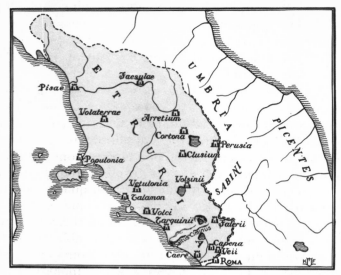

LE PRINCIPALI CITTA' ETRUSCHE

Con questo non dobbiamo credere che gli etruschi fossero fiorellini di gentilezza. Ammazzavano con relativa facilità, e sia pure con la buona intenzione di offrire in sacrificio la vittima per la salvezza di qualche amico o parente. Soprattutto i prigionieri di guerra erano adibiti a questa bisogna. Trecento romani, catturati in una delle tante battaglie che si combatterono fra i due eserciti, furono uccisi per lapidazione a Tarquinia. E sul loro fegato ancora palpitante di vita gl'indovini cercarono di determinare i futuri eventi della guerra. Evidentemente non ci riuscirono, altrimenti l'avrebbero smessa subito. Ma l'uso era frequente, anche se in genere ci si serviva delle viscere di qualche animale, pecora o toro che fosse, e i romani lo copiarono.

Politicamente, le loro sparse città non riuscirono mai a unirsi, e purtroppo non ce ne fu nessuna abbastanza forte per tenere in pugno le altre, come fece Roma con le rivali latine e sabine. Ci fu una federazione dominata da Tarquinia, ma non venne a capo delle tendenze separatiste. I dodici piccoli stati che ne facevano parte, invece di unirsi contro il comune nemico, si lasciarono battere e fagocitare da esso uno per uno. La loro diplomazia era come quella di certe moderne nazioni europee che preferiscono morire da sole piuttosto che vivere insieme.

Tutto questo è stato ricostruito, a furia d'induzioni, dai resti dell'arte etrusca che sono giunti sino a noi e che costituiscono la sola eredità lasciataci da quel popolo. Si tratta specialmente di vasi e di bronzi. Fra i vasi ce ne sono di belli, come l'«Apollo di Vejo», detto anche «Apollo che cammina», di terracotta policroma, che denunzia nei coroplasti etruschi una grande perizia tecnica e un gusto raffinato. Sono quasi sempre d'imitazione greca e, salvo qualche raro esemplare come il «bucchero nero», non ci sembrano gran che.

Ma per quanto scarsi siano questi resti, bastano a farci capire come i romani, una volta ch'ebbero sopraffatto gli etruschi, dopo essere andati per un pezzo a scuola da loro e averne subìto la superiorità soprattutto nel campo tecnico e organizzativo, non solo li distrussero, ma cercarono di cancellare ogni traccia della loro civiltà. La consideravano malata e corruttrice. Copiarono da essa tutto quello che faceva loro comodo. Mandarono alle scuole di Vejo e di Tarquinia i loro ragazzi per addottorarli specialmente in medicina e ingegneria. Imitarono la toga. Adottarono l'uso della moneta. E forse presero a prestito anche l'organizzazione politica, che però gli etruschi ebbero in comune con tutti gli altri popoli dell'antichità e che passò, anche in casa loro, da un regime monarchico ad uno repubblicano, retto da un *lucumone,* magistrato elettivo, e infine a una forma di democrazia dominata dalle classi ricche. Ma i propri costumi, stoici e sani, basati sul sacrificio e sulla disciplina sociale, Roma volle preservarli dalle mollezze di quelli etruschi. Istintivamente sentì che vincere in guerra il nemico e occuparne le terre non bastava, se poi gli si dava il destro di contaminare le case del padrone, assumendovelo in qualità di schiavo o di precettore, come si usava a quei tempi coi vinti. E lo distrusse. E ne volle sepolti tutti i documenti e monumenti.

Questo però successe molto tempo dopo che il primo contatto venisse stabilito fra i due popoli, i quali s'incontrarono appunto a Roma, quando vi giunsero gli albalongani e vi trovarono, a quanto pare, già installata una piccola colonia etrusca, che aveva dato al sito un nome di casa sua. Sembra infatti che Roma venga da *Rumon* che in etrusco vuol dire «fiume». E se questo è vero, bisogna dedurne che la prima popolazione dell'Urbe fu formata non soltanto di latini e di sabini, popoli dello stesso sangue e dello stesso ceppo, come lascerebbe credere la storia del famoso «ratto», ma anche di etruschi, gente di tutt'altra razza e lingua e religione. Anzi, secondo certi storici, etrusco sarebbe stato lo stesso Romolo. E comunque fu certamente etrusco il rito con cui fondò la città, scavando il solco con un aratro trascinato da un toro e da una giovenca bianchi, dopo che dodici uccelli di buon augurio avevano volteggiato sulla sua testa.

Senza volerci mettere in concorrenza coi competenti che da secoli vanno discutendo di queste faccende e non riescono a mettersi d'accordo, diremo quella che ci sembra la più probabile di tutte le versioni.

Gli etruschi, che avevano la passione del turismo e del commercio, avevano già fondato un piccolo villaggio sul Tevere, quando latini e sabini vi giunsero. E questo villaggio doveva servire da stazione di smistamento e di rifornimento per le loro linee di navigazione verso il Sud. Qui, e specialmente in Campania, avevano già impiantato ricche colonie: Capua, Nola, Pompei, Ercolano, dove le popolazioni locali che si chiamavano sannite e ch'erano di origine villanoviana anch'esse, venivano a scambiare i loro prodotti agricoli con quelli industriali in arrivo dalla Toscana. Era difficile, da Arezzo o da Tarquinia, giungere fin laggiù via terra. Mancavano le strade e la regione era infestata da belve e da banditi. Molto più facile, visto ch'eran gli unici a possedere una flotta, era per gli etruschi venirci via mare. Ma il viaggio era lungo, richiedeva intere settimane. Le navi, grandi come gusci di noce, non potevano imbarcare molti rifornimenti per gli uomini, e avevano bisogno di porti, lungo la strada, dove provvedersi di farina e d'acqua per il resto del tragitto. La foce del Tevere, giusto a metà del percorso, forniva una comoda baia per riempire le stive vuote, e per di più, navigabile com'era a quei tempi, offriva anche un comodo mezzo per risalire all'interno e combinare qualche affaruccio coi latini e sabini che lo abitavano. La contrada era costellata non si sa se d'una trentina o d'una settantina di borghi, ognuno dei quali rappresentava un piccolo mercato di scambio. Non che vi si potessero fare grandi affari perché il Lazio, a quei tempi, non era ricco che di legname per via (chi lo direbbe oggi?) dei suoi meravigliosi boschi. Per il resto, non produceva neanche frumen-

25

to, ma soltanto farro, e un po' di vino e di olive. Ma gli etruschi, pur di far quattrini, si contentavano del poco, e il vizio gli è rimasto.

Per questo fondarono Roma, chiamandola così o con un altro nome, ma senza dare troppa importanza alla cosa. Chissà quante ce n'erano, di Rome, scaglionate lungo la costa tirrenica fra Livorno a Napoli. E ci misero, a badarvi, una guarnigione di marinai e di mercanti che forse consideravano quel trasferimento un castigo. Dovevano tenere in ordine soprattutto il cantiere per le riparazioni delle navi danneggiate dalle tempeste, e i magazzini per rifornirle.

Poi, un bel giorno, presero ad arrivare a gruppetti i latini e i sabini, un po' forse perché in casa cominciavano a stare stretti, un po' perché anch'essi avevano voglia di commerciare con gli etruschi, dei cui prodotti erano bisognosi. Che avessero già allora un piano strategico di conquista dell'Italia prima, e del mondo poi, e che per questo ritenessero indispensabile la posizione di Roma, son fantasie degli storici d'oggi. Quei latini e sabini erano degli zoticoni di stoffa contadina, per i quali la geografia si riassumeva nell'orto di casa.

È probabile che questi nuovi arrivati siano venuti alle mani tra loro. Ma è altrettanto probabile che poi, invece di distruggersi a vicenda, si siano alleati, per fare fronte agli etruschi che dovevano guardarli un po' come gl'inglesi guardavano gl'indigeni, nelle loro colonie. Davanti a quella gente forestiera che li trattava dall'alto in basso e che parlava un idioma a loro incomprensibile, dovettero accorgersi di essere fratelli, accomunati dallo stesso sangue, dalla medesima lingua e dalla identica miseria. E per questo misero in comune il poco che avevano: le donne. Il famoso ratto non è probabilmente che il simbolo di questo accordo, dal quale è naturale che gli etruschi siano rimasti esclusi, ma di propria volontà. Essi si sentivano superiori e non volevano mescolarsi con quella plebaglia.

La divisione razziale continuò almeno cento anni, durante i quali latini e sabini, ormai fusi nel tipo romano, dovettero ingoiare parecchi rospi. Quando, dopo Tarquinio il Superbo che fu l'ultimo re, essi presero il sopravvento, la vendetta fu indiscriminata. E forse l'accanimento che misero a distruggere l'Etruria non solo come stato, ma anche come civiltà, gli fu ispirato appunto dalle umiliazioni che dagli etruschi avevano subìto anche in patria. E di essi vollero epurare tutto, perfino la storia, dando un certificato di nascita latino anche a Romolo che forse lo aveva etrusco e facendo risalire all'unione coi sabini l'origine della città.

CAPITOLO TERZO
I RE AGRARI

Quando Romolo morì, molti anni dopo aver seppellito Tito Tazio, i romani dissero ch'era stato il dio Marte a rapirlo e a condurlo in cielo per trasformarlo in dio, il dio Quirino. E come tale d'allora in poi lo venerarono, come fanno oggi i napoletani con san Gennaro.

A lui successe, come secondo re di Roma, Numa Pompilio, che la tradizione ci dipinge mezzo filosofo e mezzo santo, come lo fu, parecchi secoli dopo, Marco Aurelio. Quelle che più lo interessavano erano le questioni religiose. E siccome in questa materia ci doveva essere una grossa anarchia perché ognuno dei tre popoli venerava i propri dèi, fra i quali non si riusciva a capire chi fosse il più importante, Numa decise di mettervi ordine. E per imporlo, quest'ordine, ai suoi riottosi sudditi, fece spargere la notizia che ogni notte, mentre dormiva, la ninfa Egeria veniva a visitarlo in sogno dall'Olimpo per trasmettergliene direttamente le istruzioni. Chi vi avesse disobbedito, non era col re, uomo fra gli uomini, che avrebbe dovuto vedersela, ma col Padreterno in persona.

Lo stratagemma può sembrare infantile, ma anche oggi seguita ad attaccare, di quando in quando. In pieno secolo ventesimo, Hitler, per farsi obbedire dai tedeschi, non seppe escogitarne uno migliore. E ogni tanto scendeva dalla montagna di Berchtesgaden con qualche nuovo ordine del buon Dio in tasca: quello di sterminare gli ebrei, per esempio, o di distruggere la Polonia. E il bello è che, a quanto pare, ci credeva anche lui. L'umanità, in queste faccende, non ha molto progredito, dai tempi di Numa.

Tuttavia anche in questa leggenda forse c'è un fondo di vero, o almeno un'indicazione che ci permette di ricostruirlo. Quali che siano stati i loro nomi e la loro origine, quelli dell'antichissima Roma, più che re veri e propri, dovettero essere dei papi, come del resto lo era l'«arconte basileo» ad Atene.

Tutte le autorità, a quei tempi, erano puntellate soprattutto sulla religione. Il potere dello stesso *paterfamilias,* o capo di casa, sulla moglie, sui fratelli minori, sui figli, sui nipoti, sui servi, era più che altro quello di un alto sacerdote cui il buon Dio aveva delegato certe funzioni. E per questo era così forte. E per questo le famiglie romane erano così disciplinate. E per questo ognuno sentiva tanto i propri doveri e li assolveva in pace e in guerra.

Numa, stabilendo un ordine di precedenza fra i vari dèi che ognuno dei vari popoli che la formavano si era portato a Roma, compì forse un'opera politica fondamentale: quella che poi consentì ai suoi successori, Tullo Ostilio e Anco Marzio, di condurre il popolo unito alle guerre vittoriose contro le città rivali della contrada. Ma, come poteri politici veri e propri, non doveva averne molti, perché quelli più grandi e decisivi restavano nelle mani del popolo che lo eleggeva ed a cui doveva sempre rispondere.

Questo, di per sé, non vorrebbe dir nulla, perché in tutti i tempi e sotto qualsiasi regime, chi comanda dice di farlo in nome del popolo. Ma a Roma non si trattò di chiacchiere, almeno fino alla dinastia dei Tarquini, i quali del resto persero il trono appunto perché vollero starci seduti come padroni invece che come «delegati». E la divisione del comando era fatta press'a poco così.

La città era divisa in tre *tribù:* quella dei latini, quella dei sabini, quella degli etruschi. Ogni tribù era divisa in dieci *curie,* o quartieri. Ogni curia in dieci *gentes,* o casate. Ogni casata era divisa in famiglie. Le curie si riunivano in genere due volte all'anno, e in queste occasioni facevano il *comizio curiato,* che fra le altre cose si occupava anche dell'elezione del re, quando uno moriva. Tutti avevano il medesimo diritto di voto. La maggioranza decideva. Il re eseguiva.

Era la democrazia assoluta senza classi sociali, e funzionò finché Roma fu un piccolo pacifico villaggio abitato da poca gente che di rado metteva la testa fuor delle mura. Poi gli abitanti crebbero, e crebbero anche le esigenze. Il re che dapprima, oltre a dir messa, cioè a celebrare i sacrifici e gli altri riti della liturgia, doveva anche applicare le leggi, cioè fare il giudice, non ebbe più il tempo di assolvere tutti questi compiti, e cominciò a nominare dei «funzionari» a cui affidarli. Così nacque la cosiddetta «burocrazia». Colui ch'era stato soprattutto un prete, diventa vescovo, e designa dei parroci e curati che lo aiutino nelle funzioni religiose. Poi ha bisogno anche di chi provveda alle strade, al censo, al catasto, all'igiene, e nomina dei competenti che si occupino di queste faccende. Così nasce il primo «ministero»: il cosiddetto Consiglio degli Anziani o Senato, costituito da un centinaio di membri ch'erano discendenti, per diritto di primogenitura, dei pionieri venuti con Romolo a fondare Roma e che dapprima hanno soltanto il compito di consigliare il sovrano, ma poi diventano sempre più influenti.

E infine nasce, come stabile organizzazione, l'esercito, basato anch'esso sulla divisione nelle trenta curie, ognuna delle quali doveva fornire una *centuria,* cioè cento fanti, e una *decuria,* cioè dieci cavalieri col cavallo. Le trenta centurie e le trenta decurie, cioè tremilatrecento uomini, facevano tutte insieme la *legione* che fu il primo e unico corpo d'armata dell'antichissima Roma. Sui soldati il re, che ne era il comandante supremo, aveva diritto di vita o di morte. Ma anche questo potere militare non lo esercita in maniera assoluta e senza controllo. Egli dirige le operazioni, ma dopo aver chiesto consiglio al *comizio centuriato,* cioè alla legione in armi, di cui sollecita anche l'approvazione per la nomina degli ufficiali che a quei tempi si chiamavano *pretori.*

Insomma, tutte le precauzioni erano state prese dai romani perché il re non si tramutasse in un tiranno. Egli doveva restare un «delegato» della volontà popolare. Quando un branco d'uccelli passava per aria o un fulmine schiantava un albero, era compito suo riunire i sacerdoti, con loro studiare cosa volessero dire quei segni e, se gli pareva che significassero qualcosa di poco buono, decidere che sacrifici bisognava fare per placare gli dèi evidentemente offesi di qualcosa. Quando due privati venivano a litigio fra loro e magari uno derubava o scannava l'altro, non era affar suo occuparsene. Ma se uno commetteva qualche delitto contro lo stato o la collettività, allora se lo faceva condurre davanti da qualche guardia, e magari lo condannava a morte. Per tutto il resto, decisioni non poteva prenderne. Doveva chiederle in tempo di pace ai comizi curiati e in tempo di guerra a quelli centuriati. Se era furbo, riusciva, come avviene anche oggi, a presentare come «volontà del popolo» quella sua personale. Altrimenti doveva subirla. Ma sempre doveva fare i conti, per eseguirla, col Senato.

Tale era l'ordinamento che il primo re di Roma, sia egli stato Romolo o no, e a qualunque delle tre razze sia appartenuto, diede all'Urbe. E tale fu quello che il saggio Numa lasciò al suo successore Tullo Ostilio, ch'era di temperamento molto più vivace.

Egli aveva nel sangue la politica, l'avventura e l'avidità. Ma il fatto che il comizio avesse scelto proprio lui come sovrano, significa che, dopo i quarant'anni di pace assicuratile da Numa, tutta Roma aveva una gran voglia di menar le mani. Dei borghi e città che la circondavano, Alba Longa era la più ricca e importante. Non sappiamo quale pretesto escogitasse Tullo per muoverle guerra. Forse nessuno. Ma fatto si è che un bel giorno l'attaccò e la rase al suolo, sebbene la leggenda abbia trasformato questa prepotenza in un episodio cavalleresco e quasi gentile. Dicono infatti che i due eserciti rimisero la sorte delle armi a un duel-

31

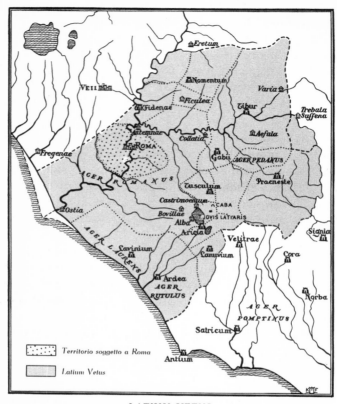

LATIUM VETUS
DOPO LA PRIMA GUERRA LATINA (493 a. C.)

lo fra tre Orazi romani e tre Curiazi albalongani. Costoro uccisero due Orazi. Ma l'ultimo a sua volta uccise loro e decise la guerra. Fatto sta però che Alba Longa fu distrutta, e il suo re fu legato con le due gambe a due carri che, lanciati in direzione opposta, lo squarciarono. Fu così che Roma trattò quella ch'essa considerava la sua madrepatria, la terra donde diceva che i suoi fondatori erano venuti.

Naturalmente l'avvenimento dovette allarmare un po' tutti gli altri villaggi della contrada che, non avendo subìto l'influenza etrusca, erano rimasti indietro, nel cosiddetto progresso, e quindi si sentivano più deboli e peggio armati dei romani. Un po' con tutti Tullo Ostilio e il suo successore Anco Marzio, che ne seguì l'esempio, attaccarono briga.

Per concludere, il giorno che al trono fu elevato Tarquinio Prisco come il quinto re, Roma era già il nemico pubblico numero uno di quella regione di cui non si conoscono con esattezza i confini, ma che doveva estendersi press'a poco fino a Civitavecchia a nord, fino verso Rieti a est, e fin verso Frosinone a sud.

Ora, è molto probabile che questa politica di conquiste, destinata a diventare ancora più aggressiva con gli ultimi tre re di famiglia Tarquinia, fosse d'ispirazione soprattutto etrusca. E questo per un semplice motivo: che, mentre latini e sabini erano agricoltori, gli etruschi erano industriali e mercanti. I primi, ogni volta che scoppiava una nuova guerra, dovevano abbandonare il podere lasciandolo andare in malora per arruolarsi nella legione, e rischiavano di perderlo, se il nemico vinceva. I secondi invece avevano tutto da guadagnare: aumentavano i consumi, piovevano le «commesse» del governo; e in caso di vittoria si conquistavano nuovi mercati.In tutti i tempi e in tutte le nazioni è sempre stato così: gli abitanti delle città, capitalisti, intellettuali, commercianti, vogliono le guerre contro la volontà dei contadini che poi devono farle. Più uno stato s'industrializza, più la città prende il sopravvento sulla campagna, e più la sua politica diventa avventurosa e aggressiva.

Fino al quarto re, l'elemento contadino prevalse in Roma e la sua economia fu soprattutto agricola. Quei tremilatrecento uomini che costituivano il suo esercito ci dimostrano che la popolazione complessiva doveva ammontare a un trentamila anime, di cui forse la maggior parte erano disseminate nel contado. Nella città vera e propria ce ne sarà stata, sì e no, la metà, che dal Palatino ora si erano sparpagliate anche sugli altri colli. La maggior parte di loro vivevano in capanne di fango venute su alla rinfusa e disordinatamente, con una porta per entrarvi, ma senza finestre, e una sola stanza in cui mangiavano, bevevano, dormivano tutti insieme babbo, mamma, figliuoli, nuore, generi, nipoti, schiavi (chi ne aveva), polli, somari, vacche e porci. Gli uomini, al mattino, scendevano al piano per arare la terra. E fra loro c'erano anche i senatori che, come tutti gli altri, aggiogavano i buoi e spargevano il seme o falciavano la spiga. I ragazzi li aiutavano, perché il lavoro dei campi era la loro unica e vera scuola, il loro unico e vero sport. E i padri approfittavano dell'occasione per insegnar loro che il seme dava buon frutto solo quando il cielo mandava acqua e sole in giuste dosi sulla zolla; che il cielo mandava acqua e sole in giuste dosi sulla zolla solo quando gli dèi lo volevano; che gli dèi lo volevano solo quando gli uomini avevano compiuto tutti i loro doveri verso di essi; e che il primo di questi doveri consisteva nell'obbedienza dei giovani ai vecchi.

Così crescevano i cittadini romani, almeno quelli di discendenza latina e sabina, che dovevano costituire la maggioranza. L'igiene e la cura della propria persona dovevano essere ridotte al minimo, anche per le donne. Niente cosmetici, niente civetterie, poca o punta acqua, che le donne dovevano andare ad attingere in basso e riportare in anfore sospese sulla testa. Non c'erano gabinetti di decenza né fogne. Si facevano i propri bisogni fuori dell'uscio e si lasciavano lì. Le barbe e i capelli crescevano incolti. Quanto ai vestiti, non state a credere ai monumenti, che del resto appartengono ad epoche molto più recenti, quando Roma ebbe una vera e propria industria tessile ed una categoria di sarti evoluti, che per la maggior parte erano di origine e di scuola greche. In quei tempi lontani la toga, che poi acquistò tanta importanza, o non era ancora nata, o era ridotta alla sua foggia più elementare. Forse somigliava alla futa che attualmente portano gli abissini: un cencio bianco, tessuto in casa dalle mogli e dalle figlie con lana di pecora, con un buco in mezzo per infilarci la testa. Pochi ne avevano una di ricambio. In genere portavano sempre la stessa, d'estate e d'inverno, di giorno e di notte, immaginate con quali conseguenze.

Non s'indulgeva a nessun piacere, nemmeno a quelli di gola. Contro le teorie dei moderni scienziati americani, secondo i quali la forza di un popolo è condizionata dal suo consumo di calorie e di vitamine, che a sua volta è condizionato dalla varietà del suo nutrimento, i romani dimostrarono che si può conquistare il mondo anche mangiando soltanto un impasto mal cotto d'acqua e di farina, due olive e un po' di cacio, annaffiato solo nei giorni di festa da un bicchier di vino. L'olio sembra che sia venuto più tardi, e dapprima pare che lo abbiano usato solo per ungersi la pelle, a difesa dalle bruciature del freddo e da quelle del sole. Il che doveva aumentare non poco il puzzo generale.

A questo regime non sfuggiva nemmeno il re, che soltanto con la dinastia dei Tarquini ebbe una divisa, un elmo e delle insegne speciali. Sino ad Anco Marzio egli fu uguale tra gli uguali, anche lui arò la terra dietro i buoi aggiogati, sparse il seme e falciò la spiga. Non risulta nemmeno che avesse una reggia o comunque un ufficio. Risulta invece che andava fra la gente senza una scorta di protezione perché, se ne avesse avuta una, tutti lo avrebbero accusato di voler regnare con la forza invece che col consenso del popolo. Le decisioni le prendeva sotto un albero, o a sedere sull'uscio di casa, dopo aver sentito l'opinione degli anziani che gli facevano corona torno torno. Saliva in cattedra e forse indossava anche un abito speciale, solo quando doveva compiere un sacrificio o qualche altra cerimonia religiosa.

Anche in guerra i romani andavano senza niente che somigliasse ad una vera e propria organizzazione militare. Il pretore che comandava la centuria o la decuria non aveva insegne di grado. Le armi erano soprattutto bastoni, sassi e rozze spade. Ci volle del tempo prima che si arrivasse all'elmo, allo scudo e alla corazza, invenzioni che allora dovettero fare l'effetto che ai giorni nostri fecero la mitragliatrice e il carro armato. Sicché le grandi campagne che Roma intraprese sotto i primi suoi bellicosi re dovettero somigliare più che altro a spedizioni punitive e risolversi in gran mazzate di uomo contro uomo, senz'ombra di tattica e di strategia. I romani le vinsero non tanto perché erano i più forti, quanto perché erano i più persuasi che la loro patria era stata fondata dagli dèi per realizzare grandi imprese e che morire per essa costituiva non un merito, ma solo il pagamento di un debito contratto nel momento in cui si era nati.

Il nemico, una volta battuto, cessava di essere un «soggetto» per diventare soltanto un «oggetto». Il romano che lo aveva fatto prigioniero lo considerava cosa sua propria: se era di malumore, lo ammazzava; se era di buonumore, se lo portava a casa come schiavo, e poteva farne quel che voleva: ucciderlo, venderlo, obbligarlo a lavorare. Le terre venivano requisite dallo stato e date in affitto ai sudditi. Le città molto spesso erano distrutte e le popolazioni deportate.

Con questi sistemi, Roma crebbe a spese dei latini a sud, dei sabini e degli equi a est, degli etruschi a nord. Sul mare, da cui distava pochi chilometri, non osava avventurarsi perché non aveva ancora una flotta, e la sua popolazione

contadina ne diffidava per istinto. Sotto Romolo, Tito Tazio, Tullo Ostilio e Anco Marzio, i romani furono «terrieri» e la loro politica «terrestre».

Fu l'avvento di una dinastia etrusca a mutare radicalmente
le cose, sia nella politica interna che in quella estera.

CAPITOLO QUARTO

I RE MERCANTI

Non si sa con precisione quando e come Anco Marzio morì. Ma dovette essere a un centocinquant'anni dal giorno in cui la leggenda vuole che Roma sia stata fondata, cioè verso il 600 avanti Cristo. Pare comunque che in quel momento si trovasse in città un certo Lucio Tarquinio, personaggio molto differente da quelli che i romani usavano sceglersi come re e magistrati.

Non era del posto. Veniva da Tarquinia, ed era figlio di un greco, Demarato, emigrato da Corinto e sposatosi con una donna etrusca. Da questo incrocio era nato un ragazzo vivace, brillante, spregiudicato, ambiziosissimo, che forse i romani, quando venne a stabilirsi fra loro, guardarono con un misto d'ammirazione, d'invidia e di diffidenza. Era ricco e scialacquatore fra gente povera e taccagna. Era elegante in mezzo ai bifolchi. Era l'unico a sapere di filosofia, geografia e matematica in un mondo di poveri analfabeti. Quanto alla politica, sangue greco più sangue etrusco dovevano far di lui un diplomatico di mille risorse fra concittadini che ne dovevano aver poche. Tito Livio dice di lui: «Fu il primo che intrigò per farsi eleggere re e pronunciò un discorso per assicurarsi l'appoggio della plebe».

Che sia stato il primo, ne dubitiamo. Ma che abbia intrigato, ne siamo sicuri. Probabilmente le famiglie etrusche, che costituivano una minoranza, ma ricca e potente, videro in lui il loro uomo; e, stanche di essere governate da re pastori e contadini, di razza latina e sabina, sordi ai loro bisogni commerciali ed espansionistici, decisero di innalzarlo al trono.

Come siano andate le cose, s'ignora. Ma l'accenno di Tito Livio alla plebe ci consente di farcene un'idea. Essa è un elemento nuovo nella storia romana, o per lo meno un elemento che non si era fatto sentire sotto i primi quattro re, che alla plebe non avevan nessun bisogno di parlare per venire eletti, per il semplice motivo che la plebe ai loro tempi non c'era. Nei comizi curiati, che procedevano all'investitura del sovrano, non esistevano differenze sociali. Tutti erano cittadini, tutti erano piccoli o grandi proprietari di terra; tutti quindi avevano, formalmente, gli stessi diritti, anche se, per forza di cose, nella pratica, poi, a prendere le decisioni e ad imporle agli altri erano alcuni professionisti della politica.

Era una perfetta democrazia casalinga, dove tutto veniva fatto alla luce del sole e si discuteva fra cittadini uguali e quel che contava, per la distribuzione delle cariche, era la stima e il prestigio di cui si godeva. Ma essa presupponeva la piccola città che Roma fu in quel suo primo secolo di vita, chiusa nella sua angusta cerchia di catapecchie, e dove ognuno conosceva l'altro e sapeva di chi era figlio e cosa aveva fatto e come trattava la moglie e quanto spendeva per mangiare e quanti sacrifici celebrava in nome degli dèi.

Ma alla morte di Anco Marzio la situazione era del tutto cambiata. I bisogni di guerra avevano stimolato l'industria e quindi favorito l'elemento etrusco, quello che dava i falegnami, i fabbri, gli armieri, i mercanti. N'erano arrivati da Tarquinia, da Arezzo, da Vejo, le botteghe s'erano riempite di garzoni e d'apprendisti che, imparato bene il mestiere, avevano messo su altre botteghe. Il rialzo dei salari aveva richiamato in città la mano d'opera contadina. I soldati, dopo aver fatto la guerra, tornavano malvolentieri sui campi e preferivano restare a Roma, dove si trovavano con più facilità donne e vino. Ma soprattutto le vittorie vi avevano fatto confluire rivoli di schiavi. Ed era questa moltitudine forestiera che formava il *plenum* da cui viene la parola *plebe*.

Lucio Tarquinio e i suoi amici etruschi dovettero veder subito che profitto si poteva trarre da questa massa di gente, per la maggior parte esclusa dai comizi curiati, se si fosse potuto convincerla che solo un re forestiero come lui avrebbe potuto farne valere i diritti. E per questo l'arringò, promettendole chissà cosa, magari ciò che poi fece davvero. Egli aveva dietro di sé quella che oggi si chiamerebbe la Confindustria: i Cini, i Marzotto, gli Agnelli, i Pirelli, i Falck dell'antica Roma: gente che quattrini per la propaganda elettorale aveva da spenderne quanti ne voleva, ed era decisa a farlo per garantirsi un governo più disposto di quelli precedenti a tutelare i suoi interessi e a seguire quella politica espansionistica ch'era la condizione della sua prosperità.

Certamente ci riuscirono perché Lucio Tarquinio fu eletto col nome di Tarquinio Prisco, rimase sul trono trentotto anni, e per liberarsi di lui i *patrizi*, cioè i «terrieri», dovettero farlo assassinare. Ma inutilmente. Prima di tutto perché la corona, dopo di lui, passò a suo figlio, eppoi a suo nipote. In secondo luogo perché, più che la causa, l'avvento della dinastia dei Tarquini fu l'effetto di una certa svolta che la storia di Roma aveva subìto e che non le consentiva più di tornare al suo primitivo e arcaico ordinamento sociale e alla politica che ne derivava.

Il re della Confindustria e della plebe fu un re autoritario, guerriero, pianificatore e demagogo. Volle una reggia e se la fece costruire secondo lo stile etrusco, molto più raffinato di quello romano. Poi nella reggia fece innalzare un trono, e lì si mise a sedere, in pompa magna, con lo scettro in mano, e un elmo ripieno di pennacchi. Dovette farlo un po' per vanità, un po' perché conosceva i suoi polli e sapeva benissimo che la plebe, cui doveva la sua elezione e di cui intendeva conservarsi il favore, amava il fasto e il re lo vuol vedere in alta uniforme, circondato da corazzieri. A differenza dei suoi predecessori che la maggior parte del loro tempo la passavano a dir messa e a fare oroscopi, egli la trascorse a esercitare il potere temporale cioè a far politica e guerre. Prima soggiogò tutto il Lazio, poi attaccò briga con i sabini e rosicchiò loro un'altra parte di terre. Per fare questo, ebbe bisogno di molte armi che l'industria pesante gli fornì facendoci sopra grossi affari, e di molti rifornimenti che i mercanti gli assicurarono guadagnandoci sopra larghe prebende. Gli storici repubblicani e anti-etruschi scrissero poi che il suo regno fu tutto un intrallazzo, una generale mangeria, il trionfo delle mance e delle «bustarelle», e che il bottino ch'egli prese ai vinti lo usò per abbellire non Roma, ma le città etrusche, particolarmente Tarquinia, che gli aveva dato i natali.

Ne dubitiamo, perché fu proprio sotto di lui che Roma fece un balzo avanti, specie in fatto di monumenti e di urbanistica. Anzitutto vi costruì la Cloaca Massima, cioè le fogne, che finalmente liberarono i cittadini dai loro rifiuti, con i quali avevano sino ad allora convissuto. Eppoi finalmente l'Urbe cominciò a diventar tale davvero, con strade ben tracciate, quartieri definiti, case che non eran più capanne, ma costruzioni vere e proprie, col tetto spiovente da ambedue i lati, finestre e atrio, e un *foro,* cioè una piazza centrale, dove tutti i cittadini si riunivano.

Purtroppo, per compiere questa autentica rivoluzione, che sconvolgeva non soltanto la faccia esterna di Roma, ma anche il suo costume di vita, egli dovette subire l'ostilità del Senato, depositario dell'antica tradizione e poco disposto a rinunziare al suo diritto di controllo sul re. In altri tempi esso lo avrebbe deposto o costretto alle dimissioni. Ma ora bisognava fare i conti con la plebe, cioè con una moltitudine che ancora non aveva una adeguata rappresentanza politica, ma sperava che Tarquinio gliene desse una ed era pronta a sostenerlo anche con le barricate. Era più facile ucciderlo, e così fecero. Ma commisero l'imperdonabile errore di lasciare in vita sua moglie e suo figlio, convinti che quella per il suo sesso e questi per la sua giovane età non potessero mantenere il potere.

Forse avrebbero avuto ragione, se Tanaquilla fosse stata romana, cioè abituata soltanto a obbedire. Ma invece era etrusca, aveva studiato, con suo marito aveva diviso non soltanto il letto ma anche il lavoro interessandosi ai problemi di stato, all'amministrazione, alla politica estera, alle riforme; e su tutto la sapeva più lunga degli stessi senatori, molti dei quali erano analfabeti.

Seppellito il re, essa ne occupò il posto sul trono, e lo tenne caldo per Servio che frattanto cresceva e che fu il primo e l'ultimo re di Roma a ereditare la corona senza venire eletto. Non si sa bene se costui fosse figlio suo o di una sua serva, come sembra indicare il nome. Comunque, anche di lui gli storici romani, tutti repubblicani ferventi, hanno cercato di dir male. Ma non ci sono riusciti. Pur controvoglia, essi hanno dovuto ammettere che il suo governo fu illuminato e che sotto di lui furono condotte a termine alcune fra le più importanti imprese. Anzitutto egli costruì una cerchia di mura intorno alla città, dando così lavoro a muratori, tecnici e artigiani che videro in lui il loro protettore. Poi pose mano alla grande riforma politica e sociale, che fu di base a tutti i successivi ordinamenti romani.

La vecchia divisione in trenta curie presupponeva una città di trenta o quarantamila abitanti, tutti press'a poco con gli stessi titoli, le stesse benemerenze e lo stesso patrimonio. Ma ora essa era straordinariamente cresciuta, e c'è chi fa ascendere a sette o ottocentomila anime la popolazione cittadina del tempo di Servio. Probabilmente son calcoli sbagliati: a tanto dovevano ammontare non gli abitanti di Roma, ma quelli di tutto il territorio da essa conquistato. Tuttavia la città doveva superare almeno i centomila, e i grandi lavori pubblici che Tarquinio e Servio intrapresero dovettero essere imposti anche da un'acuta crisi di alloggi.

Di questa massa, solo quella già iscritta ai comizi curiati aveva voce in capitolo e poteva votare. Gli altri seguitavano a restare esclusi, e fra costoro c'erano anche i più grandi

42

industriali e commercianti e banchieri: quelli che fornivano i quattrini allo stato per fare le guerre e le grandi opere di bonifica. Essi avevano ora diritto a una ricompensa.

Come prima cosa, Servio diede la cittadinanza ai *libertini,* cioè ai figli degli schiavi liberati, o *liberti.* Dovettero essere parecchie e parecchie migliaia di persone, che da quel momento furono i suoi più accaniti sostenitori. Poi abolì le trenta curie divise secondo i quartieri, e al loro posto istituì cinque *classi,* differenziate in base non al loro domicilio, ma al loro patrimonio. Alla prima appartenevano coloro che avevano almeno centomila assi; all'ultima quelli che ne possedevano meno di dodicimilacinquecento. È difficile stabilire a cosa corrisponde, in moneta d'oggi, un *asse.* Forse a cento, centotrenta lire, forse più. Comunque, furono queste differenze economiche a determinare anche quelle politiche. Perché mentre nelle curie tutti erano pari, almeno formalmente, e il voto di ognuno valeva quello di ogni altro, le classi votavano per centurie, ma non ne avevano un numero uguale. La prima ne aveva novantotto. In tutte erano centonovantatré. Sicché in pratica bastavano i novantotto voti della prima classe per determinare la maggioranza. Le altre, anche se si coalizzavano, non riuscivano a batterla.

Era un regime capitalista o plutocratico in piena regola, che dava il monopolio del potere legislativo alla Confindustria, togliendolo alla Federterra, cioè al Senato che di denaro ne aveva molto meno. Ma cosa poteva esso fare? Servio non gli doveva neppure l'elezione perché la corona l'aveva ereditata dal padre; e aveva con sé i quattrini dei ricchi che a lui erano debitori della loro nuova potenza, e l'appoggio del popolino cui egli aveva dato impiego, salario e cittadinanza. Sorretto da queste forze, si circondò di una guardia armata per proteggere la propria vita dai malintenzionati, si recinse la testa di un diadema d'oro, si fece fabbricare un trono d'avorio e su esso sedette, maestosamente, con uno scettro in mano, sormontato da un'aquila. Patrizio o non patrizio, senatore o mendicante, chiunque volesse avvicinarlo doveva farsi annunziare e aspettare pazientamente il suo turno in anticamera.

Era difficile eliminare un uomo simile. E infatti i suoi nemici, per riuscirci, dovettero affidarne il compito a suo nipote-genero, che, come tale, poteva circolare liberamente nella reggia.

Questo secondo Tarquinio, prima di rischiare il colpo, tentò di far deporre lo zio per abuso di potere. Servio si presentò alle centurie che lo riconfermarono re con plebiscitaria acclamazione (lo racconta Tito Livio, gran repubblicano, e dunque dev'esser vero).

Non restava quindi che il pugnale, e Tarquinio lo usò senza troppi scrupoli. Ma il respiro di sollievo che trassero i senatori, coi quali si era alleato, rimase loro in gola, quando videro l'uccisore sedersi a sua volta sul trono d'avorio senza chieder il loro permesso, come avveniva a quei buoni vecchi tempi ch'essi speravano di restaurare.

Il nuovo sovrano si mostrò subito più tirannico di quello che aveva spedito all'altro mondo. E infatti lo battezzarono «il Superbo» per distinguerlo dal fondatore della dinastia. Se gli diedero quel nomignolo, qualche ragione ci dovette essere, anche se non è vero quel che poi si è raccontato della sua caduta. Pare che si divertisse a uccidere la gente nel Foro. E di carattere aggressivo fu certamente perché la maggior parte del suo tempo, come re, la trascorse a fare guerre. Guerre fortunate, perché sotto il suo comando l'esercito, che ora disponeva di alcune decine di migliaia di uomini, conquistò non soltanto la Sabina, ma anche l'Etruria e le sue colonie meridionali almeno fino a Gaeta. Di qui sin quasi alle foci dell'Arno, Roma faceva in quel momento il buono e il cattivo tempo. La guerra non sempre era calda. Spesso era soltanto «fredda», come si dice oggi. Ma insomma Tarquinio fu, un po' in forza di armi, un po' in grazia di diplomazia, il capo di qualcosa che, per quei tempi, era un piccolo impero. Esso non arrivava all'Adriatico, ma ormai dominava il Tirreno.

Forse Tarquinio menò tanto le mani anche per far dimenticare il modo in cui era salito al trono sul cadavere di un re generoso e popolare. I successi esterni servono molte volte a mascherare la debolezza interna d'un regime. Comunque, è a questa smania di conquista che Tarquinio dovette, a quanto pare, la sua caduta.

Un giorno, raccontano, egli era al campo, con i suoi soldati, suo figlio Sesto Tarquinio e suo nipote Lucio Tarquinio Collatino. Costoro, sotto la tenda, cominciarono a discutere della virtù delle loro rispettive mogli, ognuno sostenendo, da buon marito, quella della propria. Probabilmente uno disse all'altro: «La mia è una sposa onesta. La tua ti mette le corna». Decisero di tornare quella notte a casa per sorprenderle sul fatto. Inforcarono i cavalli, e via.

A Roma trovarono la moglie di Sesto che si consolava della momentanea vedovanza banchettando con amici e lasciandosene corteggiare. Quella di Collatino, Lucrezia, ingannava l'attesa tessendo un abito per suo marito. Collatino, trionfante, intascò la scommessa e tornò al campo. Sesto, mortificato e smanioso di rivincita, si mise a fare la corte a Lucrezia, e alla fine, un po' con la violenza, un po' con l'astuzia, ne vinse la resistenza.

Commessa l'infedeltà, la povera donna mandò a chiamare suo marito e suo padre, ch'era un senatore, confessò loro l'accaduto e si uccise con una pugnalata al cuore. Lucio Giunio Bruto, anche lui nipote del re, che gli aveva ucciso il babbo, adunò il Senato, raccontò la storia di quell'infamia e propose la decadenza dal trono del Superbo e l'espulsione dalla città di tutta la sua famiglia (eccetto lui, si capisce). Tarquinio, informato, si precipitò a Roma, mentre Bruto contemporaneamente galoppava verso il campo, e probabilmente s'incontrarono per strada. Mentre il re tentava di rimettere ordine nella città, Bruto gli seminava il disordine

45

nelle legioni che decisero allora di ribellarsi e di marciare su Roma.

Tarquinio fuggì verso il Nord, rifugiandosi in quell'Etruria da cui i suoi antenati erano discesi e di cui egli aveva umiliato l'orgoglio riducendone le città alla condizione di vassalle di Roma. Dovette essere una ben amara mortificazione per lui chiedere ospitalità a Porsenna, lucumone, cioè primo magistrato di Chiusi, che a quei tempi si chiamava *Clusium*.

Ma Porsenna, gran gentiluomo, gliela concesse.

A Roma proclamarono la repubblica. Come più tardi quella dei Plantageneti in Inghilterra e quella dei Borboni in Francia, anche la monarchia di Roma era durata sette re.

Correva l'anno 509 avanti Cristo. Ne erano trascorsi duecentoquarantasei *ab urbe condita*.

CAPITOLO QUINTO

PORSENNA

Come sempre i popoli quando cambiano regime, anche i romani salutarono quello nuovo con grande entusiamo, e in esso riposero tutte le loro speranze, comprese quelle della libertà e della giustizia sociale. Fu convocato un grande comizio centuriato cui presero parte tutti i cittadini-soldati che proclamarono definitivamente seppellita la monarchia, le attribuirono la responsabilità di tutti gli errori e soprusi di cui si era macchiata l'amministrazione della cosa pubblica in quei primi due secoli e mezzo di vita; e al posto del re nominarono due *consoli,* scegliendoli nelle persone dei due protagonisti della rivoluzione: il povero vedovo Collatino e il povero orfano Lucio Giunio Bruto. Il primo avendo declinato, fu sostituito da Publio Valerio.

Publio Valerio passò alla storia col nomignolo di «Publicola», che vuol dire «amico del popolo».

Questa amicizia, Publicola la dimostrò sottoponendo e facendo approvare dal comizio alcune leggi che rimasero basilari per tutto il periodo che durò la repubblica. Esse comminavano la pena di morte a chiunque tentasse d'impadronirsi di una carica senza l'approvazione del popolo. Consentivano al cittadino che fosse stato condannato a morte il ricorso in appello all'Assemblea, cioè al comizio centuriato. E concedevano a tutti il diritto di uccidere, anche senza processo, chi tentasse di farsi proclamare re. Quest'ultima legge dimenticava però di precisare in base a quali elementi si poteva attribuire a qualcuno quell'ambizione. E ciò consentì al Senato, negli anni che seguirono, di liberarsi di parecchi incomodi nemici additandoli, appunto, come aspiranti-re. Il sistema è ancora in uso presso parecchi popoli: gli aspiranti-re si chiamano a volta a volta «deviazionisti», «nemici della patria», «agenti al soldo dell'imperialismo straniero». I delitti, col progresso, non cambiano. Ne cambia solo la rubrica.

Nel suo zelo democratico, Publicola introdusse anche l'uso, da parte del console, quando entrava nel recinto del comizio centuriato, di far abbassare, dai littori che lo precedevano, le insegne: quei famosi *fasci,* che poi Mussolini rimise di moda, e che costituivano il simbolo del potere. Per dimostrare plasticamente che questo potere veniva dal popolo: il quale, dopo averlo delegato al console, ne restava l'arbitro.

Erano tutte bellissime cose, che lì per lì fecero un grande effetto. Ma, una volta sbolliti gli entusiasmi, la gente cominciò a domandarsi in cosa si concretavano, praticamente, i vantaggi del nuovo sistema. Tutti i cittadini avevano il voto, va bene, ma nei comizi si seguitava a praticare quel diritto per classi, sempre combinate su quello schema serviano, per cui i milionari della prima, avendo novantotto centurie, e quindi novantotto voti, bastavano da soli a imporre la propria volontà a tutti gli altri. Infatti, una delle prime decisioni che presero fu quella di revocare le distribuzioni di terre fatte ai poveri dai Tarquini nei paesi conquistati. Sicché ci furono parecchi piccoli proprietari che si videro confiscare, da un giorno all'altro, la casa e il podere e, non sapendo come tirare avanti, tornarono a Roma in cerca di lavoro.

Ma a Roma di lavoro non ce n'era perché i consoli, essendo nominati per un anno soltanto, non potevano intraprendere nessuna di quelle grandi opere pubbliche ch'erano la specialità dei re, eletti a vita i primi cinque, e addirittura a titolo ereditario gli ultimi due. Inoltre la repubblica, dominata dal Senato che l'aveva fatta e che era costituito di proprietari terrieri di origine sabina e latina, era taccagna, a differenza della scialacquona monarchia, dominata dagl'industriali e dai mercanti di origine etrusca e greca. Essa voleva «risanare il bilancio», come si direbbe oggi, cioè praticare una politica finanziaria sparagnina anche perché non aveva nessun interesse a moltiplicare la categoria dei nuovi ricchi, suoi naturali avversari.

Insomma, la città era in crisi, e i poveri cafoni che venivano a cercarvi scampo dalla disoccupazione e dalla fame delle campagne vi trovarono altra fame e altra disoccupazione. I cantieri erano fermi, rimaste a mezzo le case e le strade. Gli audaci imprenditori, ch'erano stati i grandi sostenitori dei Tarquini e avevano dato impiego a migliaia di tecnici e a decine di migliaia di operai, erano al bando o temevano di esserci messi. I pubblici locali chiudevano uno dietro l'altro per mancanza di clienti, diradati dalla scarsezza di circolante e dal clima puritano che tutte le repubbliche diffondono o cercano di diffondere. I propagandisti del nuovo regime arringavano continuamente la folla per ricordarle i delitti che i re avevano commesso. Gli ascoltatori si guardavano intorno e pensavano che fra i «delitti» c'era anche il Foro, dove in quel momento si trovavano, e ch'era stato costruito dagli esecrati re.

Un altro punto su cui i propagandisti insistevano erano i misfatti perpetrati dall'ultima dinastia, che aveva cercato di far di Roma una colonia etrusca. C'era del vero, ma appunto in grazia di questo Roma aveva ora il suo Circo Massimo, la sua Cloaca, i suoi ingegneri, i suoi artigiani, i suoi *istrioni* (ch'erano gli attori del tempo), i suoi pugilatori e gladiatori, protagonisti di quegli spettacoli di cui i romani erano tanto ghiotti, e le sue mura, e i suoi canali, e i suoi indovini, e la sua liturgia per adorare gli dèi: ch'era tutta roba importata appunto dall'Etruria.

Non tutti naturalmente lo sapevano, perché non tutti in Etruria erano stati. Ma n'erano più degli altri coscienti i giovani intellettuali, che avevano studiato, e preso la laurea nelle università etrusche di Tarquinia, di Arezzo, di Chiusi, dove i babbi li avevano mandati a studiare, e di cui conservavano un gran ricordo. Essi non appartenevano in genere alle famiglie patrizie, che i loro figli se li educavano in casa, badando a farne non uomini istruiti, ma uomini di carattere. Venivano da famiglie borghesi, e la loro sorte era legata a quella dei traffici, delle industrie e delle professioni liberali, ch'erano appunto le più colpite dal nuovo andazzo delle cose.

Per tutte queste ragioni, lo scontento fece presto a nascere. E purtroppo esso coincise con la dichiarazione di guerra, lanciata da Porsenna, su istigazione di Tarquinio.

Come sia andata questa faccenda, con certezza non si sa. Ma, data la situazione, non è difficile immaginare quali dovettero essere gli argomenti che il deposto monarca svolse per indurre il lucumone a prestargli aiuto. Costui dovette certo fargli osservare che i Tarquini, per quanto di sangue etrusco, verso l'Etruria non si erano poi dimostrati buoni figli, se l'avevano continuamente tormentata con guerre e spedizioni punitive fino a ridurla quasi tutta sotto la loro signoria. Ma il Superbo probabilmente gli rispose che, nel momento stesso in cui egli e i suoi due predecessori facevano romana l'Etruria, facevano anche etrusca la stessa Roma, conquistandola per così dire dal di dentro a spese dell'elemento latino e sabino che dapprincipio l'aveva dominata. La lotta non era stata fra potenze straniere, ma fra città rivali, figlie della stessa civiltà. Roma, sebbene ultima nata, aveva cercato non di distruggerle, ma di riunirle sotto un comando unico per condurle al predominio in Italia. Forse aveva sbagliato, forse aveva qua e là calcato la mano, con poco rispetto delle loro autonomie municipali. Ma a nessuna i Tarquini avevano serbato la sorte cui avevano sottoposto per esempio Alba Longa e tanti altri borghi e villaggi del Lazio e della Sabina, distrutti dalle fondamenta. Nessuna città etrusca era stata mai messa a sacco. I mercanti, gli artigiani, gl'ingegneri, gli attori, i pugilatori di Tarquinia, di Chiusi, di Volterra, di Arezzo, appena emigravano a Roma, non vi trovavano la sorte degli schiavi, ma vi diventavano preminenti, e tutta l'economia, la cultura, l'industria, il commercio delle città erano praticamente nelle loro mani.

Cioè lo erano stati finché i Tarquini erano rimasti sul trono, a proteggerli. Ora, con la repubblica, che sarebbe successo? La repubblica significava il ritorno al potere di quei latini e sabini zoticoni, avari, diffidenti, reazionari e istintivamente razzisti, che avevano sempre covato un sordo odio per la borghesia etrusca liberale e progressista. Non c'era da farsi illusioni sul modo in cui l'avrebbero trattata. E la sua scomparsa significava l'affermazione, alle foci del Tevere, di una potenza forestiera e nemica, al posto di quella consanguinea e amica (anche se un po' litigiosa e manesca), che domani poteva unirsi agli altri nemici dell'Etruria e contribuire al suo tramonto.

Se la sentiva, Porsenna, di disinteressarsi a una simile rottura di equilibrio? O non trovava conveniente prevenire la catastrofe, saltando addosso a Roma, ora che il marasma vi regnava all'interno, e all'esterno, specie nel Lazio e nella Sabina, le ossa della gente dolevano per le botte ricevute dai soldati romani? A un cenno del potente lucumone di Chiusi, tutte quelle città sarebbero insorte contro le scarse guarnigioni che le presidiavano, e Roma si sarebbe trovata, sola e discorde, alla mercé del nemico.

Non sappiamo quasi nulla di Porsenna. Ma dal modo come si condusse, dobbiamo dedurre che alle doti del bravo generale doveva accoppiare quelle del sagace uomo politico. Egli si rese conto che negli argomenti di Tarquinio c'era del vero. Ma prima d'impegnarsi, volle essere sicuro di due cose: che il Lazio e la Sabina erano davvero pronti a schierarsi dalla sua parte, e che nella stessa Roma c'era una «quinta colonna» monarchica pronta a facilitargli il compito con una insurrezione.

L'insurrezione avvenne effettivamente, e ad essa parteciparono anche i due figli del console Lucio Giunio Bruto, immemori, si vede, della fine che il Superbo aveva fatto fare al loro nonno. Essi vennero arrestati e condannati a morte, dopo che la rivolta era stata energicamente domata. E il loro babbo, dicono, volle assistere di persona alla loro decapitazione.

Ma la guerra andò male. Le varie città latine e sabine massacrarono le guarnigioni romane e unirono le loro forze a quelle di Porsenna che giungeva dal Nord alla testa di un esercito confederato cui tutta l'Etruria aveva mandato i suoi contingenti. Contro questa invasione, Roma, a sentire i suoi storici, fece miracoli. Muzio Scevola, penetrato nell'accampamento di Porsenna per ucciderlo, sbagliò bersaglio e castigò da solo la propria fallace mano, stendendola su un braciere ardente. Orazio Coclite bloccò da solo tutto l'esercito nemico all'ingresso del ponte sul Tevere che i suoi compagni distruggevano alle sue spalle. Ma la guerra fu perduta e queste stesse leggende lo provano. La loro esaltazione costituisce uno dei primi esempi di «propaganda di guerra». Quando un paese subisce una disfatta, inventa o esagera dei «gloriosi episodi» su cui richiamare l'attenzione dei contemporanei e dei posteri e distrarla dal risultato finale e complessivo. Ecco perché gli «eroi» allignano soprattutto negli eserciti battuti. Quelli che vincono non ne hanno bisogno. Cesare, per esempio, nei suoi *Commentari,* non ne cita nessuno.

La resa dell'Urbe fu, come si dice oggi, incondizionata. Essa dovette restituire tutti i suoi territori etruschi a Porsenna. I latini ne approfittarono per attaccare a loro volta Roma che però riuscì a salvarsi con la battaglia del lago Regillo dove i Dioscuri, Castore e Polluce, figli di Giove, vennero in suo aiuto. Comunque, alla fine di tante disavventure, quella che sotto i re era stata la capitale di un piccolo impero si ritrovava con ciò che oggi sarebbe, sì e no, un circondario, che a Nord non arrivava a Fregene e a Sud si fermava prima di Anzio. Era una grossa catastrofe, e le occorse un secolo per riaversi.

Ma quella guerra fece una vittima ancora più grossa: Tarquinio. Il quale aveva già fatto le valigie per tornare a Roma, riprendere il potere ed esercitarvi le sue vendette, quando Porsenna lo fermò e gli disse che non intendeva ripristinarlo sul trono. Si era egli accorto che la restaurazione monarchica era impossibile, o diffidava di quell'intrigante che, una volta tornato alla testa del suo popolo e del suo esercito, avrebbe forse dimenticato il beneficio ricevuto e ricominciato a tormentar l'Etruria?

Propendiamo per la seconda ipotesi. L'Etruria era un paese anarchico, dove ogni città voleva restare indipendente e non ammetteva di veder limitata la propria autonomia. Tarquinio avrebbe fatto di Roma una città definitivamente etrusca, ma dell'Etruria una provincia definitivamente romana. L'Etruria non volle, e la pagò cara. La Lega che Porsenna aveva faticosamente messo in piedi in quell'occasione si sciolse prima che il suo esercito confederato potesse ripristinare le comunicazioni con le colonie etrusche del Mezzogiorno, che frattanto erano rosicchiate dai greci. Il lucumone ritornò a Chiusi, e vi si chiuse, mentre i greci avanzavano a Sud, e da Nord si profilava un'altra terribile minaccia: quella dei galli che scendevano dalle Alpi e sommergevano le colonie etrusche della Valle padana. Ma nemmeno di fronte a questo pericolo l'Etruria trovò la sua unità, quell'unità che Tarquinio voleva darle nel segno e nel nome di Roma. Il vecchio re seguitò a intrigare, ma inutilmente. Le vittoriose città del Lazio, con Vejo alla testa, collaborarono a impedirne il ritorno. Preferivano aver a che fare con una Roma repubblicana, di cui sapevano tutte le difficoltà interne e quindi l'impossibilità di tentare una rivincita, che infatti tardò un secolo a profilarsi.

Le «liberazioni» costano sempre care. Roma pagò quella

sua, dal re, con l'Impero. Aveva impiegato due secoli e mezzo per conquistare l'egemonia sull'Italia centrale, e l'aveva raggiunta sotto la guida di sette sovrani. La repubblica, per restar tale, dovette rinunziare a tutto questo po' po' di patrimonio.

Cosa dunque non aveva funzionato, sotto la monarchia, per indurre i romani, pur di disfarsene, a questa rinunzia?

Non aveva funzionato il crogiuolo, cioè la fusione fra le razze e le classi che ne costituivano il popolo. I primi quattro re avevano mortificato l'elemento etrusco che costituiva la Borghesia, la Ricchezza, il Progresso, la Tecnica, l'Industria, il Commercio. Gli ultimi tre avevano mortificato l'elemento latino e sabino che costituiva l'Aristocrazia, l'Agricoltura, la Tradizione e l'Esercito, che trovavano la loro espressione politica nel Senato. E ora il Senato si vendicava. Si vendicava con la repubblica, che fu esclusivamente opera sua.

D'ora in poi, tutto fu repubblicano, a Roma, anche e specialmente la storia, che cominciò ad essere narrata in modo da screditare sempre più il periodo monarchico e i grandiosi successi che sotto di esso Roma aveva conseguiti. Non bisogna dimenticarselo, quando si leggono i libri di storia romana, concordi nel far coincidere l'inizio della grandezza dell'Urbe dal momento in cui ne fu scacciato l'ultimo Tarquinio.

Ma non è vero. Roma era già stata una potente capitale al tempo dei re, ed è in buona parte grazie alla loro opera che lo ridiventerà. Gli austeri magistrati che ne presero il posto ed esercitarono il potere «in nome del popolo» vi trovarono già costituite le premesse dei futuri trionfi: una città bene organizzata dal punto di vista urbanistico e amministrativo, una popolazione cosmopolita e piena di risorse, una *élite* di tecnici di prima qualità, un esercito sperimentato, una Chiesa e una lingua ormai codificate, una diplomazia che aveva fatto il suo tirocinio formando e rompendo alleanze un po' con tutti i vicini di casa.

Questa diplomazia fu abile anche nel momento della catastrofe. Essa si affrettò a stipulare due trattati: uno con Cartagine per assicurarsi la tranquillità dalla parte del mare, uno con la Lega Latina per assicurarsela dalla parte di terra. Ambedue implicavano le più radicali rinunzie. Sul mare, Roma abbandonava ogni pretesa in Corsica, Sardegna e Sicilia, che s'impegnava a non oltrepassare con le sue navi, e dove poteva soltanto rifornirsi senza mettervi piede. Ma era una rinunzia che le costava poco, visto che non aveva ancora una flotta degna di questo nome.

Più dolorose erano quelle di terra, sancite dal console Spurio Cassio al termine delle ostilità con Vejo e i suoi alleati. Roma rimase padrona solo di cinquecento miglia quadrate e dovette accettare di essere pari tra pari nella Lega Latina. Il *foedus,* cioè il patto del 493 avanti Cristo, comincia con queste enfatiche parole: «Sia pace tra i romani e tutte le città latine finché la posizione del cielo e della terra rimanga la stessa...»

La posizione del cielo e della terra non era per nulla cambiata quando, meno di un secolo dopo, la repubblica romana riprese il sentiero di guerra a mezzo del quale si erano fermati i suoi antichi re e non lasciò alle città latine neanche gli occhi per piangere.

Da allora le alleanze fra gli stati si son continuate a stipulare col proposito di farle durare finché la posizione del cielo e della terra rimanga la stessa. E, a distanza di pochi anni o di molti anni, uno dei contraenti fa immancabilmente la fine di Vejo. Ma, impassibili, i diplomatici insistono a usare quella formula, o altra equivalente, e i popoli a crederci.

CAPITOLO SESTO
S P Q R

Da quell'anno 508 in cui fu fondata la repubblica, tutti i monumenti che i romani innalzarono un po' dappertutto portarono sempre la sigla SPQR che vuol dire: *Senatus Populus-Que Romanus,* cioè «il Senato e il popolo romano».

Cosa fosse il Senato, già lo abbiamo detto. Viceversa non abbiamo ancora detto cos'era il popolo, che non corrispondeva affatto a ciò che noi intendiamo con questa parola. In quei lontani giorni di Roma esso non comprendeva «tutta» la cittadinanza, come avviene oggi, ma soltanto due «ordini», cioè due classi sociali: quella dei «patrizi» e quella degli *equites* o «cavalieri».

I patrizi erano quelli che discendevano dai *patres,* cioè dai fondatori della città. Secondo Tito Livio, Romolo aveva scelto un centinaio di capi-famiglia che lo aiutassero a costruire Roma. Essi naturalmente si erano accaparrati i migliori poderi e si consideravano un po' i padroni di casa rispetto a quelli ch'eran venuti dopo. I primi re infatti non avevano avuto nessun problema sociale da risolvere perché tutti i sudditi erano uguali fra loro, e lo stesso sovrano non era che uno di essi incaricato da tutti gli altri di compiere determinate funzioni soprattutto religiose.

Con Tarquinio Prisco, a Roma, era cominciata a piovere un sacco d'altra gente, specie dall'Etruria. E da questi nuovi venuti, i discendenti dei *patres* tenevano con molta diffidenza le distanze, difendendosi dentro la roccaforte del Senato, accessibile soltanto ai membri delle loro famiglie. Ognuna di esse portava il nome dell'antenato che l'aveva fondata: Manlio, Giulio, Valerio, Emilio, Cornelio, Claudio, Orazio, Fabio.

Fu dal momento in cui dentro le mura della città cominciarono a convivere queste due diverse popolazioni, i discendenti degli antichi pionieri e i nuovi venuti, che le classi presero a differenziarsi: da una parte i patrizi, dall'altra i plebei.

Presto i patrizi furono, per numero, soverchiati, come sempre succede in tutti i paesi nuovi, per esempio l'America del Nord. Qui i patrizi si chiamavano *Pilgrim Fathers,* i padri pellegrini, ed erano rappresentati dai trecentocinquanta colonizzatori che per primi vennero a stabilircisi a bordo di una nave chiamata *Mayflower,* più di tre secoli orsono. Anche i loro discendenti seguitano pur oggi a considerarsi un po' i patrizi dell'America: ma non hanno potuto mantenere nessun privilegio perché le successive ondate di immigranti fecero presto a sommergerli. Discendere da un padre pellegrino del *Mayflower* è soltanto, laggiù, un titolo d'onore.

I patrizi romani contro questa mescolanza resistettero molto più a lungo. E per meglio difendere le loro prerogative, fecero quello che fanno tutte le classi sociali, quando sono furbe e si trovano in minoranza numerica: chiamarono dei plebei a condividere i loro privilegi, impegnandoli così a difenderli anch'essi.

Sotto il re Servio Tullio, le classi sociali già non erano più due soltanto. Fra i plebei si era differenziata una grossa borghesia o ceto medio, abbastanza numerosa e soprattutto fortissima dal punto di vista finanziario. Quando il re organizzò i nuovi comizi centuriati dividendoli in cinque classi secondo il patrimonio, e dando alla prima, quella dei milionari, abbastanza voti per battere le altre quattro, i patrizi non furono punto contenti perché si videro soverchiati, come potenza politica, da gente che «non nasceva», come si dice oggi, cioè che non aveva antenati, ma in compenso aveva più quattrini di loro. Però, quando Tarquinio il Superbo fu cacciato via e al suo posto instaurata la repubblica, essi compresero che non potevano restare soli contro tutti gli altri, e pensarono di prendersi come alleati quei ricconi che in fondo, come tutti i borghesi di tutti i tempi, non domandavano di meglio che di entrare a far parte dell'aristocrazia, cioè del Senato. Se i nobili francesi del Settecento avessero fatto altrettanto, si sarebbero risparmiati la ghigliottina.

Questi ricconi, come abbiamo detto, si chiamavano *equites*, «cavalieri». Venivano tutti dal commercio e dall'industria, e il loro grande sogno era di diventare senatori. Per riuscirvi, non solo votavano sempre, nei comizi centuriati, d'accordo coi patrizi, che del Senato avevano le chiavi; ma non badavano a rimetterci di tasca propria, quando veniva loro affidato un ufficio o un incarico. Perché i patrizi si facevano pagare profumatamente la concessione dell'alto onore. E quando sposavano una figlia di cavaliere, per esempio, esigevano una dote da regina. E anche il giorno che il cavaliere riusciva finalmente a diventare senatore, non veniva accolto come *pater,* cioè come patrizio, ma come *conscriptus,* in quell'assemblea che infatti era costituita da «padri e coscritti», *patres et conscripti.*

Il popolo era dunque formato soltanto di questi due ordini: patrizi e cavalieri. Tutto il resto era plebe, e non contava. In essa era compreso un po' di tutto: artigiani, piccoli bottegai, impiegatucci, liberti. E naturalmente non erano contenti della loro condizione. Infatti il primo secolo della nuova storia di Roma fu interamente occupato dalle lotte sociali fra chi voleva allargare il concetto di popolo e chi voleva tenerlo ristretto alle due aristocrazie: quella del sangue e quella del portafogli.

Questa lotta cominciò nel 494 avanti Cristo, cioè a dire quattordici anni dopo la proclamazione della repubblica, quando Roma, assalita da ogni parte, aveva perso tutto quello che aveva conquistato sotto i re e, ridotta press'a poco a capoluogo di circondario, s'era dovuta acconciare alla parte di membro della Lega Latina su piede di uguaglianza con tutte le altre città. Alla fine di quella rovinosa guerra, la plebe, che aveva fornito la mano d'opera per combatterla, si trovò in condizioni disperate. Molti avevano perso il podere, rimasto nei territori occupati dal nemico. E tutti, per mantenere la famiglia mentre si trovavano alle armi, si erano coperti di debiti, che a quei tempi non erano una faccenda di tutto riposo, come lo sono oggi. Chi non li pagava, diventava automaticamente schiavo del creditore, il quale poteva imprigionarlo nella sua cantina, ucciderlo, o venderlo.

Se i creditori erano parecchi, erano autorizzati anche a dividersi il corpo dello sciagurato dopo averlo accoppato. E sebbene a questo estremo non sembra che si sia mai arrivati, la condizione del debitore restava ugualmente scomoda.

Cosa potevano fare, questi plebei, per reclamare un po' di giustizia? Nei comizi centuriati non avevano voce perché appartenevano alle ultime classi: quelle che avevano troppo poche centurie, e quindi troppo pochi voti, per imporre la loro volontà. Cominciarono ad agitarsi per strada e nelle piazze, domandando per bocca dei più svelti, che sapevano parlare, la cancellazione dei debiti, una nuova ripartizione di terre che consentisse loro di rimpiazzare il perduto podere, e il diritto di eleggere magistrati propri.

Gli «ordini» e il Senato fecero, a queste richieste, orecchio da mercante. E allora la plebe, o per lo meno larghe masse di plebe, incrociarono le braccia, si ritirarono sul Monte Sacro, a cinque chilometri dalla città, e dissero che da quel momento in poi non avrebbero più dato né un bracciante alla terra, né un operaio alle industrie, né un soldato all'esercito.

Quest'ultima minaccia era la più grave e pressante perché proprio in quel momento, ristabilita alla meglio la pace coi vicini di casa latini e sabini, una nuova minaccia si profilava dalla parte dell'Appennino, dai cui monti avevano cominciato a ruzzolare a valle, in cerca di terre più fertili, le tribù barbare degli equi e dei volsci, che già stavano sommergendo le città della Lega.

Il Senato, preso alla gola, mandò ambascerie su ambascerie ai plebei per indurli a rientrare in città e a collaborare alla difesa comune. E Menenio Agrippa, per convincerli, raccontò loro la famosa storia di quell'uomo, le cui membra, per far dispetto allo stomaco, si erano rifiutate di procurargli il cibo: così, rimaste senza nutrimento, finirono per morire anch'esse, come l'organo di cui volevano vendicarsi. Ma i plebei, duri, risposero che non c'era scelta: o il Senato cancellava i debiti liberando coloro che eran diventati schiavi perché non li avevano pagati e consentiva alla plebe di eleggere i suoi propri magistrati che la difendessero; o essa restava sul Monte Sacro, e venissero pure tutti gli equi e i volsci di questo mondo a distruggere Roma.

Alla fine il Senato si arrese. Cancellò i debiti, restituì alla libertà chi per essa era caduto in schiavitù, e mise la plebe sotto la protezione di due *tribuni* e di tre *edili* da essa eletti di anno in anno. Quest'ultima fu la prima grande conquista del proletariato romano, quella che gli diede lo strumento legale per raggiungere anche le altre sulla strada della giustizia sociale. L'anno 494 è molto importante nella storia dell'Urbe e della democrazia.

Col ritorno dei plebei, fu possibile mettere in campo un esercito per parare la minaccia dei volsci e degli equi. In questa guerra, che durò circa sessant'anni e che aveva per posta la sua sopravvivenza, Roma non fu sola. Il comune pericolo le tenne fedeli non solo gli alleati latini e sabini, ma anche un altro popolo limitrofo, quello degli ernici.

Nei combattimenti che subito si accesero con esito incerto si distinse, raccontano, un giovane patrizio chiamato Coriolano, dal nome di una città che aveva espugnato. Era un conservatore intransigente, e non voleva che il governo facesse una distribuzione di grano al popolo affamato. I tribuni della plebe, che frattanto erano stati eletti, chiesero e ottennero il suo esilio. Coriolano allora passò al nemico, se ne fece dare il comando e, da quel brillante stratega che era, lo condusse di vittoria in vittoria fino alle porte di Roma.

Anche a lui i senatori mandarono ambascerie su ambascerie per farlo desistere. Non ci fu verso. Solo quando egli vide venirsi incontro, supplicanti, la madre e la moglie, comandò il «dietro front» ai suoi, che per tutta risposta l'uccisero; ma poi, rimasti senza guida, furono sconfitti e obbligati a ritirarsi.

Sul loro risucchio comparvero gli equi, che già avevano messo a soqquadro Frascati. Riuscirono a rompere i collegamenti fra i romani e i loro alleati. E il pericolo fu così grave che il Senato, per pararlo, concesse titolo e poteri di dittatore a L. Quinzio Cincinnato che, con un nuovo esercito, liberò le legioni circondate e le condusse a una definitiva vittoria nel 431; poi, deposto il comando dopo averlo esercitato solo per sedici giorni, tornò ad arare il podere dal quale era venuto.

Ma prima ancora di questa felice conclusione, una nuova guerra si era accesa a Nord dalla parte dell'etrusca Vejo, che non voleva perdere quella favorevole occasione per mettere Roma definitivamente a terra. Le aveva già fatto parecchi dispetti mentr'era impegnata a difendersi da equi e volsci. E Roma aveva subìto all'inglese, cioè legandosela al dito. Appena ebbe le mani libere, le adoperò per saldare i conti. Fu una guerra dura, e anch'essa richiese, a un certo punto, la nomina di un dittatore. Fu costui Marco Furio Camillo, gran soldato e soprattutto gran galantuomo, che portò nell'esercito una grossa novità: lo *stipendium,* cioè la «cinquina». Sino a quel momento i soldati avevano dovuto prestare servizio gratis; e, se avevano moglie, le famiglie rimaste in patria morivano di fame. Camillo lo trovò ingiusto e vi pose rimedio. La truppa, soddisfatta, raddoppiò il suo zelo, conquistò di slancio Vejo, la distrusse meticolosamente, e ne deportò come schiavi tutti gli abitanti.

Questa grande vittoria e l'esemplare castigo che la sigillava riempirono d'orgoglio i romani, quadruplicarono i loro territori portandoli a oltre duemila chilometri quadrati, e li resero pieni di gelosia e di diffidenza per chi glieli aveva procurati. Mentre Camillo seguitava a conquistare città su città in Etruria, a Roma cominciarono a dire ch'era un ambizioso e che s'intascava il bottino dei popoli vinti, invece di consegnarlo allo stato. Camillo ne fu talmente amareggiato che depose il comando e, invece di tornare in patria a scolparsi, se ne andò in volontario esilio ad Ardea.

Forse vi sarebbe morto lasciando un nome insudiciato dalle calunnie, se gl'ingrati romani non avessero di nuovo avuto bisogno di lui per salvarsi dai galli, l'ultimo e il più grave pericolo da cui dovettero difendersi, prima d'iniziare la grande conquista. I galli erano una popolazione barbara, di razza celtica, che, venuta dalla Francia, già aveva sommerso la pianura del Po. Divisero quel fertile territorio fra le loro tribù, gl'insubri, i boi, i cenomani, i senoni; ma una di esse, al comando di Brenno, mosse verso il Sud, conquistò Chiusi, travolse le legioni romane sul fiume Allia, e marciò su Roma.

Gli storici che lo hanno raccontato a cose fatte hanno avvolto di molte leggende questo capitolo che dovett'essere per l'Urbe molto spiacevole. Dicono che quando i galli fecero per dare la scalata al Campidoglio, le oche sacre a Giunone cominciarono a stridere risvegliando così Manlio Capitolino che, alla testa dei difensori, respinse l'attacco. Sarà. Però i galli in Campidoglio entrarono ugualmente come in tutto il resto della città, donde la popolazione era fuggita in massa per rifugiarsi sui monti circostanti. Dicono anche che i senatori però erano rimasti, al completo, solennemente assisi sui rozzi scranni di legno della loro curia, e che uno di essi, Papirio, nel sentirsi tirar la barba per dileggio da un gallo, che forse la credeva finta, gli sbatacchiò sul viso lo scettro d'avorio. E infine narrano che Brenno, dopo aver appiccato il fuoco a tutta Roma, chiese, per andarsene, non so quanti chili d'oro e impose, per pesarli, una bilancia che rubava. I senatori protestarono, e Brenno allora, sul piatto dei pesi, buttò anche la sua spada, pronunciando la famosa frase: «*Vae victis!*», «Guai ai vinti!». Al che Camillo, ricomparso per miracolo, avrebbe risposto: «*Non auro, sed ferro, recuperanda est patria*», «La patria la si restaura col ferro, non con l'oro», si sarebbe rimesso a capo di un esercito, che sino a quel momento non si capisce dove si fosse tenuto nascosto, e avrebbe volto in fuga il nemico.

La verità è che i galli espugnarono Roma, la misero a sacco, e se ne andarono incalzati dalle legioni, ma carichi di quattrini. Erano predoni gagliardi e zotici, che non seguivano nessuna linea politica e strategica nelle loro conquiste. Assalivano, depredavano e si ritiravano senza punto preoccuparsi del domani. Avessero potuto immaginare che vendetta Roma avrebbe tratto da quella umiliazione, non vi avrebbero lasciato pietra su pietra. Invece la devastarono sì, ma senza distruggerla. E tornarono sui loro passi, verso l'Emilia e la Lombardia, dando modo a Camillo, richiamato d'urgenza da Ardea, di riparare i guasti. Egli probabilmente non fece coi galli neanche una scaramuccia. Essi erano già partiti, quando egli arrivò. Ma, mettendo da parte i rancori, riprese il titolo di dittatore, si rimboccò le maniche, e si mise a ricostruire la città e l'esercito.

Coloro stessi che lo avevano chiamato ambizioso e ladro lo chiamarono ora «il secondo fondatore di Roma».

Ma mentre tutto questo avveniva sul fronte esterno, su quello interno l'Urbe raggiungeva un grosso traguardo con la Legge delle Dodici Tavole.

Fu un successo dei plebei i quali, dacché erano tornati dal Monte Sacro, non avevano cessato di chiedere che le leggi non fossero più lasciate in monopolio alla Chiesa, che a sua volta era monopolio dei patrizi, ma venissero pubblicate in modo che ognuno sapesse quali erano i suoi doveri e quali le pene che gli sarebbero toccate in caso d'infrazione. Sino a quel momento le norme in base a cui il magistrato giudicava erano state segrete, raccolte in testi che i sacerdoti conservavano gelosamente, e mescolate con riti religiosi con cui si pretendeva indagare la volontà degli dèi. Un assassino, se il dio era di buon umore, poteva scapolarsela; un povero ladruncolo di polli, se il dio era in giornata nera, poteva finire sulla forca. Siccome coloro che ne interpretavano il volere, magistrati e sacerdoti, erano patrizi, i plebei si sentivano senza difesa.

Sotto la pressione del pericolo esterno, dei volsci, degli equi, dei veienti, dei galli, e la minaccia di una seconda secessione sul Monte Sacro, il Senato, dopo molte resistenze, si arrese, e mandò tre dei suoi membri in Grecia, a studiare quello che aveva fatto Solone in questo campo. Quando i messi tornarono, fu nominata una commissione di dieci legislatori, detti dal loro numero *decemviri*. Sotto la presidenza di Appio Claudio, essi redassero il codice delle Dodici Tavole, che costituì la base, scritta e pubblica, del diritto romano.

Questa grande conquista porta la data dell'anno 451, che corrispondeva press'a poco al trecentesimo anniversario della fondazione dell'Urbe.

Essa non andò liscia. Perché i pieni poteri che il Senato aveva conferito ai decemviri per realizzarla erano tanto piaciuti a costoro, che alla fine del secondo anno, quando dovevano scadere, si rifiutarono di restituirli a chi glieli aveva dati. Raccontano che la colpa fu di Appio Claudio che volle continuare a esercitarli per ridurre in schiavitù e vincere le resistenze di una bella e appetitosa plebea, Virginia, di cui si era innamorato. Il padre, Lucio Virginio, andò a protestare. E, visto che Appio non gli dava retta, piuttosto che lasciar la sua creatura in balìa di quel tipaccio, lo pugnalò. Dopodiché, come già aveva fatto Collatino dopo la faccenda di Lucrezia, corse in caserma, raccontò ai soldati l'accaduto e li esortò a sollevarsi contro il despota. Indignata, la plebe ancora una volta si ritirò sul Monte Sacro (ormai aveva imparato), l'esercito minacciò di seguirvela. E il Senato, riunito d'urgenza, disse ai decemviri (con profonda soddisfazione, riteniamo) che non poteva mantenerli in carica. Essi furono quindi dimissionati d'ufficio, Appio Claudio venne bandito, e il potere esecutivo restituito ai consoli.

Non era ancora il trionfo della democrazia, che avverrà solo un secolo dopo, con le Rogazioni Licinie-Sestie. Ma era già un grosso passo avanti. La P di quella sigla SPQR cominciava ad essere il *Populus,* quale noi lo intendiamo al giorno d'oggi.

CAPITOLO SETTIMO
PIRRO

Dall'umiliazione toccatale per mano dei galli e dalle convulsioni della lotta interna fra patrizi e plebei, Roma uscì con due grosse briscole in tasca: la supremazia della Lega, rispetto alle rivali latine e sabine che, molto più devastate di lei, non avevano poi trovato un Camillo per ricostruirsi; e un più equilibrato ordine sociale, che garantiva una tregua fra le classi. Sicché, appena si furono diradati i fumi degl'incendi che Brenno si era lasciati sul solco della sua ritirata verso il Nord, l'Urbe, tutta nuova e più modernamente attrezzata di prima, cominciò a guardarsi bene intorno in cerca di bottino.

Fra quelle confinanti, la Campania era la terra più fertile e ricca. L'abitavano i sanniti, una parte dei quali però era rimasta sui monti dell'Abruzzo. E di qui, incalzati dal freddo e dalla fame, scendevano spesso a saccheggiare gli armenti e le messi dei loro confratelli del piano. Sotto la minaccia di una di queste incursioni, i sanniti di Capua si rivolsero per protezione a Roma, che di tutto cuore gliela concesse, perché era il modo migliore di dividere definitivamente in due quel popolo e di ficcare il naso nei suoi affari interni. Così cominciò la prima delle tre guerre sannitiche, quella contro gli abruzzesi, che durarono in tutto una cinquantina d'anni.

Fu breve, dal 343 al 341, e qualcuno dice che non fu mai nemmeno combattuta, perché gli abruzzesi non si fecero vedere, e i romani non se la sentirono di andarli a scovare sui loro monti. Però una conseguenza rimase: la «protezione» di Roma su Capua, che a tal punto si sentì protetta da invitare i latini a un fronte unico contro la comune protettrice. I latini aderirono e Roma, da alleati, se li trovò improvvisamente nemici. Fu un brutto momento, che richiese i soliti eroici episodi per superarne le difficoltà. Il console Tito Manlio Torquato, per dare un esempio di disciplina, condannò a morte il proprio figlio che, contrariamente all'ordine di non muoversi, era uscito dai ranghi per rispondere all'oltraggio di un ufficiale latino. E il suo collega Publio Decio Mure, quando gli àuguri gli dissero che solo col sacrificio della sua vita avrebbe salvato la patria, avanzò da solo contro il nemico, lieto di farsene uccidere.

Veri o inventati che siano questi episodi, Roma vinse, e sciolse la Lega Latina che l'aveva tradita. Con questo finì la politica «federalistica» usata sino ad allora, e s'inaugurò quella «unitaria» del blocco unico. Alle diverse città che avevano composto la Lega, Roma concesse forme diverse di autonomia, in modo da impedire una comunanza d'interessi tra loro. Era la tecnica del *divide et impera* che faceva capolino. Fra le città soggette non ci dovevano essere rapporti politici. Ognuna di esse li serbava solo con l'Urbe. In Campania furono mandati *coloni,* che ebbero in regalo le terre conquistate e vi costituirono gli avamposti della romanità nel Sud. Nasceva l'impero.

La seconda guerra sannitica cominciò, senza pretesto, una quindicina d'anni dopo, nel 328. I romani, giunti con quella precedente alle soglie di Napoli, la capitale delle colonie greche, vi misero gli occhi addosso e rimasero incantati delle sue lunghe mura elleniche, delle sue palestre, dei suoi teatri, dei suoi commerci, della sua vivacità. E un bel giorno l'occuparono.

I sanniti, sia quelli del piano, sia quelli della montagna, capirono che, a lasciarla fare, quella gente avrebbe divorato tutta l'Italia, conclusero pace fra loro e attaccarono alle spalle le legioni spintesi così lontano nel Sud. Dapprima il loro esercito, più di guerriglieri che di soldati, fu battuto;

ma poi, conoscendo il terreno meglio dei romani, li attrassero nelle gole di Caudio presso Benevento, e ce li strangolarono. Dopo ripetuti e inutili tentativi di sottrarsi alla morsa, i due consoli dovettero capitolare e subire l'umiliazione di passare sotto il giogo delle lance sannite: furon queste le famose «forche caudine».

Roma, come al solito, incassò lo schiaffo, ma non chiese pace. Facendo tesoro dell'esperienza, riordinò le legioni in modo da non esporle più a simili disavventure e da renderle di più facile e svelto maneggio. Poi, nel 316, riprese la lotta. Ancora una volta si trovò di fronte al pericolo, quando gli etruschi a nord e gli ernici a sud-est cercarono di coglierla alla sprovvista. Li batté separatamente. Poi rivolse tutte le sue forze contro gl'isolati sanniti, nel 305 espugnò la loro capitale, Boviano, e per la prima volta le sue legioni, traversato l'Appennino, raggiunsero la costa adriatica delle Puglie.

Questi successi preoccuparono gravemente gli altri popoli della penisola che, per paura, trovarono il coraggio di sfidare, coalizzati, Roma. Ai sanniti si unirono stavolta, oltre agli etruschi, anche i lucani, gli umbri e i sabini, decisi a difendere, con la propria indipendenza, la propria anarchia. Misero insieme un esercito, che affrontò i romani a Sentino, sull'Appennino umbro. Erano superiori come numero, ma i vari generali che comandavano i vari contingenti, invece di collaborare tra loro, tiravano ognuno a far ciccia per conto proprio. E naturalmente furono battuti. Decio Mure, figlio del console che si era volontariamente sacrificato per la patria nella campagna precedente, ripeté il gesto del padre e assicurò definitivamente il nome della famiglia alla storia. La coalizione si sfasciò. Etruschi, lucani e umbri chiesero una pace separata. Sanniti e sabini continuarono a combattere ancora cinque anni. Poi, nel 290 avanti Cristo, si arresero.

Gli storici moderni sostengono che Roma affrontò questo ciclo di guerre avendo di mira un preciso obiettivo strategico: l'Adriatico. Noi crediamo che sull'Adriatico le sue legioni si trovarono senza saper né come né perché, solo correndo dietro al nemico in fuga. I romani del tempo non avevano carte geografiche, ignoravano che l'Italia costituiva ciò che oggi si chiamerebbe «una naturale unità geopolitica», che essa aveva la forma di uno stivale, e che, per tenerla in pugno, occorreva dominarne i mari. Ma, senza conoscerne né formularne la teoria, essi praticavano, semplicemente, il principio del *Lebensraum,* o «spazio vitale», secondo cui, per vivere e respirare, un territorio ha bisogno di annettersi quelli contigui. Così, per garantire la sicurezza di Capua, conquistarono Napoli; per garantire la sicurezza di Napoli, conquistarono Benevento; finché arrivarono a Taranto, dove si fermarono, perché di là non c'era che il mare.

Taranto, a quei tempi, era una metropoli greca, che aveva fatto enormi progressi specie nel campo delle industrie, dei commerci e delle arti, sotto la guida di Archita, uno dei più grandi uomini di stato dell'antichità, mezzo filosofo e mezzo ingegnere. Non era una città bellicosa. Nel 303 aveva chiesto e ottenuto dall'Urbe la promessa che le navi romane non avrebbero mai superato il Capo Colonne, cioè che i romani l'avrebbero lasciata in pace dalla parte del mare, sicura com'era che via terra non potevano giungere fin lì. E invece proprio da quella parte ora se li vedeva ruzzolare addosso.

Il pretesto di guerra fu offerto, come al solito, da una richiesta di protezione che quelli di Turii, insidiati dai lucani, rivolsero a Roma, che, come sempre, prontamente l'accolse e mandò una guarnigione a difenderli, ma via mare. Lo fece apposta per attaccar briga, senza dubbio. Le navi, per raggiungere Turii, dovettero oltrepassare il Capo Colonne; e i tarantini su questa infrazione ai patti chiusero un occhio. Ma quando le dieci triremi di Roma pretesero di ormeggiarsi nel loro porto, considerarono la cosa come una provocazione, le assalirono e ne affondarono quattro.

Compiuto il gesto, si resero conto ch'esso comportava la guerra, e che la guerra non poteva finire che molto male per loro, se di fuori non giungeva qualche potente aiuto. Ma quale? In Italia non c'era più un solo stato che potesse opporsi a Roma. E allora mandarono a cercarne all'estero, inaugurando un costume che nel nostro paese dura tuttora. Lo trovarono, di là dal mare, in Pirro, re dell'Epiro.

Pirro era un curioso personaggio che, se si fosse contentato del suo piccolo reame montanaro, avrebbe potuto vivere a lungo e da signore. Ma aveva letto nell'*Iliade* le gesta di Achille; nelle sue vene c'era sangue macedone, ch'era stato il sangue di Alessandro il Grande; e tutto concorreva a far di lui una figura molto simile ai nostri condottieri del Quattrocento. Era insomma, come si direbbe oggi, un tipo che «cercava rogne». Quella che gli offrivano i tarantini era proprio sulla sua misura, e la colse a volo. Imbarcò sulle loro navi il suo esercito, e ad Eraclea affrontò i romani.

Costoro si trovarono per la prima volta a faccia a faccia con una nuova arma di cui non avevano mai immaginato l'esistenza e che fece su di loro la stessa impressione che i primi carri armati inglesi fecero sui tedeschi in Fiandra nel 1916: gli elefanti. Dapprincipio credettero che fossero buoi, e così li chimarono infatti: «buoi lucani». Ma nel vederseli venire addosso, furono colti dallo sgomento e persero la battaglia, pur infliggendo tali perdite al nemico da togliergli ogni gioia per il successo. Le «vittorie di Pirro» sono state, da allora in poi, quelle pagate a troppo caro prezzo.

L'epirota bissò l'anno dopo (279) ad Ascoli Satriano. Ma anche lì le sue perdite furono tali che, guardando il campo di battaglia cosparso di morti, fu colto dalla stessa crisi di sgomento che due millenni più tardi doveva cogliere Napoleone III alla vista del campo di battaglia di Solferino. E mandò a Roma il suo segretario Cinea con proposte di pace, dandogli per compagni duemila prigionieri romani che, se la pace non fosse stata conclusa, s'erano impegnati a tornare. Dicono che il Senato stava per accettare quelle offerte, quando si alzò a parlare il censore Appio Claudio il Cieco, per ricordare all'assemblea che non era dignitoso trattare con uno straniero, finché il suo esercito invasore continuava a bivaccare in Italia.

Non crediamo che sia vero perché per Roma l'Italia, in quel momento, era Roma soltanto. Però è certo che il Senato respinse le proposte, e che Cinea, tornando con i duemila prigionieri, nessuno dei quali era venuto meno alla parola data, fece a Pirro un tale resoconto di ciò che aveva visto a Roma, che l'epirota preferì abbandonare l'impresa: e, accolto un invito dei siracusani perché li aiutasse a liberarsi dai cartaginesi, mosse verso la Sicilia. Neanche qui le cose gli andarono bene perché le città greche ch'era venuto a difendere non riuscirono mai a mettersi d'accordo e a fornirgli i contingenti che gli avevano promesso. Scoraggiato, Pirro riattraversò lo stretto per tornare a dare manforte a Taranto, che le legioni romane in quel momento investivano. Stavolta esse erano abituate agli elefanti e non se ne lasciarono sgomentare. Pirro fu battuto a Malevento, che per l'occasione fu ribattezzata dai romani Benevento, nel 275. Decisamente, l'Italia non gli aveva portato fortuna. Amareggiato, tornò in patria, andò a cercarsi una rivincita in Grecia, e vi trovò invece la morte.

Erano trascorsi esattamente settant'anni (343-273) da quando Roma, riassestatasi alla meglio internamente dopo il terremoto seguito alla caduta della monarchia e superata la lotta per l'esistenza, si era messa sul piede delle vere e proprie guerre di conquista. Ed eccola alla fine arbitra di tutta la penisola dall'Appennino tosco-emiliano allo stretto di Messina. Uno dopo l'altro, tutti i piccoli potentati che la costellavano le caddero in mano, compresi quelli della Magna Grecia continentale, rimasti senza difensori dopo la partenza di Pirro. Taranto si arrese nel 272, Reggio nel 270. Ma, dopo l'esperienza fatta con la Lega Latina, Roma aveva

71

capito che dei «protetti» e degli «alleati per forza» non bisognava fidarsi. E un po' per questo, un po' perché sospinti
dalla pressione demografica dell'Urbe, i romani iniziarono
la vera e propria romanizzazione dell'Italia col metodo delle «colonie» già adottato dopo la prima guerra sannitica. Le
terre nemiche venivano confiscate e distribuite a cittadini
romani nullatenenti, specie in base a meriti che oggi chia-
meremmo «combattentistici». Erano soprattutto dei veterani
che se le vedevano assegnate: gente sicura, pronta a menar
le mani per difendersi e difendere Roma. Gl'indigeni naturalmente li accoglievano senza simpatia, come ladri oppres-
sori. Dal nome di uno di essi, Cafo, caporale dell'esercito
di Cesare, coniarono più tardi la parola «cafone», termine
dispregiativo che significa rozzo e volgare. E ispirato da
questa ostilità fu l'uso, che nacque allora, della «pernac-
chia», sberleffo irriverente con cui i popoli vinti salutavano i romani che entravano nelle loro città e che sulle prime, a quanto pare, fu preso per un'espressione di ben-
venuto.

Naturalmente non si può sperare d'ingrandire il proprio
territorio da cinquecento a venticinquemila chilometri quadrati, come fece Roma in questo periodo, senza pestare i
piedi a qualcuno. Ma in compenso tutta l'Italia del Centro
e del Sud cominciò a parlare una sola lingua e a pensare
in termini, invece che di villaggio e di tribù, di nazione e
di stato.

Contemporaneamente a queste lunghe e sanguinose guerre e sotto la loro pressione, i plebei raggiungevano l'uno dopo
l'altro tutti i loro obbiettivi, fino all'ultimo e fondamentale, garantito dalla Legge Ortensia, così chiamata dal nome
del dittatore che la impose: quella per cui il plebiscito diventava automaticamente legge, senza bisogno di ratifica
da parte del Senato. Da quando, con la Legge Canuleja del
445, era stato abolito, almeno sulla carta, il divieto di matrimonio fra patrizi e plebei, costoro non erano più, legal-

mente, esclusi da nessun diritto o magistratura. E poiché la *pretura,* ad essi liberamente aperta, consentiva a chi l'avesse esercitata libero ingresso al Senato, anche questa cittadella dell'aristocrazia fu loro, sia pure con mille cautele e limitazioni, accessibile.

Tutto ciò era stato raggiunto dopo infiniti contrasti che ogni tanto avevano messo in pericolo l'esistenza dell'Urbe. Ma il fatto che bene o male vi si fosse arrivati, stava a dimostrare che le classi alte di Roma erano sì, conservatrici, ma con molto sale in zucca. Esse non si vergognavano di difendere apertamente i propri interessi di casta e non fingevano d'amoreggiare con le «sinistre» come hanno fanno tanti principi e industriali. Ma pagavano le tasse, facevano dieci anni di duro servizio militare, morivano alla testa dei loro soldati, e quando si trattava di scegliere fra i propri privilegi e il bene della patria, non esitavano. Perciò, anche dopo aver accettato la completa parificazione di diritti coi plebei, rimasero al potere, come ancora riesce a fare, la nobiltà inglese.

Nel periodo di riposo che si concesse dopo la vittoria su Pirro e che le servì a digerire quel po' po' di banchetto, Roma diede gli ultimi ritocchi a questo interno equilibrio e ordine al grosso pezzo di penisola di cui era padrona. La via Appia, che già Appio Claudio aveva fatto costruire per unire Capua a Roma, fu prolungata fino a Brindisi e Taranto. E su di essa, oltre ai soldati, furono incamminati i coloni che andavano a romanizzare Benevento, Isernia, Brindisi e tante altre città. Roma riconobbe ai vinti poche autonomie, ne rispettò ancora meno, e fu la prima e più grande responsabile della mancata nascita, in Italia, delle libertà comunali e cantonali, che invece si svilupparono così rigogliose nel mondo germanico. In compenso portò alla più alta espressione il concetto di stato, di cui fu praticamente l'inventrice, e lo poggiò sui cinque pilastri che tuttora lo reggono: il Prefetto, il Giudice, il Gendarme, il Codice e l'Agente delle tasse.

Fu con questa attrezzatura che mosse alla conquista del mondo. E ora vediamo più da vicino perché riuscì a realizzarla.

CAPITOLO OTTAVO

L'EDUCAZIONE

Nella Roma di quei tempi, tutti «vivevano pericolosamente». E i pericoli cominciavano il giorno che si veniva al mondo. Perché se uno nasceva femmina o per qualche ragione minorato, il padre aveva il diritto di scaraventarlo fuor dell'uscio e di lasciarvelo morire. E spesso lo faceva davvero.

Il figlio maschio e sano, invece, generalmente era bene accolto, non solo perché più tardi, col suo lavoro, sarebbe stato di aiuto ai genitori, ma anche perché costoro credevano che, se non lasciavano qualcuno a curare la loro tomba e a celebrarvi sopra i dovuti sacrifici, la loro anima non sarebbe entrata in paradiso.

Se tutto andava bene, cioè se aveva azzeccato sesso e fisica integrità, il nuovo venuto veniva, otto giorni dopo la nascita, ufficialmente ricevuto dalla *gente,* con una solenne cerimonia. La *gens* era un gruppo di famiglie che risalivano a un comune antenato il quale aveva dato il proprio nome. Infatti il pargolo di nomi ne riceveva solitamente tre: quello individuale o «prenome» (come Mario, Antonio, eccetera), quello della gente o «nome» vero e proprio, e quello della sua propria famiglia o «cognome». Questo, per ciò che riguarda gli uomini. Le donne invece portavano il «nome» solo, cioè quello della gente. E si chiamavano infatti Tullia, Giulia, Cornelia, eccetera, mentre i loro fratelli erano, poniamo, Marco Tullio Emilio, Publio Giulio Antonio, Caio Cornelio Gracco.

Questo strano costume ha generato un sacco di confusioni, perché siccome gli antenati fondatori erano stati, come già abbiamo detto, un centinaio in tutto, altrettanti erano i «nomi» delle genti, e quindi si ripetevano continuamente, rendendo obbligatoria l'aggiunta di un quarto o di un quinto soprannome. Per esempio, il Publio Cornelio Scipione che distrusse Cartagine si aggiunse anche, sul biglietto di visita, un «Emiliano Africano Minore», per distinguersi dal Publio Cornelio Scipione che aveva vinto Annibale e aveva aggiunto su quello suo un «Africano Maggiore».

Erano, come vedete, nomi lunghi, pesanti e imponenti, che già di per se stessi caricavano un certo numero di doveri sulle spalle del neonato. Un Marco Tullio Cornelio non poteva concedersi i lussi né abbandonarsi ai capricci di cui oggi si riconosce il diritto a un «Fofino» o a un «Pupetto». E infatti non crescevano punto vezzeggiati. Sin dalla più tenera età s'insegnava loro che la famiglia di cui erano membri costituiva una vera e propria unità militare, in cui tutti i poteri erano concentrati sul capo, cioè sul *paterfamilias*. Egli solo poteva comprare e vendere, perché egli solo era il proprietario di tutto, compresa la dote della moglie. Se costei lo tradiva o gli rubava il vino nella botte, egli poteva ucciderla senza processo. Identici diritti aveva sui figli, che poteva anche vendere come schiavi. Tutto ciò ch'essi compravano diventava automaticamente suo. Le femmine si sottraevano a questa patria potestà solo quando egli le conduceva in sposa a qualcuno *cum manu,* cioè rinunziando esplicitamente a ogni diritto su di loro. Ma in tal caso questi diritti passavano al marito. Di modo che la donna finiva col dipendere sempre da un uomo: o dal padre o dallo sposo, o dal figlio maggiore quando restava vedova, o da un tutore.

Questa dura disciplina, che poi lentamente si addolcì col trascorrere dei secoli, trovava il suo limite nella *pietas,* cioè negli affetti tra i coniugi e tra questi e i figli. Ma essi non giungevano mai, o quasi mai, a intaccare la granitica unità della famiglia romana, che includeva anche i nipoti, i pronipoti e gli schiavi, considerati questi ultimi semplici oggetti. La madre si chiamava *domina,* cioè signora, e non era confinata in un gineceo, come capitava a quelle greche. Prendeva i pasti col marito, ma seduta sul triclinio (una specie di rustico divano), invece che distesa come ci stava lui. In genere, non lavorava molto, manualmente, perché crisi di personale di servizio non ce n'era, con tanti schiavi che venivano catturati sul campo di battaglia, e ogni famiglia ne aveva più d'uno. La *domina* li dirigeva e sorvegliava. Eppoi, per svagarsi, tesseva la lana per gli abiti del marito e dei figli. Libri, carte da giuoco, teatro, circo: niente. Le visite erano rare e di stretta prammatica. Un cerimoniale scrupoloso le rendeva complicate e difficili. La *domus,* cioè «la casa», era, più che una caserma, un fortino vero e proprio. E lì, nella più assoluta obbedienza, si formavano i ragazzi.

Ad essi veniva insegnato che nel focolare la fiamma non doveva mai estinguersi perché essa rappresentava Vesta, la dea della vita. Bisognava nutrirla aggiungendo sempre altra legna e gettandovi briciole di pane durante i pasti. Alle pareti, ch'erano di fango o di mattoni, erano appese piccole icone, in ognuna delle quali il ragazzo vedeva un Lare o un Penate, spiritelli domestici che proteggevano la prosperità della casa e dei campi. Sulla porta c'era Giano a sorvegliare, con le sue due facce rivolte una dentro e l'altra fuori, chi entrava e chi usciva. E tutt'intorno, a montar la guardia, c'erano i Mani, le anime degli antenati, che restavano nei paraggi anche dopo morti. Sicché nessuno poteva fare un movimento senza dar di capo in qualche soprannaturale guardiano, che faceva parte anche lui della famiglia: una famiglia composta non soltanto dai vivi, ma anche da coloro che li avevano preceduti e da coloro che li avrebbero seguiti. Tutti insieme, essi formavano un microcosmo non soltanto economico e morale, ma anche religioso, di cui il *pater* era l'infallibile papa. Egli compiva i sacrifici sull'altare di casa. Ed era in nome degli dèi che impartiva gli ordini e distribuiva i castighi.

La religiosità in cui cresceva il ragazzo romano, più che

77

a migliorarlo nel senso che noi oggi diamo a questa parola, mirava a disciplinarlo. Infatti essa non lo spingeva verso i nobili ideali della bontà e della generosità, ma all'accettazione delle regole liturgiche che di tutta la sua vita facevano un rito. Non gli si chiedeva, per esempio, di essere disinteressato; gli si chiedeva, anzi gli si imponeva, di rispettare certe formule e di partecipare alle cerimonie. Le sue preghiere erano tutte volte al conseguimento di fini pratici e immediati. Egli si rivolgeva ad Abeona perché gl'insegnasse a muovere i primi passi, a Fabulina perché gli apprendesse a pronunciare le prime parole, a Pomona perché gli facesse crescere bene le pere nel giardino, a Saturno perché lo aiutasse a seminare, a Cerere perché gli consentisse di mietere, a Stèrculo perché le vacche nella stalla facessero abbastanza letame.

Tutti questi dèi e spiriti erano personaggi senza preoccupazioni morali, ma pignolissimi per ciò che riguardava le forme. Evidentemente non si facevano illusioni sull'animo umano. E, considerandolo non suscettibile di un vero e proprio miglioramento, lo abbandonavano a se stesso. Ciò che interessava loro non erano le intenzioni, ma i gesti dei loro fedeli che volevano tenere ordinati dentro gli argini delle grandi istituzioni, la famiglia e lo stato, di cui costituivano il cemento. Per questo esigevano l'obbedienza al padre, la fedeltà al marito, la prolificità, l'accettazione della legge, il rispetto dell'autorità, il coraggio in guerra fino al sacrificio, la fermezza di fronte alla morte. E il tutto ammantato di sacerdotale solennità.

A questa accurata e puntigliosa formazione del carattere, seguiva, verso i sei o sette anni, quella della mente, cioè l'istruzione vera e propria. Ma essa non era gestita dallo stato, come succede oggi, con le scuole pubbliche. Restava affidata alla famiglia, e di rado il babbo, anche nelle case benestanti, la delegava a qualche schiavo o liberto. Quest'uso venne molto più tardi, quando Roma fu più grande e più forte, ma non più *stoica*. Sino a tutte le guerre puniche, era il padre che faceva da maestro al figlio, cioè gl'impartiva quella che oggi si chiama la cultura e che allora si chiamava «disciplina» per meglio metterne in risalto il carattere di obbedienza assoluta.

Le materie erano poche e semplici: lettura, scrittura, grammatica, aritmetica e storia. I romani conoscevano una specie d'inchiostro ricavato dal succo di certe bacche. In esso intingevano un'asticciòla di metallo con cui componevano le parole sopra tavolette di legno piallato (solo più tardi riuscirono a fabbricare carta di lino e pergamena). La loro era una lingua dalla sintassi severa, ma di pochi vocaboli e senza sfumature, che si prestava più alla compilazione di leggi e di codici che ai romanzi e alla poesia. Di questa roba i romani d'altronde non sentivano nessun bisogno, e chi voleva leggerne, doveva imparare il greco, lingua molto più ricca, sfumata e flessibile. In greco infatti è composto il loro primo testo di storia scritta: quello di Quinto Fabio Pittore. Ma è del 202 avanti Cristo, cioè di un'età molto più avanzata.

Sino a quel momento la storia veniva tramandata solo oralmente di babbo in figlio attraverso racconti immaginosi che colpissero la fantasia dei bambini: era quella di Enea, di Amulio e Numitore, degli Orazi e dei Curiazi, di Lucrezia e di Collatino. Queste arbitrarie, ma corroboranti leggende storiche, erano rinforzate dalla poesia, tutta d'intonazione sacra e commemorativa. Essa era condensata in volumi che si chiamavano *Fasti consolari, Libri dei magistrati, Annali massimi* eccetera, e celebravano i grandi eventi nazionali: elezioni, vittorie, feste, miracoli.

Il primo a uscire da questi argomenti di stretta prammatica fu uno schiavo greco, Livio Andronico che, caduto prigioniero durante il sacco di Taranto, fu condotto a Roma, dove cominciò a raccontare l'*Odissea* agli amici del suo padrone. Costoro ci si divertirono. E, siccome erano gente altolocata, lo incaricarono di ricavarne uno spettacolo per grandi *ludi*, o «giuochi» del 240. Livio, per tradurre quei versi greci, ne inventò di consimili in latino, dal ritmo rozzo e irregolare. E con essi compose una tragedia, di cui egli stesso recitò e cantò tutte le parti, finché gli rimase un filo di voce in gola. I romani, che non avevano mai visto né udito nulla di simile, ci si divertirono a tal punto che il governo riconobbe i poeti come una categoria della cittadinanza e gli consentì di fondersi in una «corporazione» con sede nel tempio della Minerva sull'Aventino.

Ma anche questo, ripeto, avvenne molto più tardi. Per il momento, di letteratura i ragazzi romani non ebbero da leggerne. Imparato a compitare e a mandare a memoria quelle tali leggende, essi passavano alla matematica e alla geometria. La prima consisteva in semplici operazioni di contabilità eseguite sulle dita, di cui i numeri scritti non erano che imitazioni. I è la rappresentazione grafica di un dito alzato, V è una mano aperta, X due mani aperte e incrociate. Con questi simboli, prefissi (IV) e suffissi (VI, XII), i romani contavano. Poi, da questa aritmetica manuale, si sviluppò un sistema decimale, su parti e multipli di dieci, cioè delle dieci dita. Quanto alla geometria, essa rimase arcaica finché non vennero i greci a insegnarla: si riduceva al minimo necessario per le rudimentali costruzioni del tempo.

Ginnastica, nulla. Le «palestre» e i «ginnasi» sono di un'età molto posteriore, e d'importazione greca anch'essi. I babbi romani preferivano corroborare i muscoli dei loro figli mettendoli al lavoro sul podere con la vanga e l'aratro, eppoi consegnandoli all'esercito che, quando li lasciava vivi, li restituiva dopo molti anni a prova di bomba. Per questo non s'insegnava neanche la medicina. I romani ritenevano che fossero non i *virus* a provocare le malattie, ma gli dèi. E allora, delle due l'una: o gli dèi volevano, con quel segno, dire al malato: «sgombra», e in tal caso non c'era nulla da fare; o volevano soltanto impartirgli un momentaneo castigo, e in tal caso non c'era che da aspettare. Infatti per ogni malanno c'era una preghiera a questa o a quella divinità. La Madonna della Febbre, cui ancora oggi il popolino romano si rivolge, è la versione aggiornata delle dee Febbre e Mefite cui si rivolgeva allora.

Quanto alle ore di ricreazione dallo studio, nemmeno esse erano lasciate al capriccio dei ragazzi e dovevano andare sprecate. Dopo molte ore di zappa e qualcuna di grammatica, i babbi senatori prendevano i figli per mano e li conducevano alla curia, davanti al Foro, dove la loro assemblea teneva le sue sedute o *senatoconsulti*. E lì su quei banchi, in silenzio, i bambini romani, sin dall'età di sette o otto anni, ascoltavano dibattere i grandi problemi dello stato, l'amministrazione, le alleanze, le guerre, e si modellavano su quello stile grave e solenne, che costituì la loro precipua caratteristica (e li rendeva tanto noiosi).

Ma il definitivo ritocco alla loro formazione lo dava l'esercito. Quanto più un cittadino era ricco, tante più tasse aveva da pagare e tanti più anni da servire sotto le bandiere. Per chi voleva iniziarsi a una pubblica carriera, il minimo era dieci. E quindi soltanto i ricchi praticamente potevano intraprenderla perché solo essi potevano trascorrere tanto tempo lontani dal podere o dalla bottega. Ma anche chi si contentava di esercitare i propri diritti politici, cioè quello di voto, doveva aver fatto il soldato. E infatti era come tale, cioè come un membro della centuria, che prendeva parte all'Assemblea Centuriata, il massimo corpo legislativo dello stato, divisa, come abbiamo già detto, nelle sue cinque classi.

La prima, di centurie ne aveva novantotto, di cui diciotto di cavalleria e il resto di fanteria pesante, dove ognuno si arruolava armato a proprie spese di due lance, un pugnale, una sciabola, un elmetto di bronzo, la corazza e lo scudo, che mancava invece alla seconda classe, in tutto il resto identica alla prima. La terza e la quarta erano prive di ogni strumento di difesa (elmetto, corazza e scudo). Quelli della quinta erano armati soltanto di bastone e di sassi. L'unità fondamentale di questo esercito era la legione, costituita di quattromiladuecento fanti, trecento cavalieri e vari gruppi ausiliari. Il console ne comandava due, cioè circa diecimila uomini. Ogni legione aveva un suo vessillo, ed era impegno d'onore d'ogni soldato impedire ch'esso cadesse in mano al nemico. Infatti gli ufficiali, quando se la vedevano brutta, lo impugnavano e si lanciavano avanti. La truppa, per difenderlo, li seguiva. E molte battaglie che giravano male, furono rimediate così, all'ultimo momento.

Nei primissimi tempi, la legione era divisa in falangi, sei solide linee di cinquecento uomini ciascuna, Poi, per renderla più maneggevole, in manipoli di due centurie. Ma ciò che faceva la forza di questo esercito non era l'organico; era la disciplina. Il codardo veniva frustato sino alla morte. E il generale poteva decapitare chiunque, ufficiale o soldato, per la minima disobbedienza. Ai disertori e ai ladri si tagliava la mano destra. E il rancio consisteva in pane e vegetali. A questa dieta eran così abituati che i veterani di Cesare, un anno di carestia di grano, si lamentarono d'essere obbligati a mangiar carne.

Di leva, si era a sedici anni, quando ai nostri tempi si comincia a pensare alle ragazze. I sedicenni romani invece dovevano pensare al reggimento, e lì venivano accolti e rifiniti. La disciplina vi era così dura e il lavoro così pesante, che tutti preferivano la battaglia. La morte, per quei ragazzi, non era un gran sacrificio. E per questo l'affrontavano con tanta disinvoltura.

CAPITOLO NONO
LA CARRIERA

Il giovane che era sopravvissuto a dieci anni di vita militare poteva, quando tornava a casa, intraprendere la carriera politica, che andava per gradi ed era tutta elettiva e sottoposta a ogni sorta di precauzione e controlli.

Stava all'Assemblea Centuriata vagliare le candidature ai vari uffici, ch'eran tutti plurimi, cioè costituiti di più persone. Il primo gradino era quello di *questore*, specie di assistente dei magistrati più alti per le finanze e la giustizia. Egli aiutava a controllare le spese dello stato e collaborava all'investigazione dei delitti. Non poteva restare in carica più di un anno; ma, se aveva assolto bene i suoi compiti, poteva presentarsi nuovamente all'Assemblea Centuriata per essere promosso di grado.

Se non aveva soddisfatto gli elettori, veniva bocciato, e per dieci anni non poteva presentarsi a nessuna carica. Se invece li aveva contentati, veniva eletto *edile* (ce n'erano quattro); e come tale, sempre per un anno, aveva la sovrintendenza agli edifici, ai teatri, agli acquedotti, alle strade, e insomma a tutti gli edifici pubblici o di pubblico interesse, comprese le case di malaffare.

Se anche in queste mansioni, ch'eran praticamente quelle di un assessore, dava risultati soddisfacenti, poteva concorrere, sempre con lo stesso metodo elettivo e per un anno, a uno dei quattro posti di *pretore*, carica altissima, civile e militare. Un tempo essi erano stati i generali in capo dell'esercito. Ora erano piuttosto presidenti di tribunale e interpreti della legge. Ma, quando scoppiava la guerra, riprendevano il comando delle grandi unità agli ordini dei *consoli*.

Giunti all'apice di questa carriera, che si chiamava *cursus honorum*, o «corso di onori», si poteva aspirare a uno dei due posti di *censore*, che veniva eletto per cinque anni. La lunghezza del termine era imposta dal fatto che solo ogni cinque anni veniva revisionato il censo dei cittadini, cioè compilato quella che oggi si chiamerebbe la denuncia dei redditi.

Era questa la principale attribuzione del censore che poi, per il quinquennio, doveva, in base all'«accertamento», stabilire quanto ogni cittadino doveva pagare di tasse e quanti anni era tenuto a fare sotto le armi.

Ma le sue mansioni non si limitavano soltanto a questa. Egli ne aveva anche di più delicate, e perciò la carica, specie quando la esercitavano cittadini di gran fusto come Appio Claudio il Cieco, pronipote del famoso decemviro, e Catone, faceva concorrenza anche al consolato. Il censore doveva segretamente indagare sui «precedenti» di qualunque candidato a qualunque pubblico ufficio. Doveva sorvegliare l'onore delle donne, l'educazione dei figli, il trattamento degli schiavi. Il che lo autorizzava a ficcare il naso dentro gli affari privati di ciascuno, ad abbassarne o ad alzarne il rango, e perfino a cacciar via dal Senato i membri che non se ne fossero mostrati degni. Infine, erano i censori che compilavano il cosiddetto bilancio dello stato e ne autorizzavano le spese. Si trattava dunque, come vedete, di poteri vastissimi che richiedevano, in chi li esercitava, grande accorgimento e coscienza. In genere, nell'età repubblicana, chi ne fu investito se ne mostrò all'altezza.

All'apice della gerarchia venivano i due consoli, cioè i due capi del potere esecutivo.

In teoria, almeno uno di essi doveva essere un plebeo. In realtà i plebei stessi preferirono quasi sempre un patrizio, perché solo uomini di alta educazione e di lungo tirocinio offrivano loro buona garanzia di saper guidare lo stato in mezzo a problemi che diventavano sempre più complessi e difficili. Eppoi, c'era l'elezione. La quale si svolgeva secondo procedimenti che consentivano all'aristocrazia qualunque frode. Il giorno del voto dell'Assemblea Centuriata, il magistrato in carica osservava le stelle per scoprire quali candidati fossero *personae gratae* agli dèi. E siccome il linguaggio delle stelle pretendeva di saperlo lui solo, poteva leggervi tutto quello che voleva. L'Assemblea, intimidita, accettava il verdetto, e si apprestava a limitare la sua scelta solo fra quei concorrenti che piacevano al Padreterno, cioè al Senato.

I candidati apparivano vestiti di una bianca toga senza ornamenti per dimostrare la semplicità della loro vita e l'austerità della loro morale. E spesso ne sollevavano un lembo per esibire agli elettori le ferite che avevano riportato in guerra. Se venivano eletti, lo restavano per un anno, con pari potere; entravano in carica il 15 marzo; e, quando ne uscivano, in genere il Senato li accoglieva come suoi membri, naturalmente a vita.

Poiché il titolo di senatore restava malgrado tutto il più ambìto da chiunque, era naturale che il console cercasse di non dispiacere mai a coloro che potevano conferirglielo. Egli rappresentava in un certo senso il braccio secolare di quell'alta assemblea che, da un punto di vista strettamente costituzionale, non contava nulla, ma in pratica, con vari sotterfugi, decideva sempre ogni cosa.

I consoli erano anzitutto, come i primissimi re, capi del potere religioso e ne dirigevano i riti più importanti. In tempo di pace essi presiedevano le riunioni sia del Senato sia dell'Assemblea e, raccoltene le decisioni, le eseguivano emanando leggi per applicarle.

In tempo di guerra, si trasformavano in generali e, dividendone in parti uguali il comando, guidavano l'esercito: metà l'uno, metà l'altro. Se uno moriva o cadeva prigioniero, l'altro riassumeva in sé tutti i poteri; se morivano o cadevano prigionieri ambedue, il Senato dichiarava un interregno per cinque giorni, nominava un *interrex* per mandare avanti le faccende, e provvedeva a nuove elezioni. Anche queste parole stanno a significare che il console esercitava, per un anno, gli stessi poteri che avevano esercitato gli antichi re, quelli non assoluti, di prima dei Tarquini.

Le mansioni di console erano naturalmente le più ambite, ma anche le più difficili da esercitare, e richiedevano, oltre a molta energia, anche molta diplomazia perché imponevano continui destreggiamenti fra il Senato e le assemblee popolari, che lo eleggevano e a cui doveva rispondere.

Queste assemblee erano tre: i *comizi curiati*, i *comizi centuriati* e i *comizi tributi*.

I comizi curiati erano i più antichi perché risalivano a Romolo, quando Roma era composta di *patres*. E infatti soltanto i patrizi ne facevano parte. Ebbero, nei primissimi tempi della repubblica, funzioni importanti, come quella di eleggere i consoli. Ma poi, piano piano, dovettero abbandonare quasi tutti i loro poteri all'Assemblea Centuriata, che fu la vera Camera dei deputati della Roma repubblicana. E lentamente si trasformarono in una specie di Consulta Araldica, che decideva soprattutto di questioni genealogiche, cioè dell'appartenenza di un cittadino a questa o a quella *gens*.

L'Assemblea Centuriata era, praticamente, il popolo in armi. Di essa facevano parte tutti i cittadini che avevano compiuto il servizio militare. Ne erano quindi esclusi gli stranieri, gli schiavi e coloro che la legge esentava dalla leva e dalle tasse perché troppo poveri. Roma era avara nella concessione della cittadinanza. Essa comportava privilegi come l'immunità dalla tortura e il diritto di appello all'Assemblea contro le decisioni di qualunque funzionario.

L'Assemblea non era permanente. Si riuniva al richiamo di un console o di un tribuno, e non poteva emanare leggi o ordinanze per suo conto. Poteva soltanto votare a maggioranza «sì» o «no» alle proposte che il magistrato le rivolgeva. Il suo carattere conservatore era garantito, come già sappiamo, dalla sua ripartizione in cinque classi. Bisogna sempre tenere a mente che la prima, composta di novantotto centurie fra patrizi, *equites* e milionari, bastava a formare la maggioranza su un totale di centonovantatré classi. Poiché essa votava per prima e il voto veniva subito annunciato, alle altre non restava che chinare la testa.

Un criterio di giustizia, in questa procedura, c'era. I romani ritenevano che i diritti dovessero andare di pari passo con i doveri e viceversa. Per cui quanto più ricchi si era, tante più tasse si dovevano pagare, tanti più anni si doveva servire sotto le armi, ma in compenso tanto più s'influiva politicamente.

Però non c'è dubbio che il povero diavolo, anche se aveva il vantaggio di pagare poche tasse e di servire pochi mesi in caserma, politicamente non contava nulla ed era costretto a seguire sempre la volontà di chi contava molto.

Fu allora che questi diseredati cominciarono a riunirsi per conto proprio nei cosiddetti *concili della plebe,* di cui l'autorità non era riconosciuta dalla Costituzione, ma da cui, col passare degli anni, si svilupparono i comizi tributi, che furono l'organo con cui il proletariato romano combatté la sua lunga battaglia per conquistare una maggiore giustizia sociale.

Essi nacquero subito dopo la secessione della plebe sul Monte Sacro, quando le fu consentito di eleggere i propri magistrati, i famosi tribuni, che avevano diritto di veto contro qualunque legge o ordinanza ritenute lesive degl'interessi proletari. E furono appunto i comizi tributi che s'incaricarono di nominare questi magistrati. Poi, piano piano, chiesero ed ottennero il diritto di nominarne anche altri: i questori, gli edili della plebe e alla fine i tribuni militari con potestà consolare.

Anche questa Assemblea, come quella Centuriata, non aveva altro potere che quello di votare «sì» o «no» alle proposte del magistrato che la convocava. Però il voto era dato individualmente, e quello dell'uno valeva quello dell'altro a prescindere dalle condizioni finanziarie. Era quindi un organo molto più democratico. Il moltiplicarsi delle sue attribuzioni contrassegna il lento crescere, attraverso infinite lotte, del proletariato romano nei confronti delle altre classi: fino a quando le sue deliberazioni, chiamate *plebisciti,* cessarono di valere soltanto per la plebe e diventarono obbligatorie per tutti i cittadini, trasformandosi così in leggi vere e proprie.

Con queste due assemblee, la Centuriata e la Curiata, fatalmente portate a combattersi tra loro, questa in nome della conservazione, quella in nome del progresso sociale, e con dei magistrati come i tribuni eletti apposta dalla plebe per ostacolarne l'opera, capirete quanto difficile doveva essere il mestiere dei due consoli.

Ognuno di costoro aveva, nominalmente, l'*imperium,* il comando, e lo sfoggiava facendosi precedere, dovunque andasse, da dodici littori, ognuno dei quali portava un fascio di verghe con la scure in mezzo. Essi davano congiuntamente il nome all'anno in cui esercitavano la carica, ed esso veniva registrato nell'elenco dei *fasti consolari.* Erano cose che lusingavano le ambizioni di chiunque. Ma, quanto al potere effettivo, era un altro paio di maniche. Anzitutto, per esercitarlo, dovevano andare d'accordo fra loro, perché ognuno aveva il diritto di veto sulle decisioni dell'altro. Eppoi, bisognava avere l'assenso delle due assemblee.

Ma era appunto questa paralisi del potere esecutivo che consentiva al Senato di esercitare quello suo. Esso era composto di trecento membri, e i censori provvedevano a riempire i vuoti che la morte vi produceva nominando al posto dello scomparso un ex console o un ex censore che si fosse particolarmente distinto. Il censore, o il Senato stesso, potevano anche espellere i membri che non si fossero mostrati degni dell'alto onore.

Anche questa venerabile assemblea si riuniva nella curia, di fronte al Foro, su richiesta del console che la presiedeva. E le sue decisioni, che venivano prese a maggioranza, non avevano nominalmente forza di leggi; erano soltanto consigli al magistrato. Ma costui quasi mai osava portare dinanzi ai comizi, che soli potevano darle potere esecutivo, una proposta che non avesse ricevuto la preventiva approvazione del Senato. In pratica, il suo parere era decisivo per tutte le grandi questioni di stato: guerra e pace, il governo delle colonie e delle provincie. Quando poi si arrivava ad una crisi, il Senato ricorreva a uno speciale decreto di emergenza, il *senatusconsultum ultimum,* che decideva irrevocabilmente.

Tuttavia, più che dalla Costituzione, la quale non gliene riconosceva molti, il suo potere veniva dal prestigio. Lo stesso tribuno, che, data la sua origine elettorale, non poteva essere favorevole al Senato, quando vi sedeva, com'era suo diritto, in qualità di silenzioso osservatore, ne usciva, in genere, con idee più concilianti di quando vi era entrato. Tant'è vero che, col passare del tempo, molti tribuni diventarono senatori per gli amichevoli atteggiamenti che avevano tenuto, durante la loro carica, verso quella che avrebbe dovuto essere la trincea nemica. Infine il Senato aveva, nelle grandi occasioni, l'arma per risolvere i nodi, quando venivano al pettine e non si riusciva a mettere d'accordo i magistrati tra loro e con la cittadinanza. Esso poteva nominare un dittatore per sei mesi o per un anno, investendolo di pieni poteri, eccetto quello di disporre dei fondi dello stato. La proposta veniva fatta da uno dei due consoli senza che l'altro potesse opporsi. E la persona veniva scelta fra i *consulares,* cioè fra coloro che avevano già esercitato quella carica, e quindi erano già senatori. Tutti i dittatori della Roma repubblicana, meno uno, furono patrizi. Tutti, meno due, rispettarono i limiti di tempo e di potere che furono loro imposti. Uno di essi, Cincinnato, che, dopo soli sedici giorni di esercizio della suprema carica, tornò spontaneamente ad arare il campo coi buoi, è passato alla storia coi colori della leggenda.

Il Senato raramente ricorse a questo suo diritto, cioè non ne abusò, sebbene non sempre sia stato all'altezza del suo grande nome. Ogni tanto si faceva tentare dalla cupidigia, specie nello sfruttamento dei paesi conquistati. Ogni tanto fu sordo e cieco, nella difesa dei privilegi della sua casta, contro le necessità di una superiore giustizia. Coloro che lo componevano non erano superuomini, commisero degli errori, qualche volta vacillarono e si contraddissero. Ma nell'insieme la loro assemblea ha rappresentato, nella storia di tutti i tempi e di tutti i popoli, un esempio di saggezza politica mai più superato. Venivano tutti da famiglie di statisti e ognuno di essi aveva una larga esperienza di esercito, di giustizia e di amministrazione. Essi erano al loro peggio nelle vittorie, quando si sfrenavano l'orgoglio e la cupidigia; al loro meglio nelle disfatte, quando la situazione faceva appello al coraggio e alla tenacia. Cinea, l'ambasciatore che Pirro mandò a trattare con loro, quando li ebbe visti e uditi, disse ammirato al suo sovrano: «Sfido che a Roma non c'è un re. Ognuno di quei trecento senatori lo è».

CAPITOLO DECIMO
GLI DÈI

Questo ordinamento dello stato e delle magistrature fu reso possibile soltanto dalla legge, cioè dalla pubblicazione delle Dodici Tavole dei decemviri, che ne costituirono insieme la causa, la conseguenza e lo strumento.

Fino ad allora Roma era vissuta praticamente in un regime di teocrazia, in cui il re era anche papa. Egli solo aveva, come tale, il diritto di regolare i rapporti fra gli uomini non secondo una legge scritta, ma secondo la volontà degli dèi, che a lui solo la comunicavano nelle cerimonie religiose. Il papa dapprima faceva tutto da solo. Poi, col crescere della cittadinanza e col moltiplicarsi e complicarsi dei problemi, ebbe tutto un clero ad aiutarlo. E furono appunto i sacerdoti i primi avvocati di Roma.

Il povero diavolo che aveva ricevuto, o credeva di aver ricevuto un torto, andava da uno di essi per avere un consiglio. E costui glielo dava consultando testi segretissimi, dove soltanto loro, i preti, avevano il diritto di ficcare il naso. Nessuno quindi sapeva con precisione quali fossero i suoi diritti e i suoi doveri. Glielo diceva, caso per caso, il sacerdote. E i processi venivano celebrati secondo una liturgia di cui egli solo conosceva i riti. Siccome il clero, in origine, fu tutto aristocratico, o asservito all'aristocrazia, è facile capire come fossero i verdetti quando erano in ballo cause fra patrizi e plebei.

Il primo effetto delle Dodici Tavole fu quello di separare il diritto civile da quello divino, cioè di svincolare i rapporti fra cittadini dalla volubile volontà degli dèi, cioè di coloro che dicevano di rappresentare gli dèi. E da questo momen-

91

to Roma cessò di essere una teocrazia. Piano piano il monopolio ecclesiastico della legge cominciò a cadere a pezzi. Appio Claudio il Cieco pubblicò un calendario di *dies fasti,* indicando in che giorni le cause potevano essere discusse e secondo che procedura: cosa che fin qui i preti dicevano di essere i soli a sapere. Più tardi Coruncanio fondò una vera e propria scuola di avvocati, che della legge finirono per diventare i tecnici a esclusione dei preti. Le Dodici Tavole, che fornirono i princìpi basilari a tutta la successiva legislazione di Roma e del mondo, diventarono materia obbligatoria d'insegnamento per i ragazzi delle scuole che dovevano impararle a memoria, e contribuirono a formare il carattere romano, ordinato e severo, legalistico e litigioso.

È da questo momento che i preti, costretti ad occuparsi soltanto di questioni religiose, cercarono di mettervi un po' d'ordine, senza peraltro riuscirvi completamente. Essi erano organizzati in collegi, ognuno dei quali aveva alla testa un supremo pontefice, eletto dall'Assemblea Centuriata. Non c'era bisogno, per entrarci, di un particolare tirocinio, non formavano una casta separata, e non avevano nessun potere politico. Erano funzionari di stato e basta, e con lo stato, che li pagava, dovevano collaborare.

Il più importante di questi collegi era quello dei nove *àuguri* che avevano per compito d'indagare le intenzioni degli dèi circa le gravi decisioni che il governo stava per prendere. Vestito nei suoi sacri paramenti e preceduto da quindici *flamines,* il pontefice massimo prendeva gli auspici nei primi tempi osservando il volo degli uccelli, come aveva fatto Romolo per fondare Roma, più tardi studiando le viscere degli animali che si offrivano in sacrificio (ed erano ambedue sistemi imparati dagli etruschi). Nelle crisi più gravi si spediva una delegazione a Cuma per interrogare la Sibilla, ch'era la sacerdotessa di Apollo. E in quelle gravissime, si mandava a consultare l'oracolo di Delfo, la cui fama era giunta fino in Italia. Ora, siccome i sacerdoti non aveva altri doveri che quelli verso lo stato, è naturale ch'essi fossero sensibili alle sollecitazioni che dallo stato venivano fatte, con promesse di uno scatto di grado o di un aumento di stipendio.

Il rito consisteva in un dono o in un sacrificio agli dèi per guadagnarsene la protezione o eluderne l'ira. La sua procedura era meticolosa, e bastava un piccolo sbaglio per doverla ripetere, fino a trenta volte. La parola «religione», in latino, ha un significato tutto esteriore e procedurale; e «sacrificio» vuol dire letteralmente rendere sacro qualcosa: quello che si offriva alla divinità. Naturalmente le offerte variavano secondo le possibilità di chi le faceva e l'importanza dei benefici a cui si aspirava. Il povero padre di famiglia che, nell'interno della casa, faceva da pontefice massimo per impetrare un buon raccolto, sacrificava sul focolare un pezzo di pane e di formaggio o un bicchiere di vino. Se la siccità si prolungava, arrivava a un galletto. Se era minacciato dall'alluvione, era capace di sgozzare il porco o una pecora. Ma quando a sacrificare era lo stato per propiziarsi il favore divino per qualche grande impresa nazionale, il Foro, dove in genere avveniva la cerimonia, si trasformava in un vero e proprio mattatoio. Greggi intere venivano sgozzate mentre i sacerdoti pronunciavano le formule di stretto rigore. Agli dèi che avevano il palato delicato, si riservavano le rigaglie e soprattutto il fegato. Il resto lo mangiava la popolazione raccolta in cerchio. Sicché quelle cerimonie si trasformavano in pantagruelici banchetti intercalati di preghiere. Fu una legge del 97 avanti Cristo che proibì il sacrificio di vittime umane. Segno che in casi di eccezione ad esse si ricorreva, a scapito degli schiavi o dei prigionieri di guerra. Ma ci furono anche dei cittadini che volontariamente offrirono la propria vita per la salvezza della nazione: come quel Marco Curzio che, per placare gli dèi degli Inferi, in occasione d'un terremoto, si precipitò in un crepaccio, che subito si richiuse.

Meno truculente e più gentili erano le cosiddette cerimonie di purificazione, o di un gregge, o di un esercito che partiva in guerra, o di una intera città. Vi si faceva una processione torno torno cantando i *carmina,* inni pieni di magiche formule. Molto simile era la procedura dei *vota,* offerte per ottenere qualche favore dagli dèi.

Quali dèi?

Lo stato romano, che di essi era l'impresario, non riuscì mai a mettere ordine in questa materia, o forse non volle. Giove era considerato il più importante fra gl'inquilini dell'Olimpo ma non il loro re, come lo fu Zeus nell'antica Grecia. Rimase sempre nel vago come una forza impersonale che ora si confondeva col cielo, ora col sole, ora con la luna, ora col fulmine, secondo i gusti. E forse in un primo tempo faceva tutt'uno con Giano, il dio delle porte. Solo in seguito si differenziarono. Le ricche matrone romane andavano in processione a piedi nudi al tempio di Giove Tonante sul Campidoglio per impetrare la pioggia nelle stagioni di siccità, mentre in tempo di guerra si aprivano i portoni del tempio di Giano per consentirgli di raggiungere l'esercito e guidarlo in battaglia.

Di rango pari a quello loro erano Marte, cui s'intitolava un mese dell'anno (marzo) e che a Roma era legato da un vincolo di famiglia come padre naturale di Romolo, e Saturno, il dio della semina, che la leggenda dipingeva come un preistorico re, professore di agraria e vagamente comunista.

Dopo questo quadrumvirato, venivano le dèe. Giunone era quella della fertilità sia dei campi e degli alberi, sia degli animali e degli uomini, e col suo nome si era battezzato un mese (giugno) considerato come il più favorevole ai matrimoni. Minerva, importata dalla Grecia sulle spalle di Enea, proteggeva la saggezza e la sapienza. Venere si occupava della bellezza e dell'amore. Diana, dea della luna, sovrintendeva alla caccia e ai boschi, in uno dei quali, presso Nemi, sorgeva un suo maestoso tempio, dove si diceva ch'essa avesse sposato Virbio, il primo re della foresta.

Poi veniva uno stuolo di dèi minori: i sottufficiali, diciamo così, di quel celeste esercito. Ercole, dio del vino e dell'allegria, era capace di giocarsi ai dadi una cortigiana col sagrestano del suo tempio; a Mercurio attribuivano un debole per i mercanti, gli oratori e i ladri, tre categorie di persone che evidentemente i romani consideravano della stessa risma; Bellona aveva la specialità della guerra...

Ma è impossibile nominarli tutti. Essi si moltiplicarono smisuratamente col crescere della città e con l'espandersi del suo dominio. Perché qualunque stato o provincia conquistassero, i soldati romani, come prima cosa, facevano saccheggio degli dèi locali, e li portavano in patria, convinti com'erano che, rimasti senza dèi, gli sconfitti non potessero tentare una rinvincita.

Ma, oltre a questi che, sebbene sottoposti a un trattamento di privilegio, erano tuttavia degli dèi prigionieri, c'erano i *novensiles,* cioè quelli che di propria iniziativa molti forestieri, quando si trasferivano a Roma e vi mettevano su casa, si portavano al seguito, per sentirsi meno esuli e spaesati. Li allogavano in templi costruiti con fondi privati. E i romani non solo non ne contestarono mai il diritto a nessuno, ma anzi si mostrarono straordinariamente ospitali verso tutti. Lo stato e i suoi sacerdoti li consideravano in un certo senso come dei poliziotti che avrebbero collaborato a tenere in ordine i loro fedeli senza neanche reclamare uno stipendio. E a molti assegnarono addirittura un posto nell'Olimpo ufficiale. Nel 496 avanti Cristo furono così assunti nell'«organico» Demetra e Diòniso, come colleghi e collaboratori di Cerere e di Libero. Pochi anni dopo Castore e Polluce, anch'essi di fresco consacrati, si disobbligarono scendendo dal cielo per aiutare i romani a resistere nella battaglia del lago Regillo.

Verso il 300 Esculapio fu trasferito d'autorità da Epidauro

a Roma per insegnarvi medicina. E piano piano questi nuovi venuti, da ospiti che erano, si trasformarono in padroni di casa; specialmente quelli greci, più affidabili e cordiali, meno freddi, formalisti e remoti degli dèi romani. Fu per influsso ellenico che piano piano si formò tra loro una gerarchia, alla cui testa fu riconosciuto Giove con gli stessi attributi che ad Atene aveva Zeus. E fu il primo passo verso quelle religioni monoteistiche che prima con lo stoicismo, poi col giudaismo, trionfarono alla fine col Cristianesimo.

Questo processo però si sviluppò molto più tardi. I romani del periodo repubblicano convissero con una folla di dèi, di cui Petronio diceva che in alcune città erano più numerosi degli abitanti e che Varrone valutò a circa trentamila. Le loro attività e interferenze rendevano difficile la vita ai fedeli che non sapevano come destreggiarsi nelle loro lotte e rivalità. Dovunque si poteva inciampare in qualche oggetto sacro all'uno o all'altro. Offesi, essi apparivano sotto forma di streghe che volavano di notte, mangiavano serpi, uccidevano i bambini e rubavano i cadaveri. In Orazio e in Tibullo, in Virgilio e in Lucano se ne incontra ad ogni passo. Essi erano tanto più pericolosi in quanto, a differenza di quasi tutte le altre religioni, quella romana non li riteneva confinati nel cielo, sebbene ammettesse che anche lì ce n'era, ma pensava che di preferenza stessero sulla terra, e preda di terrestri stimoli: fame, lussuria, cupidigia, ambizione, invidia, avarizia.

Per tener gli uomini al riparo dalle loro malefatte, i collegi, o ordini religiosi, si moltiplicarono. Fra essi ce ne fu anche uno femminile, quello delle vestali, che, ingaggiate fra i sei e i dieci anni, dovevano servire per trent'anni in assoluta castità. Furono le precorritrici delle nostre monache. Vestite e velate di bianco, la loro funzione consisteva soprattutto nell'annacquare la terra con acqua attinta alla fontana sacra alla ninfa Egeria. Se sorprese a trasgredire il voto di verginità, venivano battute con le verghe e sotterrate vive. Gli storici romani ci hanno tramandato dodici casi di questa tortura. Finito il trentennale servizio, venivano riaccolte in società con molti onori e privilegi, e potevano anche sposarsi. Ma difficilmente a quell'età trovavano un marito.

Era la religione che dava ai romani, i quali non conoscevano la domenica e il *week-end,* i giorni di festa e di riposo. Ce n'era un centinaio all'anno, press'a poco quanti ce ne sono ora. Ma li celebravano con più impegno. Alcune di queste «ferie» erano austere e commemorative, come i *lemuri* (i nostri Morti) in maggio, che ogni padre di famiglia celebrava in casa riempiendosi la bocca di fagioli bianchi e risputandoli intorno al grido: «Con questi fagioli, io redimo me stesso e i miei. Andate, anime dei nostri antenati!». In febbraio c'erano i *parentali,* o i *ferali* e i *lupercali,* durante i quali si buttavano dei bambolotti di legno nel Tevere per ingannare il dio che reclamava uomini veri. Poi c'erano i *fiorali,* i *liberali,* gli *ambarvali,* i *saturnali...*

Anche in questo campo regnava una tale anarchia che la prima ragione che spinse i romani a redigere un calendario fu la necessità di stendere una lista di queste feste. Nei primissimi tempi erano i preti a incaricarsene, indicando, mese per mese, quando si dovevano celebrare, e come. La tradizione attribuisce a Numa Pompilio il merito di aver messo ordine in questa materia con un calendario fisso, che fu in vigore sino a Cesare. Esso divideva l'anno in dodici mesi lunari, ma lasciava ai sacerdoti il diritto di allungare o accorciare a testa loro il mese, purché in fondo al dodicesimo si fosse raggiunta la somma di trecentosessantacinque giorni. Ed essi a tal punto ne abusarono per favorire o danneggiare questo o quel magistrato che, alla fine della repubblica, il calendario pompiliano era diventato del tutto opinabile e fonte soltanto di controversie.

Nella giornata le ore erano misurate a occhio, dalla posizione del sole nel cielo. Il primo orologio, a sole, fu di manifattura greca, lo importarono da Catania, nel 263, e lo piazzarono nel Foro. Ma siccome Catania è tre gradi a est di Roma, l'ora non corrispondeva, i romani si arrabbiavano, e per un secolo ci fu gran confusione perché nessuno seppe aggiustare quella diavoleria.

I giorni del mese erano divisi secondo le *kalende* (il primo), le *none* (il cinque o il sette) e gli *idi* (il tredici o il quindici). L'anno, che si chiamava *annus,* che vuol dire anche «anello», cominciava con marzo. Poi venivano aprile, maggio, giugno, quintile, sestile, settembre, ottobre, novembre, dicembre, gennaio e febbraio. Un surrogato di domenica c'era nella *nundina* che cadeva di nove giorni in nove giorni ed era quello che nei nostri villaggi è ancora il giorno di mercato. I contadini abbandonavano il campo per venire a vendere in paese le loro uova e frutta, ma non era una festa vera e propria.

Per divertirsi davvero, i romani dovevano aspettare i *liberali* e i *saturnali,* quando, dice un personaggio di Plauto, «ognuno può mangiare quel che vuole, andare dove gli pare, e far l'amore con chi gli garba, purché lasci in pace le mogli, le vedove, le ragazze e i ragazzi».

CAPITOLO UNDICESIMO

LA CITTÀ

Non si sa con precisione quanti abitanti avesse Roma alla vigilia delle guerre puniche. Le cifre fornite dagli storici sulla base d'incerti censimenti sono contraddittorie, e forse non tengono conto del fatto che la maggior parte dei censiti dovevano abitare non dentro le mura della città, il cosiddetto *pomerio,* ma fuori, in campagna e nei villaggi che la costellavano. Nella città vera e propria non dovevano esserci più di centomila anime: popolazione che a noi sembra modesta, ma a quei tempi era enorme. La sua composizione etnica doveva farne già un centro internazionale, ma meno di quanto lo fosse stato sotto i re Tarquini che, con la loro passione etrusca del commercio e del mare, vi avevano richiamato troppi forestieri, molti dei quali di difficile assimilazione. Con la repubblica l'elemento indigeno, latino e sabino, aveva preso la sua rivincita, si era rafforzato e forse aveva regolato con più parsimonia l'immigrazione. Essa veniva per la maggior parte dalle province limitrofe ed era costituita da gente più facile a fondersi con i padroni di casa.

La città non era progredita molto, dal punto di vista urbanistico, sotto i magistrati repubblicani, avari, rozzi, e di scarse pretese. Due strade principali vi s'incrociavano dividendola in quattro quartieri, ciascuno con propri dèi tutelari, i cosiddetti *lari compitali* cui, a tutti gli angoli, si elevavano statue. Erano strade strette e di terra battuta, che solo più tardi vennero selciate con pietre tratte dal greto del fiume. La Cloaca Massima, cioè le fognature, esisteva già, a quanto pare, dai tempi dei Tarquini. Essa convogliava i rifiuti di Roma nel Tevere infettandone l'acqua che doveva servire per bere. Nel 312 Appio Claudio il Cieco affrontò e risolse questo problema costruendo il primo acquedotto che approvvigionò Roma con acqua fresca e pulita pescata direttamente dai pozzi. E per la prima volta i romani, almeno quelli di una certa categoria, ne ebbero abbastanza per potersi lavare. Però le prime Terme, o bagni pubblici, furono costruite soltanto dopo la sconfitta di Annibale.

Le case erano rimaste press'a poco quelle che avevano costruito gli architetti etruschi. Se n'erano abbelliti solo gli esterni stuccandoli e decorandoli di graffiti.

I pericoli in mezzo a cui erano passati avevano spinto i romani a costruire soprattutto templi per guadagnarsi la simpatia degli dèi. Sul Campidoglio n'erano nati tre di legno, abbastanza imponenti e rivestiti di mattoni, a Giove, a Giunone e a Minerva.

La città viveva ancora soprattutto di agricoltura, basata sulla piccola proprietà privata. Buona parte della popolazione, anche del centro, dopo aver dormito ammucchiata sulla paglia, si alzava all'alba, e caricate la vanga e la zappa sul carro trascinato dai buoi, andava ad arare il proprio campicello, che in media non superava i due ettari. Erano contadini tenaci, ma non molto progrediti, che non conoscevano altro concime che il letame delle bestie, né altra rotazione di coltura che quella dal grano ai legumi e viceversa. Da esse molte aristocratiche famiglie trassero anche il loro nome: i Lentuli erano specialisti in lenticchie, i Caepiones in cipolle, i Fabii in fave. Altri prodotti erano il fico, l'uva e l'olio. Ogni famiglia aveva i suoi polli, i suoi maiali e soprattutto le sue pecore, che davano la lana per tessere in casa i vestiti.

Alla vigilia della guerra punica questo idilliaco quadro di vita rustica si era alquanto alterato. Le spedizioni contro le popolazioni limitrofe avevano spopolato la campagna: i casolari, abbandonati, erano caduti in rovina; boscaglia e gramigna avevano seppellito i campi dei reduci che, per vivere, erano tornati in città. Il nuovo territorio conquistato a spese dei vinti era dichiarato «agro pubblico» dallo stato, che lo rivendeva ai capitalisti ingrassatisi con gli appalti di guerra. Così sorsero i latifondi, che i proprietari sfruttarono col lavoro degli schiavi, ch'erano numerosi e non costavano quasi nulla, mentre in città si formava un proletariato di ex contadini nullatenenti in cerca di lavoro.

Ma il lavoro era difficile da trovare perché l'industria, dopo la caduta dei Tarquini, invece di progredire, aveva regredito. Il sottosuolo, povero di minerali, era proprietà dello stato che lo affittava a sfruttatori di scarsa coscienza e competenza. La metallurgia aveva fatto pochi passi avanti, e il bronzo seguitava ad essere più usato dell'acciaio. Per combustibile non si conosceva che il legno, e per procurarsene furono rase al suolo le belle foreste del Lazio. Solo l'industria tessile aveva abbastanza prosperato, e ora c'erano vere e proprie imprese che avevano iniziato una produzione in serie.

Gli ostacoli alla espansione industriale e commerciale erano quattro. Il primo, in ordine psicologico, era la diffidenza della classe dirigente romana, tutta terriera, per queste attività che avrebbero rafforzato le classi medie borghesi. Il secondo era la mancanza di strade, che non consentiva il trasporto delle materie prime e dei prodotti. La prima di esse, la via Latina, fu costruita solo nel 370, quasi un secolo e mezzo dopo l'instaurazione della repubblica, e si limitò a congiungere l'Urbe coi Colli Albani. Solo Appio Claudio, l'autore dell'acquedotto, sentì la necessità, cinquant'anni più tardi, di costruirne una, che infatti portò il suo nome, per raggiungere Capua. I senatori approvarono riluttanti i suoi grandiosi progetti solo perché un sistema stradale lo chiedevano anche i generali. Il terzo ostacolo era la mancanza di una flotta, scomparsa dopo la fine della supremazia etrusca in Roma. Piccoli armatori privati avevano continuato a costruire qualche nave, ma gli equipaggi erano timidi e inesperti. Da novembre a marzo non c'era verso di farli uscire dal porto di Ostia, dove del resto il fango del Tevere bloccava le loro barche. Una volta esso ne inghiottì duecento in un solo boccone. Eppoi, oltre il piccolo cabotaggio non andavano, perché non volevano perdere di vista la costa, con tutti quei pirati greci a oriente e cartaginesi a occidente che infestavano i paraggi. Il che rende tanto più ammirevole il miracolo che Roma compì di lì a pochi anni affrontando con le sue improvvisate flotte quelle di Annone e di Annibale.

Un quarto impaccio al commercio fu, nei primi tempi, anche la mancanza di un sistema monetario. Nel primo secolo di repubblica il mezzo di scambio fu il bestiame. Si commerciava in termini di polli, di maiali, di pecore, di somari, di vacche. E infatti le prime monete recano le immagini di questi animali, e si chiamarono *pecunia,* da *pecus* che vuol dire appunto «bestiame». La loro prima unità fu coniata con l'*asse* ch'era un pezzo di rame di una libbra. Era nata da poco, che lo stato già la svalutava di ben cinque sesti, per fare fronte alle spese della guerra punica. Dal che si vede che la truffa dell'inflazione è sempre esistita e si ripete dacché mondo è mondo, con gl'identici sistemi. Anche allora lo stato lanciò un prestito fra i cittadini che, per aiutarlo ad armare l'esercito, gli portarono tutti i loro assi di una libbra di rame. Lo stato li incassò, divise ognuno di essi per sei, e per ogni asse ricevuto ne restituì un sesto al creditore.

Per molto tempo questo svalutato asse restò l'unica moneta romana. Il suo potere di acquisto era, sembra, pari a quello di cinquanta lire del 1957 (è meglio precisar la data, perché di qui in poi c'è il caso che il nostro governo faccia con la lira la stessa operazione che quello romano fece con l'asse). Poi un sistema più complesso si sviluppò; venne il *sesterzio* d'argento, ch'erano due assi e mezzo, cioè milleseicento lire; poi il *denario,* pure d'argento, pari a quattro sesterzi (seimilacinquecento lire); e infine il *talento* d'oro, che doveva essere addirittura un lingotto perché valeva qualcosa come ventisette milioni e mezzo delle nostre lire, e il novanta per cento dei romani probabilmente non vide mai com'era fatto.

All'opposto di noi che consideriamo chiese le banche, gli antichi romani consideravano banche le chiese, e in esse depositavano i fondi dello stato perché le ritenevano le più al riparo dai ladri. Istituti governativi di credito non ce n'erano. I prestiti li facevano gli *argentari*, agenti di cambio privati, che avevano le loro bottegucce in una stradicciola vicino al Foro. Una delle Leggi delle Dodici Tavole proibiva lo strozzinaggio e fissava il tasso d'interesse all'otto per cento come massimo. Ma l'usura fiorì ugualmente sulla miseria e i bisogni dei poveri diavoli, ch'erano molti e in disperate condizioni, perché quella che qui chiamo l'industria era in realtà un pullulio di piccole botteghe artigiane che cercavano, per vincere la concorrenza, di abbassare i costi dei loro prodotti soprattutto lesinando sui salari di una mano d'opera servile e senza protezione di sindacati. Disorganizzata e senza capi, essa non faceva scioperi contro i padroni. Faceva, ogni tanto, vere e proprie guerre, che si chiamarono appunto *servili*, e che misero a repentaglio lo stato. In compenso, aveva le «corporazioni di mestiere», riconosciute anch'esse col nome di «collegi» pare fin dai tempi di Numa. C'erano quelle dei vasai, dei fabbri, dei calzolai, dei carpentieri, dei suonatori di flauto, dei conciaiòli, dei cuochi, dei muratori, dei cordai, dei bronzisti, dei tessitori e degli «artisti di Dioniso», come si chiamavano gli attori. E da esse possiamo dedurre quali fossero i mestieri dei romani di città. Ma erano controllate da funzionari di stato, i quali non permettevano che vi si dibattessero questioni di salario o di stipendio e che, quando sentivano pericolosamente gonfiarsi le scontentezze, provvedevano a qualche distribuzione gratuita di grano. I membri vi si riunivano per discorrere di mestiere, giocare a dadi, bere un gotto di vino, e aiutarsi fra loro. Perché erano poveri diavoli, anche quelli ch'erano liberi e con diritti politici. Non pagavano tasse e facevano poco servizio militare, in tempo di pace, è vero. Ma in tempo di guerra, morivano come gli altri.

Gli scrittori romani le cui opere son giunte fino a noi e che fiorirono molto tempo dopo, hanno parecchio abbellito questo periodo della Roma stoica. Lo hanno fatto per motivi polemici, per contrapporre le virtù antiche ai difetti dell'epoca loro. La repubblica non fu immune da gravi difetti, e se sotto di essa fu fondato il diritto, non si può dire che la giustizia vi trionfasse.

Tuttavia è vero che i cittadini ci vissero più scomodi e sacrificati, ma più ordinati e sani di quelli dell'Impero. La moralità non era rigida nemmeno allora, ma il malcostume era mantenuto nella sua «sede» e non contaminava la vita della famiglia basata sulla castità delle ragazze e la fedeltà delle spose. Gli uomini, dopo qualche scapestrataggine con le prostitute, si sposavano presto, sui vent'anni. E da allora in poi erano troppo impegnati a mantener mogli e figlioli per abbandonarsi a passatempi pericolosi.

Il matrimonio era preceduto dal fidanzamento, che in genere era deciso dai due padri, spesso senza nemmeno interpellare gli interessati. Era un vero e proprio contratto che riguardava specialmente questioni patrimoniali e di dote, e lo si suggellava con un anello che il giovanotto infilava nell'anulare della ragazza, dove si credeva che passasse un nervo che faceva capo al cuore.

Il matrimonio era di due specie: *con mano* o *senza mano*. Col primo, il più comune e completo, il padre della ragazza rinunziava a tutti i suoi diritti su di lei in favore del genero, che ne diventava praticamente padrone. Col secondo, che dispensava dalla cerimonia religiosa, li conservava. Quello con mano avveniva per *uso*, cioè dopo un anno di coabitazione fra gli sposi, per *coemptio*, cioè per acquisto, o per *confarreatio*, quando si mangiava insieme un dolce. Quest'ultimo era riservato ai patrizi, e richiedeva una solenne cerimonia religiosa con canti e cortei. Le due famiglie si riunivano con amici, servi e clienti, nella casa della sposa, e di lì muovevano in processione verso quella dello sposo, con accompagnamento di flauti, canti d'amore e apostrofi grossolanamente allusive. Quando il corteo giungeva a destinazione, lo sposo, di dietro la porta, chiedeva: «Chi sei?». E la sposa rispondeva: «Se tu sei Tizio, io sono Tizia». Allora lo sposo la sollevava fra le braccia, le presentava le chiavi di casa. E tutti e due, a testa bassa, passavano sotto un giogo per significare che si sottoponevano a un vincolo comune.

Teoricamente, il divorzio esisteva. Ma il primo di cui abbiamo notizia avvenne due secoli e mezzo dopo la fondazione della repubblica, sebbene una regola d'onore lo rendesse obbligatorio in caso di adulterio da parte della moglie (il marito era libero di fare quel che gli pareva). Le donne, a quei tempi, erano piuttosto bruttocce e rozze, di gambe corte e di «attacchi» pesanti. Le bionde, rarissime, facevano premio sulle brune. In casa portavano la *stola*, una specie di futa abissina lunga fino ai piedi, di lana bianca, chiusa al petto da uno spillo. Quando uscivano, ci mettevano sopra la *palla*, o «mantello».

I maschi, più solidi che belli, col viso cotto dal sole e il naso diritto, portavano da ragazzi la *toga pretesta*, orlata di porpora; e, dopo il servizio militare, quella *virile*, interamente bianca, che copriva tutto il corpo, con un lembo che risaliva sulla spalla sinistra, di lì scendeva sotto il braccio destro (che in tal modo restava libero) e tornava sulla spalla sinistra. Le pieghe servivano come tasche. Fino al 300 gli uomini portarono barba e baffi. Poi prevalse il costume di radersi, che a molti parve audace e in contrasto con quella gravità, cui i romani tenevano come noi oggi si tiene invece alla disinvoltura.

Una sobrietà spartana vigeva anche nelle case dei gran signori. Lo stesso Senato si raccoglieva su rozzi banchi di legno dentro la curia che non era riscaldata neanche d'inverno. Gli ambasciatori cartaginesi che vennero a chieder pace dopo la prima guerra punica divertirono molto i loro compatrioti, scialacquoni e sibariti, raccontando che, nei pranzi ch'erano stati loro offerti dai senatori romani, avevano visto sempre girare lo stesso piatto d'argento che evidentemente essi s'imprestavano l'uno all'altro.

I primi segni di lusso apparvero con la seconda guerra punica. E subito fu promulgata una legge che proibiva gioielli, vestiti di fantasia e pasti troppo costosi. Il governo voleva preservare soprattutto una sobria e sana dieta imperniata su una prima colazione di pane, miele, olive e formaggio, un desinare a base di vegetali, pane e frutta, e una cena in cui solo i ricchi usavano carne o pesce. Il vino lo bevevano, ma quasi sempre annacquato.

I giovani rispettavano i vecchi, e forse nell'ambito della famiglia e delle amicizie c'erano anche espressioni d'amore e di tenerezza. Ma in genere i rapporti tra gli uomini erano rudi. Si moriva facilmente, e non soltanto in guerra. Il trattamento dei prigionieri e degli schiavi era senza pietà. Lo stato era duro coi cittadini, e feroce col nemico. Tuttavia certi suoi gesti furono di autentica grandezza morale. Quando per esempio un sicario venne a proporre loro di avvelenare Pirro, i cui eserciti minacciavano Roma, i senatori non solo rifiutarono di associarsi, ma informarono il re nemico del complotto che lo minacciava. E quando, dopo averli messi in rotta a Canne, Annibale mandò dieci prigionieri di guerra a Roma per trattare il riscatto di altri ottomila, con l'impegno, se non riuscivano, di ritornare, e uno di essi trasgredì restando in patria, il Senato lo mise ai ferri e lo restituì ammanettato al generale cartaginese, la cui gioia per la vittoria, dice Polibio, fu offuscata da quel gesto che gli dimostrò con che po' po' di uomini aveva a che fare.

Tutto sommato, il romano di quest'epoca fu abbastanza somigliante al tipo che ne idealizzarono gli storici alla Tacito e alla Plutarco. Gli mancavano molte cose: il senso delle libertà individuali, il gusto per l'arte e per la scienza, la conversazione, il piacere della speculazione filosofica (di cui anzi diffidava), e soprattutto l'umorismo. Ma ebbe la lealtà, la sobrietà, la tenacia, l'obbedienza, la praticità.

Non era fatto per capire il mondo e goderne. Era fatto solo per conquistarlo, e governarlo.

Passatempi, a parte le feste religiose, ne aveva pochi. Fino al 221 avanti Cristo, quando fu costruito il Flaminio, Roma possedette un solo circo: il Circo Massimo, attribuito a Tarquinio Prisco, dove si andava ad ammirare le lotte fra schiavi, che quasi sempre terminavano con la morte del vinto. Anche le donne potevano partecipare, e l'ingresso era gratuito. Alle spese provvidero prima lo stato, poi gli edili, per farsi la propaganda elettorale. Qualcuno di loro, a forza di finanziare spettacoli di qualità, riusciva ad arrivare al consolato come ora certi presidenti di società di calcio diventano, quando la squadra vince, sindaci o deputati.

Oltre a questi divertimenti, diciamo così, normali, a rallegrare la vita austera e faticata dei romani, c'era il «trionfo» che si prodigava al generale reduce da una vittoria in cui avesse ucciso almeno cinquemila soldati nemici. Se era arrivato solo a quattromilanovecentonovantanove, doveva contentarsi soltanto di una «ovazione», cosiddetta perché consisteva nel sacrificio di una *ovis,* «pecora», in suo onore.

Per il «trionfo» si formava invece una imponente processione fuori di città, alle cui porte generale e truppa dovevano deporre le armi e passare sotto un arco di legno e di frasche che fece da modello a quelli che si costruirono dopo di travertino. Una colonna di trombettieri apriva il corteo. Dietro venivano i carri carichi del bottino di guerra, poi intere greggi e mandrie destinate al macello; poi i capi nemici in catene. E infine, preceduto dai littori e flautisti, il generale in piedi su una quadriga vivacemente colorata, con una toga color porpora sulle spalle, una corona d'oro sulla testa, uno scettro d'avorio e un ramo d'alloro. Lo circondavano i figli, e lo seguivano a cavallo parenti, segretari, consiglieri, amici. Egli saliva ai templi di Giove, Giunone e Minerva sul Campidoglio, ai loro piedi deponeva il bottino, faceva raccogliere gli animali da sgozzare, e come offerta suppletiva ordinava la decapitazione dei comandanti nemici prigionieri.

Il popolo gongolava e applaudiva. Ma da parte dei soldati era costume lanciare motti e frizzi mordaci verso il loro generale, denunziandone debolezze, difetti e ridicolaggini, perché non avesse a montare in superbia e a credersi un infallibile padreterno. A Cesare, per esempio, gridavano: «Smetti, zuccapelata, di guardar le matrone. Contentati delle prostitute!...».

Se si potesse fare altrettanto coi dittatori dei nostri tempi, forse la democrazia non avrebbe più nulla da temere.

CAPITOLO DODICESIMO
CARTAGINE

Anche Cartagine, come tutte le città di quel tempo, faceva risalire le sue origini a una specie di miracolo, e ne raccontava la storia come un romanzo. Secondo il quale, a fondarla era stata Didone, che più tardi fu venerata dai suoi concittadini come dea, figlia del re di Tiro. Rimasta vedova per colpa di suo fratello che le aveva ucciso il marito, essa si era messa alla testa d'un gruppo di seguaci in cerca d'avventure e, dall'estremità orientale del Mediterraneo, era salpata con loro verso Ovest a bordo di una nave. Cabotando lungo la costa settentrionale dell'Africa, aveva superato l'Egitto, la Cirenaica, la Libia. E giunta alla fine una decina di miglia a occidente del luogo in cui sorge Tunisi, era sbarcata e aveva detto ai suoi amici: «Ecco, qui costruiremo la Nuova Città». Così la chiamarono infatti: Nuova Città, come Napoli e New York, che nel loro linguaggio si diceva *Kart Hadasht,* e che poi i greci tradussero *Karchedon* e i romani *Carthago.*

Naturalmente le cose non stavano precisamente così. Ma come si siano svolte in realtà è difficile saperlo, perché anche di Cartagine, ch'ebbe la disgrazia di trovarsi sulla loro strada, i romani fecero quello che avevano fatto dell'Etruria: la ridussero in tale poltiglia da rendere quasi impossibile oggi, per mancanza di materiale, una ricostruzione esatta della sua storia e civiltà.

Certamente la fondarono i fenici, un popolo di razza e lingua semita come gli ebrei, grandi mercanti e navigatori che facevano il su e giù con le loro barche, vendendo e comprando un po' di tutto. Non avevano paura neanche del diavolo. Furono i primi marinai del mondo a superare le cosiddette Colonne d'Ercole, cioè lo stretto di Gibilterra, per ridiscendere l'Atlantico lungo la costa d'Africa e risalirlo lungo quelle di Spagna e Portogallo. Su questo itinerario avevano già, quando Roma nacque, fondato parecchi paesi, che dapprincipio dovettero essere soltanto un cantiere e un bazar, cioè un mercato. Leptis Magna, Utica, Biserta, Bona, ebbero certamente questa origine. E Cartagine fu una loro consorella, forse fra le più umili, fino a quando le circostanze non ne fecero la più cospicua.

Queste circostanze furono soprattutto il declino militare e commerciale di Tiro e di Sidone, che per loro sfortuna si trovarono sulla strada di Alessandro di Macedonia, il quale, mentre Roma era ancora un villaggio, voleva diventare imperatore del mondo e per poco non ci riuscì. Minacciati dai suoi eserciti, i milionari di quelle due città, che, come tutti i milionari, avevano più paura degli altri, pensarono di mettere in salvo le loro persone e i loro capitali. E, come oggi c'è la moda di rifugiarsi a Tangeri, allora ci fu quella di rifugiarsi a Cartagine.

La città s'ingrossò di nuovi abitanti pieni di soldi e d'iniziative. Essi respinsero sempre più verso l'interno la popolazione indigena formata di poveri negri, molti dei quali furono assunti come servi e schiavi. E, non più contentandosi del commercio e del mare, si dedicarono anche alla terra. Il particolare è interessante perché sin qui si era sempre pensato che gli ebrei alla terra sian refrattari per costituzione. E invece quelli di Cartagine dimostrarono il contrario. Essi furono i grandi maestri di molte colture, specie di vigne, di oliveti e di frutteti; e gli stessi romani ebbero molto da imparare da loro. Fu un cartaginese, Magone, il più grande professore di agraria dell'antichità.

Era una economia perfettamente equilibrata, quella di Cartagine. In città fioriva una eccellente industria metallurgica che forniva i migliori attrezzi per lavorare la terra, canalizzarla e trasformarla in orti e giardini. Gran parte di questi prodotti venivano caricati sulle navi, ch'eran le più grandi del mondo, e avviati verso la Spagna o la Grecia. Gli armatori finanziavano gli esploratori per scoprire nuovi mercati. Uno di costoro, Annone, con una solitaria galea, discese le coste atlantiche dell'Africa per duemila chilometri.

Altri commessi viaggiatori battevano gl'itinerari di terra a bordo di muli, cammelli ed elefanti, trovarono oro e avorio, e li portarono in patria. Attraversavano il Sahara con l'indifferenza con cui noialtri attraversiamo l'Arno. E in seguito ai loro rapporti, come più tardi avrebbe fatto Venezia, il governo mandava un po' di flotta o un po' di esercito a prendere possesso dei punti strategici.

Il loro sistema economico e finanziario era il più progredito del tempo. Roma aveva appena cominciato a coniare rozze monete di metallo, che Cartagine aveva già i biglietti di banca: certe strisce di cuoio, diversamente stampigliate secondo il loro valore. Esse erano in tutto il bacino del Mediterraneo quello che più tardi sarebbe stata la sterlina e più tardi ancora il dollaro. Il loro valore nominale era garantito dall'oro che rigurgitava nelle casse dello stato. Perché via via che faceva una nuova conquista, la prima cosa che imponeva Cartagine ai vinti era un tributo, e non dei più leggeri. Leptis, per esempio, ripagava il grande onore di essere vassalla di Cartagine con trecentosessantacinque talenti all'anno, che corrisponderebbero a quasi tredici miliardi di lire.

Questo sfruttamento del proprio impero coloniale fu probabilmente una delle ragioni della disfatta di Cartagine, quando venne in conflitto con Roma. Ma, finché non si profilò questa minaccia, esso garantì alla città fenicia un rigoglio mai visto sino ad allora. Essa aveva allora due o trecentomila abitanti che non abitavano in capanne come a Roma, ma in grattacieli che contavano fino a dodici piani, i più poveri; e in palazzi con giardino e piscina, i più ricchi. I templi e i bagni pubblici si sprecavano. Il porto aveva duecentoventi moli e quattrocentoquaranta colonne di marmo. In mezzo all'abitato c'era la *city,* come a Londra, col ministero del Tesoro. E tutt'intorno un triplice bastione di mura con torri, una specie di «linea Maginot» che poteva contenere fino a ventimila soldati con tutto il loro armamento, quattromila cavalli e trecento elefanti.

Del popolo e dei suoi costumi, l'unica testimonianza che ci resta è quella degli storici romani, che naturalmente non potevano essere equanimi verso di esso. La loro lingua doveva essere molto vicina a quella ebraica, e infatti i loro magistrati si chiamavano *shofetes,* che viene certamente dall'ebraico *shofetim.* Anche i lineamenti denunziavano l'origine semitica. Erano gente di colorito olivastro, in genere con lunghe barbe ma senza baffi, e già sin da allora portavano il turbante. I più poveri, che probabilmente venivano da mescolanze con l'elemento indigeno e quindi avevano anche la pelle più scura, si vestivano con quella che oggi in Egitto si chiama *gallabìa,* un camicione sciolto e lungo fino ai piedi calzati di sandali. I signori seguivano invece la moda greca, come oggi si segue quella inglese, portavano abiti eleganti, orlati di porpora e un anello al naso. La condizione delle donne era inferiore a quella delle ateniesi, ma superiore a quella delle romane. In genere stavano velate e confinate in casa; però la carriera ecclesiastica era loro aperta, e vi potevano raggiungere alti gradi. Oppure potevano darsi alla prostituzione che fioriva rigogliosa e che costituiva un mestiere pregiato, o per lo meno non squalificato, come lo è ancora oggi in Giappone.

Polibio e Plutarco assicurano concordemente che il livello morale era basso, il che ci stupisce alquanto trattandosi di un popolo di razza semita, dove i costumi in genere son severi, anzi puritani. Ce li presentano come gagliardi mangiatori e bevitori, impenitenti festaioli, sempre pronti a far ribotta nei *clubs* e nelle taverne. La *fides punica,* cioè la parola cartaginese, è rimasta sinonimo, in latino, di tradimento. Ma non bisogna dimenticare che la storia dei tradimenti cartaginesi fu scritta dagli storici romani. Plutarco ci presenta questi antichi e irriducibili nemici di Roma come «servili verso gl'inferiori e oscillanti fra la codardia nella sconfitta e la crudeltà nella vittoria». Polibio aggiunge che presso di loro tutto veniva misurato sul metro del profitto. Ma si sa che Polibio era amico intimo di Scipione, colui che distrusse Cartagine incendiandola.

Naturalmente anche i cartaginesi avevano i loro dèi. Se li erano portati dietro dalla madrepatria, la Fenicia, ma gli avevano cambiato nome. Invece di Baal-Moloch e Astarte, come li chiamavano a Tiro e a Sidone, li chiamarono Baal-Haman e Tanit. Sotto di loro c'erano Melkart, che vuol dire «chiave della città», Eshmun, signore della ricchezza e della buona salute, e infine Didone, la fondatrice, che a Cartagine teneva il posto occupato a Roma da Quirino.

A tutti questi dèi offrivano sacrifici, specie nei momenti di bisogno. Si trattava di capre o di vacche per gli dèi minori. Ma quando c'era da placare o da ingraziarsi Baal-Haman, si ricorreva ai bambini, collocandoli fra le braccia della grande statua di bronzo che lo rappresentava, e di lì lasciandoli rotolare sul fuoco che vi ardeva sotto. Sino a trecento in una giornata ne bruciarono in mezzo a un baccanale di trombette e di tamburi per soffocarne le grida. E le mamme erano tenute ad assistere senza una lacrima né un lamento. Pare che fosse in uso, da parte delle famiglie ricche, quando erano richieste di fornire un bambino per cuocerlo alla griglia, comprarne dai poveri. Ma quando Agatocle di Siracusa mise l'assedio alla città, rendendo necessario, oltre al soccorso degli dèi, anche il buon accordo fra le classi sociali, l'uso fu proibito per non alimentare gli odi fra fortunati e diseredati.

Il regime politico non era, tutto sommato, molto diverso

da quello di Roma. Aristotele ne scrisse un grande elogio, forse per sentito dire e perché non vi sorsero mai serie minacce di dittatura, dalla quale egli aborriva. Come a Roma, l'organo supremo era il Senato, anche qui composto di trecento membri, di cui la maggioranza dapprima fu fornita dall'aristocrazia terriera, poi piano piano passò a quella del denaro, cioè alla plutocrazia. Esso prendeva le grandi decisioni e ne affidava l'esecuzione ai due *shofetes,* che corrispondevano press'a poco ai consoli romani. Solo quando essi non riuscivano a mettersi d'accordo, si chiedeva il parere a una specie di Camera dei deputati, che aveva il potere di dire «sì» o «no», ma non quello di avanzare proposte per suo conto.

Anche il Senato era, teoricamente, elettivo. Ma in pratica, avendo in mano tutte le leve di comando, riusciva con la corruzione o i brogli a imporre i suoi candidati. Sopra di esso c'era solo una specie di Corte costituzionale formata da centoquattro giudici che controllavano un po' tutto: non solo la costituzionalità delle leggi, ma anche i conti dell'amministrazione. Durante le guerre con Roma, questa Corte diventò a poco a poco il vero governo.

Dell'esercito, Cartagine non faceva gran conto, anche perché i suoi vicini d'Africa non la inquietavano. I cartaginesi non amavano le caserme, che infatti erano piene soltanto di mercenari, prezzolati fra gl'indigeni, e soprattutto fra i libici. Delle grandi imprese ch'essa compì nel secolo di lotta contro Roma, il merito va quindi attribuito quasi esclusivamente al genio dei suoi Annibali, Amilcari e Asdrubali, che furono fra i più brillanti generali dell'antichità.

Sul mare invece era forte, la più forte fra le potenze navali di quel tempo. La sua *home fleet* contava in tempo di pace cinquecento *quinqueremi,* ch'erano un po' le corazzate di allora, ma rapide e leggere, e gaiamente dipinte di rosso, di verde e di giallo. Gli ammiragli che le comandavano la sapevano lunga, e anche senza bussola e compasso conoscevano il Mediterraneo come la vasca del loro giardino. In tutti gli anfratti delle coste spagnole e francesi, avevano cantieri, magazzini di rifornimento e informatori. Il loro Istituto cartografico era il più aggiornato e moderno. Fin quando Roma, occupatissima a consolidare la sua egemonia sulla penisola, non ebbe varato una propria flotta, quella cartaginese non accettò intrusioni, fra la Sardegna e Gibilterra, da parte di nessuno. Qualunque nave straniera capitasse a tiro di quelle loro, la requisivano o l'affondavano, affogandone i marinai, senza nemmeno chieder loro da che parte venivano e che bandiera battevano.

Questa era, all'ingrosso, Cartagine, quando i romani, sbarazzatisi l'uno dietro l'altro di tutti i rivali italiani e unificata la penisola sotto il proprio comando, cominciarono a occuparsi di cose di mare.

Ma, badate, tutto quel che ne abbiamo detto è stato ricostruito su elementi molto fragili. Scipione, quando mise a ferro e a fuoco la città senza lasciarvi pietra su pietra, vi trovò, fra le altre cose, parecchie biblioteche. Ma invece di portarle a Roma, le distribuì fra i suoi alleati africani (e, da parte di un uomo colto come lui, la cosa stupisce) che per i libri avevano poca passione e li lasciarono andare in malora. Ecco perché non abbiamo nemmeno un manuale della sua storia, e dobbiamo contentarci del poco che riuscirono a ricostruirne Sallustio e Giuba. Qualche frammento di Magone e una testimonianza di sant'Agostino ci assicurano tuttavia che Cartagine ebbe una sua cultura, e di buona qualità.

I greci, che pure avevano Atene sotto gli occhi, dicevano ch'essa era una delle più belle capitali del mondo. Ma quel che di essa ci resta è troppo poco per confermarcelo. I suoi più importanti resti son quelli che gli archeologi hanno disseppellito nelle Baleari, dove i cartaginesi avevano fondato una colonia e dove forse qualcuno di loro si rifugiò, al momento del massacro, portandovi anche qualche opera d'arte. Tutto il resto è raccolto nel museo di Tunisi, dove gli archeologi seguitano ad accumulare quello che via via scavano dieci miglia più a ovest, dove la città sorgeva.

Vi si possono ammirare alcuni scampoli di scultura, tratti dai sarcofaghi. Lo stile è una mistura greco-fenicia. Poi, il solito vasellame, ma di scarso valore: roba utilitaria e costruita in serie. Nulla ci resta di quello che, a quanto pare, fu il vanto di Cartagine: l'artigianato. Dicono che soprattutto gli òrafi erano gran maestri. Purtroppo la gioielleria è stata, in tutt'i tempi, il bottino di guerra più ricercato.

CAPITOLO TREDICESIMO

REGOLO

Il patto che avevano stipulato con Cartagine nel 508 avanti Cristo, quando si trovarono presi tra la rivoluzione all'interno e la guerra con etruschi, latini e sabini all'esterno, impegnava i romani a non spingere mai, per nessuna ragione, le loro navi oltre il canale di Sicilia, e a non sbarcare in Sardegna e in Corsica che in caso di «forza maggiore» cioè per qualche rifornimento e qualche riparazione in un cantiere.

Erano limitazioni gravi, ma Roma non ne aveva molto sofferto perché la sua flotta era agl'inizi e del tutto in mano agli armatori etruschi che, con la costituzione della repubblica, avevano perso quattrini e influenza politica. Sul mare, di cui i senatori latino-sabini, tutti «terrieri», s'infischiavano e non capivano nulla, Roma a quel tempo contava ben poco, e quindi aveva rinunziato a ciò che non aveva. Essa forse ignorava perfino i grandi cambiamenti che proprio in quegli anni erano sopravvenuti nel cosiddetto «equilibrio delle potenze navali» del Mediterraneo. Vediamoli, all'ingrosso.

Nel bacino orientale, quello a est del canale di Sicilia, si era combattuta per secoli una guerra tra le flotte fenicie e quelle greche, che ora si stava risolvendo a favore delle seconde. Prima l'Egeo, poi lo Jonio erano caduti in mani elleniche, e l'Italia se ne accorse, quando sulle sue coste meridionali e su quelle siciliane i vincitori cominciarono a sbarcare sempre più numerosi e a fondarvi colonie che poi diventarono un vero e proprio impero: la Magna Grecia, Catania, Siracusa, Eraclea, Crotone, Messina, Sibari, Reggio, Nasso, furono, per i loro tempi, fior di metropoli. Purtroppo assieme ai loro dèi, alla loro filosofia, al loro teatro e alla loro scultura, quei pionieri si erano portati dietro dalla madrepatria anche il vizio della litigiosità. E quel vizio doveva perderli nella lotta contro Roma. Ma per il momento erano loro i padroni della zona.

Nel bacino occidentale, invece, i fenici avevano vinto per opera della loro più giovane colonia: Cartagine, che a sua volta aveva fondato infinite altre colonie non soltanto sulla costa nord-africana, ma anche su quelle portoghesi, spagnole, francesi, corse, sarde, in modo da fare di tutto il Mediterraneo occidentale un lago cartaginese.

Quando Roma, sotto i re, era stata padrona dell'Etruria, e quindi anche della sua flotta, era venuta varie volte in contatto con Cartagine, e probabilmente non sempre questi contatti erano stati fra i più cortesi. A quei tempi la «guerra di corsa» era corrente e non impegnava che i capitani e gli equipaggi che la facevano. Una nave ne aggrediva un'altra, anche di compatrioti, la spogliava, gettava in mare i marinai. E tutto finiva lì.

Poi Roma, come potenza mediterranea, era scomparsa, e di fronte non erano rimasti che i greci della Magna Grecia, e i fenici di Cartagine: gli uni a est, gli altri a ovest della Sicilia, di cui si erano spartiti le coste: quelle orientali erano infatti greche, quelle occidentali cartaginesi. Si guardavano tra loro in cagnesco, e vivevano in un perpetuo regime di «guerra fredda» con episodi di guerra calda, seguiti da armistizi e «distensioni». Erano convinti, gli uni e gli altri, di dover arrivare prima o poi a una resa di conti; ma non s'immaginavano ch'essa sarebbe andata a beneficio di un terzo.

Nessuno può dire con certezza se Roma sapeva quel che faceva e misurò le conseguenze del suo gesto, quando decise di accettare le offerte dei mamertini.

Erano costoro un branco di mercenari, assoldati in tutte le parti d'Italia da Agatocle di Siracusa per combattere i cartaginesi. Al momento del congedo, nel 289, invece di tornarsene a casa, dove forse li aspettava un mandato di cattura, formarono una banda, assaltarono Messina, la saccheggiarono, ne sterminarono la popolazione, e vi si stabilirono da padroni, affibbiandosi quel buffo e presuntuoso nome di «mamertini», che voleva dire nientepopodimeno che «figli di Marte».

Da una ventina d'anni, costoro ne stavano combinando di tutti i colori. Attraversavano lo stretto per incendiare e distruggere i villaggi della dirimpettaia costa calabra. Avevano dato noia a Pirro, avevano dato noia ai romani. E ora, alla fine del 270, si trovarono assediati da Gerone di Siracusa, che voleva farla finita con loro una volta per tutte.

Per sottrarsi al castigo che sarebbe stato certamente esemplare, i mamertini chiesero l'aiuto dei cartaginesi che mandarono un esercito e occuparono la città. Visto che la regola «chiodo scaccia chiodo» aveva funzionato, i mamertini pensarono di applicarla ancora una volta, e subito dopo chiamarono i romani perché venissero a liberarli dai «liberatori» cartaginesi. Correva l'anno 264. Ed erano trascorsi due secoli e mezzo da quando Roma e Cartagine avevano concluso quel solenne patto di alleanza che, tutto sommato, aveva sempre ben funzionato, e che era stato solennemente riconfermato vent'anni prima, quando Cartagine aveva offerto e pòrto aiuto a Roma nella sua lotta contro Pirro.

Ma per i romani la Sicilia, su cui si trattava di metter piede, era l'Eldorado. Chi c'era stato non faceva che magnificarne le ricchezze e le bellezze. L'invito dei mamertini era di quelli a cui si resiste male.

Forse tuttavia esso sarebbe stato declinato, se i senatori fossero stati liberi di decidere da soli: essi sapevano dove avrebbe condotto quell'intervento. Ma ormai certe scelte dovevano essere riservate all'Assemblea Centuriata, nella quale dominavano quelle classi borghesi-industriali e mercantili che nelle guerre avevano sempre inzuppato il pane e appunto

119

per questo erano nazionaliste e patriottarde a oltranza. Chi non aveva nulla, sperava di ottenere qualcosa, magari una fattoria in qualche nuova colonia; chi lo aveva, sperava di moltiplicarlo. Ed è difficile muovere obbiezioni contro chi parla, o dice di parlare, in nome della Patria e degli Immancabili Destini.

L'Assemblea Centuriata decise di accettare l'offerta e affidò l'esecuzione dell'impresa al console Appio Claudio. Nella primavera del 264, dopo alcuni infruttuosi tentativi, una piccola flotta romana agli ordini del tribuno Caio Claudio riuscì a traversare lo stretto, entrò di sorpresa, con l'aiuto dei mamertini, in Messina e prese prigioniero il generale cartaginese Annone, mettendolo alla scelta: o la galera, o il ritiro con i suoi uomini dalla città.

Annone doveva essere un uomo accomodante. Pochi mesi prima aveva rimandato ad Appio Claudio certe triremi romane che una tempesta aveva fatto naufragare sulle coste siciliane, come a dirgli: «Suvvia, non fate sciocchezze!». Ora, di fronte a quella minacciosa alternativa, non esitò, e alla testa del suo piccolo esercito tornò a casa, dove, per ricompensa, lo crocefissero. Cartagine evidentemente non era affatto disposta a inghiottire quel rospo. E infatti subito mise in campo un altro Annone alla testa di un altro esercito.

Il nuovo generale sbarcò in Sicilia, e come prima cosa pensò di trovarvi un buon accordo con i greci. S'intese subito con quelli di Agrigento e subito dopo, a Selinunte, ricevette un'ambasciata di Gerone di Siracusa che accettava un'alleanza con lui. Era chiaro che i greci preferivano il vecchio nemico a quello nuovo.

Appio Claudio, che contava sulla secolare discordia ellenico-fenicia, si trovò colto di sorpresa col grosso del suo esercito ancora in Calabria. E allora ricorse all'astuzia. Fece spargere la notizia che la nuova situazione l'obbligava a tornare a Roma per prendervi ordini, e effettivamente mandò qualche nave a veleggiare verso Nord. Rassicurati,

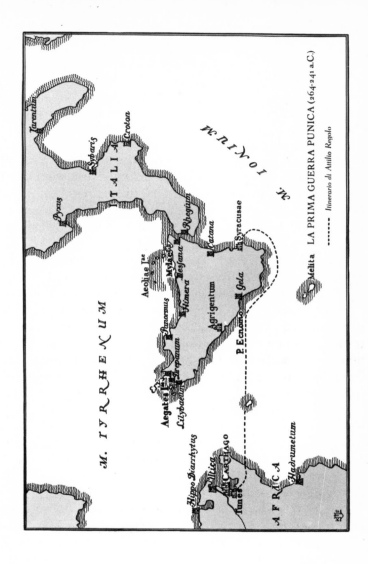

M. TYRRHENUM

ITALIA

Tarentum

Sybaris
Croton

Pyxus

Aeoliae I.ae
Mylae
Panormus
Messana
Himera
Agrigentum
Rhegium
Catana
Aegates I.ae
Drepanum
Lilybaeum
P. Ecnomo
Gela
Syracusae

Hippo Diarrhytus
Utica
CARTHAGO
Tunes

AFRICA

Hadrumetum

Melita

M. IONIUM

LA PRIMA GUERRA PUNICA (264-241 a.C.)

------- Itinerario di Attilio Regolo

i cartaginesi rallentarono la sorveglianza sullo stretto. E Appio ne approfittò per sbarcare le sue forze, ventimila uomini, un po' a sud di Messina, in vista dell'accampamento siracusano, cui diede l'assalto.

Gerone se la cavò abbastanza bene. Ma la comparsa improvvisa di quell'esercito gli fece sospettare un tradimento da parte di Annone, che piantò in asso per tornarsene di furia a Siracusa. Isolati così i cartaginesi, Appio gli si gettò subito contro, ma stavolta senza riuscire nell'impresa. Allora, lasciato un distaccamento a circondare Messina, pensò di correr dietro all'altro nemico ritenendolo più debole. Ma Gerone era un buon capitano e inflisse ai romani una dura sconfitta. Appio salvò la pelle per miracolo, e dovette rendersi conto che l'impresa era meno facile di quanto pensassero a Roma. Per cui, lasciate parte delle sue forze a guardia di Annone, tornò all'Urbe per riferire e chiedere rinforzi.

I rinforzi li diede soprattutto la diplomazia che riallacciò le relazioni con Gerone riportandolo nel campo romano. Era un buon colpo. Ma dopo Siracusa, bisognava avere anche Agrigento, e qui la diplomazia non poteva nulla perché ad Agrigento c'era una guarnigione cartaginese. I romani vi posero l'assedio, dopo sette mesi costrinsero gli occupanti a tentare una disperata sortita per fame, e li batterono.

Subito i cartaginesi misero in campo un secondo esercito e lo affidarono ad Amilcare (che non ha nulla a che fare col suo omonimo, padre di Annibale). Questi comprese che coi romani, per terra, non c'era niente da fare, e prese ad attaccare con la flotta tutte le loro piazzeforti marittime, riportando una vittoria dopo l'altra.

Fu qui che si vide cos'era Roma. Essa non aveva né navi né marinai. In pochi mesi, per sforzo concorde di tutti i cittadini, approntò centoventi unità. Amilcare, che ne aveva centotrenta, mosse loro incontro senza nemmeno le solite misure di prudenza. E si trovò di fronte ai «corvi», degli strani arnesi che, issati sulla prora delle navi romane, impedivano a quelle nemiche di manovrare. Perse un terzo delle sue forze, e fuggì.

A Cartagine, quando lo seppero, rimasero sconvolti, convinti com'erano di poter dare, sul mare, lezioni a tutti. A Roma s'inorgoglirono, e decisero di portare, attraverso il Mediterraneo, la guerra nel cuore del nemico. Alla prima flotta, un'altra ne fu aggiunta: in tutto trecentotrenta vascelli con centocinquantamila uomini, agli ordini del console Attilio Regolo. Contro di essa, Cartagine ne mise in campo una di forze uguali, agli ordini di Amilcare. Lo scontro avvenne al largo di Marsala. I romani pagarono la loro incerta vittoria con ventiquattro navi; i cartaginesi la loro certa sconfitta con trenta. Ma Attilio Regolo poté sbarcare in Africa, a Capo Bon.

Ora stava a Cartagine mostrare cos'era. E lo mostrò. Essa ebbe qualche tentennamento ai primi successi dei romani che, con l'aiuto dei numidi in rivolta, erano giunti a trenta chilometri dalla loro città. E mandarono un'ambasciata per chiedere pace. Regolo impose di sua testa condizioni inaccettabili. E i cartaginesi allora si disposero al duello mortale. Persa fiducia nei loro generali, affidarono il comando a un greco di Sparta, che sarebbe come dire, oggi, a un tedesco di Prussia: Santippo. Costui riorganizzò con mezzi spicciativi e «fucilazioni» sommarie l'esercito, apportandovi quei nuovi criteri nell'impiego della cavalleria e degli elefanti che poi Annibale sfrutterà mirabilmente.

La battaglia decisiva fu combattuta presso Tunisi. Dell'esercito romano, solo duemila uomini si salvarono rinchiudendosi a Capo Bon. Regolo fu fatto prigioniero. Era l'anno 255 avanti Cristo.

A Roma ne occorsero cinque per riprendersi, materialmente e moralmente, da quel disastro che aveva ricondotto la guerra in Sicilia. In quel lustro, le vicende furono alterne, ma in genere favorevoli ai cartaginesi. Finché un giorno il nuovo loro generale, Asdrubale, nel tentativo di riprendere Palermo, fu battuto e lasciò ventimila uomini sul terreno. Cartagine, stanca, e pensando che anche l'avversario lo fosse, tirò fuor di prigione Regolo e lo mandò a Roma con i suoi ambasciatori per caldeggiarvi proposte di pace. Se fossero state respinte, egli s'impegnava sulla sua parola a tornare. Il Senato lo invitò a esprimere il suo parere davanti ai plenipotenziari nemici. Regolo sostenne che bisognava continuare la guerra. E quando vide accolto il suo parere, riprese la via di Cartagine nonostante le suppliche della moglie. Lo torturarono a morte impedendogli di dormire. I suoi figli a Roma presero due prigionieri cartaginesi di alto rango, e li tennero svegli finché a loro volta non morirono. Erano i costumi dei tempi.

La guerra fu ripresa, ma ora vi comparve, da parte cartaginese, un nuovo protagonista: Amilcare Barca, il padre di Annibale, comandante supremo dell'esercito e della flotta. Fu l'inventore di quelli che oggi si chiamano i *commandos,* e cominciò a lanciarne, con effetti devastatori, persino sulle coste della penisola, dando l'impressione ai romani di volervi sbarcare.

Il Senato, atterrito, non voleva rischiare una nuova flotta contro di lui. Le leve militari erano stremate; le casse del Tesoro, vuote. Fu allora che i più ricchi cittadini costruirono di tasca propria un'armata di duecento navi e la misero a disposizione del console Lutazio Catulo, che bloccava i porti di Drepano e Lilibeo. I cartaginesi per conto loro ne mandarono un'altra di quattrocento unità, stivate di rinforzi, armi e rifornimenti. Se riuscivano a sbarcare, per i romani in Sicilia era la fine. Contro gli ordini del Senato, che gli vietavano iniziative marittime, Catulo, per quanto gravemente ferito, comandò alla sua squadra di attaccare. Le navi cartaginesi, appesantite dal carico che recavano, non riuscirono a manovrare, e centoventi furono affondate, mentre le altre riprendevano la rotta di Cartagine. Amilcare era tagliato dalla madrepatria e dopo tanti successi non gli restava che chiedere la resa.

Lutazio Catulo non volle ripetere l'esperienza di Regolo, e subito accolse la proposta concedendo ad Amilcare l'onore delle armi e il ritiro con i suoi uomini, e rimettendo alla competenza del Senato le altre condizioni.

Qualcuno, a Roma, rimproverò a Catulo tanta indulgenza, e propose di riprendere le ostilità fino a quella che oggi si chiamerebbe la «resa incondizionata» del nemico. Ma le «rese incondizionate» sono quasi sempre pretese balorde, e il Senato fece benissimo a respingerne l'idea. Esso chiese ai cartaginesi l'abbandono della Sicilia, la restituzione senza riscatto dei prigionieri e il pagamento di tremiladuecento talenti in dieci anni. Erano condizioni ragionevoli, e Cartagine si affrettò ad accettarle.

Così, dopo quasi un quarto di secolo di lotta, finì la prima guerra punica, durata del 265 al 241 avanti Cristo.

Ma tutti sapevano, a Roma e a Cartagine, che quella pace era soltanto un armistizio.

CAPITOLO QUATTORDICESIMO
ANNIBALE

Ambedue i contendenti uscirono malconci da quel quarto di secolo di lotta, ma le conseguenze per Cartagine furono più gravi che per Roma. Essa non solo dovette cedere tutta la Sicilia, impegnarsi a una pesante riparazione, e accettare la concorrenza del commercio romano in tutto il Mediterraneo; ma cadde nell'anarchia per lo scatenarsi di conflitti interni.

Il suo governo si rifiutò di pagare gli «arretrati» ai mercenari che avevano servito sotto le bandiere di Amilcare. Costoro si rivoltarono sotto la guida di Matone, un caporalaccio che la sapeva lunga, trovarono subito appoggio nei popoli soggetti e specialmente nei libici che insorsero, formarono un esercito sotto il comando di Spendio, ch'era uno schiavo napoletano. E tutti insieme posero assedio alla città.

I ricchi mercanti di Cartagine tremarono, e sollecitarono Amilcare a liberarli da quella minaccia. Amilcare esitò: gli dispiaceva combattere i suoi vecchi soldati. Ma quando costoro ebbero tagliato le mani e spezzato le gambe al suo collega Cesco e seppellito vivi settecento cartaginesi, si risolse ad agire. Chiamò alle armi quanti giovani trovò dentro le mura della città assediata, li sottopose a un duro e sintetico allenamento militare, attaccò con diecimila uomini il nemico forte di quarantamila, ne ruppe l'accerchiamento, li incalzò dentro un'angusta valle di cui tappò le due uscite; e si mise ad aspettare la loro morte per fame.

Essi mangiarono prima i cavalli, poi i prigionieri, poi gli schiavi. E alla fine, disperati, mandarono Spendio a chieder pace. Amilcare, per tutta risposta, lo crocefisse. I mercenari tentarono una sortita, e furono massacrati. Matone, fatto prigioniero, venne ucciso a lente scudisciate. «Fu» dice Polibio, «la più sanguinosa ed empia guerra della storia». Durò oltre tre anni. E quando finì, Cartagine seppe che Roma aveva occupato anche la Sardegna. Protestò, e Roma, sapendo in che condizioni l'avversaria si trovava, rispose con una dichiarazione di guerra. Per evitarla, Cartagine accettò la perdita della Sardegna, vi aggiunse quella della Corsica, e si rassegnò a pagare altri milleduecento talenti. Cioè, per evitare la guerra, accettò senz'altro la sconfitta. Ma stavolta non protestò.

Anche Roma in quel frattempo si stava leccando le ferite. L'esercito era povero di uomini e la moneta era stata svalutata dell'ottantatré per cento. La politica unitaria inaugurata nella penisola aveva dato, in complesso, buoni frutti perché nessuno dei popoli sottomessi aveva approfittato delle disgrazie dell'Urbe per ribellarsi. Ma la frontiera del Nord non era sicura. I liguri, incapaci di fondare uno stato, erano però capacissimi di cabotare con le loro barche lungo il Tirreno, impedendovi i traffici e saccheggiandone le coste, specie quelle toscane. Nel Nord Adriatico gl'illiri, acquattati fra le scogliere della Dalmazia, facevano altrettanto. E da Bologna alle Alpi, in tutta la piana del Po, i galli si stavano rinforzando per il sopraggiungere di loro confratelli dalla Francia che, non conoscendo ancora i romani, non li temevano. A lasciarli crescere, c'era il rischio di vederseli ruzzolare un'altra volta addosso, com'era già accaduto con Brenno.

Rastrellata dai resti cartaginesi la Sicilia e occupatala con guarnigioni e «colonie», meno il regno di Siracusa che fu lasciato al fedele Gerone, i romani la proclamarono *provincia*. Essa fu la prima delle molte che più tardi formarono l'impero. La seconda consisté nella Sardegna e la Corsica riunite. Poi, instaurato così un certo ordine amministrativo, l'Urbe decise di estenderlo oltre l'Appennino toscano che costituiva il suo confine settentrionale.

Cominciò coi liguri, ch'erano i più isolati e i meno pericolosi. E forse non si trattò nemmeno di una vera e propria guerra, ma di una serie di operazioni «anfibie», cioè condotte contemporaneamente per terra e per mare. Esse durarono cinque anni, dal 238 al 233, e non ebbero bisogno dei soliti eroici episodi. Quando finirono, i liguri eran diventati vassalli e non avevano più neanche una barca con cui disturbare i traffici con la Sardegna e la Corsica.

Poi fu la volta dei galli, che in realtà avevano già preso l'iniziativa, organizzando con l'aiuto francese un esercito di cinquantamila fanti e ventimila cavalieri. Ai romani erano sempre andati poco a garbo quei soldatacci che Polibio ci descrive «alti e belli, sempre smaniosi di guerre che combattevano nudi, salvo qualche collana e amuleto». Il Senato fu così atterrito di questo nuovo attacco che, tornando a un costume ormai in disuso, decise d'ingraziarsi gli dèi con un sacrificio umano seppellendo vive due vittime. Ma le scelse fra i galli. Comunque, si vede che gli dèi ne furono ugualmente contenti, perché a Talamone le legioni riuscirono a circondare il nemico e praticamente lo distrussero una volta per sempre. Quarantamila galli rimasero sul terreno, e diecimila furono fatti prigionieri. Tutta l'Italia, fino alle Alpi, era alla mercé di Roma. Essa chiamò Gallia Cisalpina questa nuova ricchissima provincia, che fu la terza, ne occupò la capitale, Mediolanum, e vi fondò due forti colonie: Cremona e Piacenza.

Poi si volse verso Est, e in pochi anni, con spedizioni simili a quelle che aveva organizzato contro i liguri, ridusse a popolo tributario l'Illiria della regina Teuta. E con ciò mise per la prima volta il piede sull'altra sponda dell'Adriatico, facendone il suo trampolino di lancio per le successive conquiste in Oriente.

Mentre Roma completava così la conquista della penisola e si metteva al sicuro a Est e a Nord, a Cartagine Amilcare faceva fuoco e fiamme per preparare la rivincita. Subito dopo aver domato la rivolta, egli aveva supplicato il suo governo di dargli un esercito per ristabilire lo scosso prestigio fenicio di Spagna e costituirvi una base di operazioni contro l'Italia. Ebbe dalla sua le classi medie, che volevano riconquistare sul Mediterraneo un monopolio commerciale da cui dipendeva la loro sorte, e contraria l'aristocrazia terriera, che non voleva più rischiare di perdere i suoi privilegi in pericolose avventure.

Alla fine si scese a un compromesso: invece di un corpo d'armata fu data ad Amilcare solo una divisione. Ma gli bastò. Amilcare era veramente un grande generale, e non per nulla gli avevano dato quel soprannome di «Barca», che in lingua fenicia significava «folgore». Prima di partire alla testa di quei pochi uomini, condusse in chiesa i suoi «leoncelli», com'egli chiamava suo genero Asdrubale e i suoi tre figli: Annibale, Asdrubale e Magone. E lì fece giurare loro, dinanzi all'altare di Baal-Haman, che un giorno essi avrebbero vendicato Cartagine. Dopodiché li imbarcò con la truppa e se li portò al seguito.

In pochi mesi egli ridusse all'obbedienza le città spagnole che si erano ribellate, e si mise a reclutare indigeni per costituire un esercito vero e proprio. La madrepatria non mosse un dito per aiutarlo, ma Amilcare fece tutto da solo. Scavò miniere, ne estrasse il ferro, lo lavorò per ricavarne le armi; e monopolizzò il commercio per finanziarsi. Purtroppo la morte lo sorprese ancora giovane, durante un combattimento contro una tribù ribelle. Spirando, raccomandò come successore il genero Asdrubale, che tenne il comando per otto anni senza far rimpiangere il suocero, e costruì di sana pianta una città nuova, quella che oggi si chiama Cartagena, nel distretto minerario. Quando a sua volta egli morì, sotto il pugnale di un assassino, i soldati acclamarono generale in campo Annibale, il maggiore dei tre figli di Amilcare. Egli aveva ventisei anni in quel momento; e già ne aveva trascorsi diciassette sotto la tenda, coi soldati. Ma ri-

BATTAGLIA DI CANNE: LO SCHIERAMENTO INIZIALE

BATTAGLIA DI CANNE: SECONDA E TERZA FASE

cordava benissimo il giuramento che suo padre gli aveva fatto fare.

Annibale fu, se non il più grande in senso assoluto, certo il più brillante condottiero dell'antichità. Molti lo pongono sullo stesso piano di Napoleone. Prima che suo padre lo conducesse in Spagna, aveva ricevuto una perfetta educazione. Perfetta per quei tempi, si capisce. Sapeva la storia, le lingue (il greco e il latino), e dai racconti di Amilcare si era fatta un'idea abbastanza chiara di Roma, della sua forza, e delle sue debolezze. Era convinto, per esempio, che una sconfitta in Italia avrebbe tolto all'Urbe i suoi alleati, perché questo era avvenuto ai tempi di suo padre. Egli ignorava del tutto che la politica romana non era più federalistica. Era robusto, frugale, e di una furberia e di un coraggio senza limiti. Tito Livio racconta ch'era sempre il primo ad entrare in battaglia e l'ultimo a uscirne. Ma forse aveva una fiducia eccessiva nelle proprie capacità d'improvvisazione. Gli storici romani, Livio compreso, hanno molto insistito sulla sua avarizia, crudeltà e assenza di scrupoli. Ed effettivamente i tranelli che tese ai romani furono infiniti e diabolici. Ma anche per questo i soldati lo adoravano e credevano ciecamente in lui. Egli non aveva bisogno di galloni per affermare il suo prestigio. Vestiva infatti come loro e ne divideva tutt'i disagi. Oltre che un maestro di strategia, si dimostrò un eccellente diplomatico e un campione dello spionaggio.

Ignoto com'era ai suoi compatrioti, fra i quali non era più tornato dall'età di nove anni, Annibale non poteva certamente sperare in un loro consenso all'apertura delle ostilità. La guerra, quindi, invece di dichiararla, bisognava farsela dichiarare. E per questo, nel 218, assalì Sagunto.

Sagunto era una città alleata di Roma, che però già al tempo di Asdrubale si era impegnata a riconoscere come zona d'influenza cartaginese tutta quella a Sud dell'Ebro. E siccome la città si trovava appunto in quella zona, Annibale poté facilmente respingere la protesta che in termini ultimativi gli giunse da Roma, convinta che Cartagine fosse ancora quella, impaurita e a soqquadro, delle rivolte mercenarie. Così cominciò, con molta abilità da una parte e molta leggerezza dall'altra, quella seconda campagna.

Annibale rimase ancora otto mesi intorno alle mura di Sagunto, prima di espugnarla. Non si fidava di lasciarsi alle spalle quell'eccellente porto aperto alla flotta romana. Poi, lasciato sul posto il fratello Asdrubale con l'ordine di vigilare e preparare i rincalzi, attraversò l'Ebro con trenta elefanti, cinquantamila fanti e novemila cavalieri. Erano quasi tutti spagnoli e libici, e non c'era fra loro nessun mercenario.

Le difficoltà cominciarono subito al di là dei Pirenei. Le tribù galliche alleate di Marsiglia, che a sua volta era alleata di Roma, gli opposero resistenza infischiandosi della sorte che Roma aveva riservato alle loro consorelle padane. E tremila dei suoi uomini si rifiutarono di seguire Annibale, quando seppero che voleva attraversare le Alpi. Il Barca non li forzò. Anzi ne liberò dai loro impegni altri settemila che si mostravano titubanti e li rimandò a casa. Così alleggerito dalla truppa pavida e irresoluta, puntò a Nord su Vienne, e iniziò la scalata.

Non si sa con precisione dove passò. C'è chi dice per il San Bernardo, c'è chi dice per il Monginevro. I più propendono per il Monginevro. Comunque, ai primi di settembre del 218 giunse in vetta, la trovò coperta di neve e concesse ai suoi uomini due giorni di riposo. Ne aveva già persi qualche migliaio, vinti dal freddo e dalla fatica, dai precipizi e dai guerriglieri celtici. Poi, dopo quella sosta, iniziò la discesa, che fu ancora più difficile, specie per gli elefanti. Ci furono, nell'animo di quei temerari, ore di crisi e di disperazione. Annibale le superò additando loro, laggiù in lontananza, la bella pianura padana, e promettendogliela come preda. Quelli che arrivarono in fondo agli scapicolli erano in tutto ventiseimila uomini, meno della metà di quelli ch'erano partiti. In compenso i boi e gli altri galli li accolsero amichevolmente, li rifornirono di viveri e si allearono a loro, massacrando e mettendo in fuga i romani di Cremona e di Piacenza.

Sbigottito da tanta audacia, il Senato si rese subito conto che quella seconda guerra si annunziava molto più pericolosa della prima. Chiamò alle armi trecentomila uomini e quattordicimila cavalli, e ne affidò una parte al primo dei molti Scipioni che dovevano rendere celebre il nome della famiglia. Costui affrontò Annibale al Ticino, si lasciò sfondare lo schieramento dalla cavalleria numida, e perse la battaglia. Ci sarebbe anche morto se, gravemente ferito com'era, non fosse stato salvato da suo figlio che, sedici anni dopo, doveva vendicare il padre a Zama. Era l'ottobre del 218 avanti Cristo.

Trascorsero due mesi, e un altro esercito fu mandato ad affrontare Annibale sulla Trebbia. Seconda battaglia, e seconda sconfitta. Ne trascorsero altri otto, e incontro al Barca, ormai padrone di tutta la Gallia Cisalpina, mosse Caio Flaminio, alla testa di trentamila uomini. Era così sicuro di vincere che si era portato dietro un carico di catene per metterle ai piedi dei prigionieri. Annibale parve voler evitare la battaglia campale. In realtà, con un sapiente giuoco di pattuglie e di scaramucce, attrasse il nemico in una piana sulle rive del Trasimeno circondata di colline e di boschi dove aveva nascosto le sue cavallerie. E dentro di esse lo avviluppò inestricabilmente. Dei romani non rimase vivo quasi nessuno, nemmeno Flaminio.

Tito Livio racconta che la notizia gettò Roma nel panico. Ma il Senato affrontò la situazione con virile fermezza. Il pretore Marco Pomponio non cercò di sdrammatizzarla leggendo, dai Rostri, il comunicato che annunziava la disfatta. «Siamo stati vinti in una grande battaglia» disse. «Il pericolo è grave.»

134

Ma nemmeno per Annibale erano tutte rose. Via via che si avvicinava a Roma, si accorgeva che la speranza di dividerla dai suoi alleati era infondata. In Toscana e in Umbria le città si chiusero dinanzi al suo esercito, che non sapeva come rifornirsi. Invano egli rimandò liberi a casa i prigionieri non romani. Dall'Appennino al Sannio l'Italia faceva blocco con l'Urbe. E ad Annibale non restò che deviare verso l'Adriatico in cerca di terre più ospitali. I suoi soldati, dopo tre battaglie consecutive, erano stanchi, ed egli stesso soffriva di un acuto tracoma. Gli alleati galli, che non vedevano più in là del loro naso, ora ch'egli si allontanava dalle loro regioni, cominciarono a disertare. Annibale mandò messi a Cartagine per chiedere rinforzi: glieli rifiutarono. Ne mandò a Asdrubale: ma questi era inchiodato in Spagna dai romani, che frattanto vi erano sbarcati. Riprese la sua marcia verso Sud, ma si trovò di fronte a un nuovo e imbarazzante stratega.

Quinto Fabio Massimo era stato nominato dittatore e aveva inaugurato quella «magistrale inazione» per cui passò alla storia col nome di «Temporeggiatore». Ingaggiava scaramucce, tendeva imboscate, ma in battaglia non si lasciava attirare. Aspettava che le difficoltà, la fame, la stanchezza compissero la loro opera tra i soldati del nemico, che infatti era alla disperazione. Purtroppo prima di loro si stancarono i romani, che volevano una vittoria e subito, e porsero compiacenti orecchie alle malignità di Minucio Rufo, luogotenente e detrattore di Fabio. Costui venne spodestato e il suo comando diviso fra due consoli di fresca nomina: Terenzio Varrone e Emilio Paolo. Questi era un aristocratico di gran giudizio, perfettamente conscio che contro la strategia annibalica quella romana non aveva ancora elaborato criteri adeguati. Varrone era un plebeo, migliore come patriota che come generale, e voleva quel che volevano i suoi elettori: un rapido successo. Parlando in nome dell'orgoglio e del nazionalismo, ebbe, come al solito, ragione. E condusse i suoi ottantamila fanti e seimila cavalieri contro Annibale che, pur avendo soltanto ventimila veterani, quindicimila infidi galli e diecimila cavalieri, trasse un respiro di sollievo. Egli temeva soltanto Fabio Massimo.

La battaglia, che fu la più gigantesca dell'antichità, ebbe luogo a Canne sull'Ofanto. Il Barca come al solito attrasse il nemico in un terreno pianeggiante, adatto al giuoco della cavalleria. Poi si schierò mettendo al centro i galli, sicuro che avrebbero tagliato la corda. Così fecero infatti. Nel buco, Varrone si buttò dentro, e le ali di Annibale gli si richiusero sopra. Paolo Emilio, che non aveva voluto lo scontro, combatté valorosamente e cadde con altri quarantamila romani, fra cui ottanta senatori. Varrone riuscì a salvarsi in compagnia dello Scipione che già se l'era cavata sul Ticino, scampò a Chiusi, e di lì rientrò a Roma.

Il popolo in lutto lo attendeva alle porte della città. Quando lo videro apparire, gli andarono tutti incontro, coi magistrati alla testa, e lo ringraziarono per non aver dubitato della patria. Così rispose l'Urbe alla catastrofe.

CAPITOLO QUINDICESIMO

SCIPIONE

Stando ai competenti, Canne rimane, nella storia della strategia, un esempio mai più superato. Annibale, l'unico capitano che sia stato capace di battere i romani per quattro volte consecutive, vi perse solo seimila uomini, di cui quattromila erano galli. Ma vi perse anche il segreto del suo successo, che finalmente il nemico capì: la superiorità della sua cavalleria.

Sul momento, parve che l'invasore avesse partita vinta: i sanniti, gli abruzzesi, i lucani si sollevarono; a Crotone, a Locri, a Capua, a Metaponto la popolazione massacrò le guarnigioni romane; Filippo V di Macedonia si alleò col Barca; Cartagine, ringalluzzita, annunziò l'invio di rinforzi; e alcuni giovani patrizi romani già corrotti dalla cultura ellenica pensarono di fuggire in Grecia, loro patria ideale.

Ma questi ultimi furono casi isolati. Il giovane Scipione, reduce dalle due disfatte del Ticino e di Canne, li denunziò con parole di fuoco. Il popolo accettò nuovi tributi e nuove leve, le nobili matrone portarono i loro gioielli al Tesoro e andarono a spazzare coi loro capelli il pavimento dei templi; il governo ordinò un nuovo sacrificio umano, non più di due, ma di quattro vittime e seppellì vivi due greci e due galli. I soldati rifiutarono la cinquina. E dalle case partirono volontari di tredici e di quattordici anni per ingrossare la gracile guarnigione, che si preparava a difendere Roma nell'ultima battaglia contro Annibale.

Ma Annibale non spuntò, e ancora oggi ci si domanda per quali ragioni non volle osare. Come Hitler dopo Dunkerque, questo gran soldato che pure in battaglia aveva tanto coraggio non trovò quello di affrontare l'ultimo ostacolo, sebbene lo sapesse quasi sprovvisto di difesa. S'illuse di ricevere rinforzi, in tempo per la grande impresa? Sperò che il nemico chiedesse la pace? Oppure Roma, sebbene l'avesse per quattro volte battuta, gl'incuteva ancora un reverenziale rispetto? Comunque, invece di sfruttare l'enorme successo di Canne, egli decise di riposarsi. Rimandò a casa i prigionieri non romani, e quelli romani offrì all'Urbe di restituirli dietro un piccolo indennizzo. Il Senato orgogliosamente rifiutò. Annibale, mandatine a Cartagine un certo numero come schiavi, adibì gli altri a giuochi gladiatori per il divertimento dei suoi soldati. Poi si avvicinò a pochi chilometri da Roma facendola tremare, ma sfilò ad Est, su Capua.

I romani per il momento non gli corsero dietro. Stavano penosamente organizzando un nuovo esercito di duecentomila uomini. Quando fu pronto, ne diedero una parte al console Claudio Marcello perché rimettesse ordine nella Sicilia che si era ribellata; una parte la tennero a difesa della città; un'altra la spedirono in Spagna sotto la guida dei due più anziani Scipioni per inchiodarvi Asdrubale.

L'anno seguente Claudio Marcello aveva conquistato Siracusa che, dopo la morte del fedele Gerone, aveva tradito l'alleanza, e tentato di resistere con gli accorgimenti di Archimede, il più grande matematico e tecnico dell'antichità. Costui aveva escogitato fra l'altro le «mani di ferro» che, dalle confuse e stupefatte descrizioni lasciateci dagli storici, dovevano essere delle gru che sollevavano le navi romane, e gli «specchi ustori» che le incendiavano concentrando su di esse i raggi solari. Forse furono soltanto delle brillanti idee che in pratica poi rimasero sulla carta. Tanto è vero che la città cadde ugualmente, e nel macello che seguì lo stesso Archimede perse la vita.

A questo successo che rialzò il prestigio di Roma nel Sud, si aggiunsero quelli dei due Scipioni che batterono a più riprese Asdrubale in Spagna, e la riconquista di Capua che

138

cadde nel 211, in un momento che Annibale se n'era allontanato nella speranza d'ingannare i romani fingendo di marciare contro l'Urbe. Il castigo della città infedele fu esemplare: tutti i capi vennero uccisi, e la popolazione deportata in massa. In tutta Italia si sparse il terrore e la fede nel «liberatore» Annibale vacillò.

Ed ecco proprio in questo momento sorgere il gran condottiero che doveva vendicare tutte le umiliazioni di Roma. I due Scipioni, che guerreggiavano contro Asdrubale, sebbene vittoriosi, caddero in combattimento. A sostituirli fu mandato, appena ventiquattrenne, il loro rispettivo figlio e nipote, Publio Cornelio, il reduce del Ticino e di Canne. Egli non aveva ancora raggiunto i limiti di età per un sì alto comando, ma il Senato e l'Assemblea furono d'accordo nel derogare alla legge in un frangente così grave. Publio Cornelio Scipione era stato un valoroso soldato e un eccellente comandante di falange e di coorte. Rientrato con Varrone a Roma nel momento più tragico, quello che seguì alla disfatta di Canne, vi era stato l'animatore della resistenza. Era bello. Era eloquente. Portava un grande nome. Godeva fama di pio, cortese e giusto. Non intraprendeva nulla, né di pubblico né di privato, senza prima chiedere il parere degli dèi, raccogliendosi a pregare nel tempio. E per di più era riuscito a farsi considerare dai suoi compatrioti fortunato, cioè «raccomandatissimo» dal cielo.

Infatti, appena arrivato in Spagna, dove trovò l'esercito impegnato ad assediare Cartagena, diede subito una prova dei particolari favori che lo assistevano. Si trattava, per espugnare la città, di attraversare uno stagno che comunicava col mare, e la profondità dell'acqua era tale che bisognava farlo nuotando; operazione impossibile per uomini appesantiti dalla corazza, dall'elmo e dalle armi. Una bella mattina Publio Cornelio convoca i suoi soldati e racconta loro che Nettuno, apparsogli in sogno, gli ha promesso di dargli aiuto facendo abbassare il livello dello stagno. I soldati ci credono e non ci credono. Ma quando a un certo punto vedono il loro generale buttarcisi dentro e attraversarlo di corsa, urlano al miracolo, gli si lanciano dietro e, per mostrarsi degni più del dio che di lui, conquistano di slancio l'obbiettivo.

In realtà, di miracoloso non c'era nulla. Publio Cornelio aveva semplicemente appreso, parlando con i pescatori di Tarragona, il giuoco dell'alta e della bassa marea che i suoi veterani, tutti contadini, ignoravano. Ma le energie e gli entusiasmi di una truppa raddoppiano, quando è convinta di seguire un generale che ha in tasca Nettuno. Già si mormorava, di Publio Cornelio, che il suo vero padre non era stato affatto Scipione, ma un mostruoso serpente in cui si era metamorfosato Giove in persona. O meglio, lo aveva mormorato egli stesso. A quei tempi, pur di vincere, i romani erano pronti a fare una cattiva reputazione anche alle loro mamme. Comunque, stavolta il giuoco riuscì.

Quasi tutta la Spagna cadde, per quel colpo, nelle mani di Roma. Ma Asdrubale, che non aveva più nessuna ragione di restarci, riuscì a sfuggire e col suo esercito si gettò sulle orme del fratello per raggiungerlo attraverso la Francia e le Alpi. Bene o male, riuscì anche lui a superarle. Ma un suo messaggio ad Annibale, in cui annunciava che stava arrivando e da che parte sarebbe passato, cadde in mano dei romani che così vennero a conoscere tutto il suo piano di operazioni. Due nuovi eserciti furono allestiti in fretta. L'uno, comandato da Claudio Nerone, provvide a immobilizzare in Apulia Annibale, che non si mosse perché all'oscuro di tutto. L'altro, agli ordini di Livio Salinatore, aspettò Asdrubale nel punto più favorevole, sul Metauro presso Senigallia, e lo sterminò. Si racconta che la testa del generale, caduto sul campo, fu spiccata dal corpo, portata in Abruzzo e lanciata oltre le mura del vallo dietro il quale, con i suoi, si riparava Annibale. Costui aveva già perso un occhio per il tracoma. Ma quello che gli restava gli bastò per riconoscere i miseri resti del fratello che aveva amato come un figliolo.

Il cartaginese si sentiva ormai un uomo finito. Filippo di Macedonia, dopo una platonica dichiarazione di guerra, si era lasciato riconquistare dalla diplomazia di Roma e aveva fatto pace. I ribelli italiani, impauriti dall'esempio di Capua, mostravano simpatie per il Barca, ma non lo aiutavano. Delle cento navi cariche di rinforzi che Cartagine aveva mandato, ottanta erano colate a picco sulle coste della Sardegna. E gli «ozi di Capua», che da allora in poi diventarono proverbiali, avevano afflosciato il morale e il fisico del baldanzoso esercito di Canne. «Gli dèi» aveva detto un luogotenente ad Annibale, quando costui si era rifiutato di marciare contro Roma «non danno tutti i loro doni a un uomo solo. Tu sai procurarti le vittorie, ma non sai come usarle.» Forse c'era del vero, in questo giudizio.

Nel 204 Scipione, reduce dai trionfi spagnoli, fu messo alla testa di un nuovo e più potente esercito che, imbarcato sulla flotta, veleggiò verso le coste africane. La guerra, da offensiva, diventava difensiva per Cartagine che, impaurita, richiamò in fretta e furia il suo Annibale per difenderla. Ma quello che tornò, dopo trentasei anni di assenza, mezzo cieco e logorato dalle fatiche e dai disinganni, era, sì, ancora un gran capitano, ma non più il ventottenne demonio che aveva preso l'avvio da Cartagena. La metà delle sue truppe si rifiutò di seguirlo laggiù. Gli storici romani dicono ch'egli uccise, per disobbedienza, ventimila uomini. Con gli altri, nel 202 sbarcò, riconobbe a stento la sua città, da cui era partito novenne appena; e venne a schierarsi, con i suoi rimanenti veterani, nella pianura di Zama, una cinquantina di miglia a sud di Cartagine.

I due eserciti, come forze, press'a poco si equivalevano. E stettero a guardarsi per molti mesi, rinforzando ognuno le proprie posizioni. Poi quello romano trovò un aiuto insperato. Massinissa, re di Numidia, spodestato dal rivale Siface, ch'era amico e protetto dei cartaginesi, venne con la sua cavalleria ad allinearsi accanto a Scipione. E proprio nella cavalleria Annibale riponeva, come sempre, le sue speranze.

Forse fu per questo che, prima dello scontro, egli volle tentare la carta di un amichevole accomodamento. Chiese un colloquio con l'avversario, che glielo concesse. I due grandi generali finalmente s'incontravano a tu per tu. La conversazione fu breve e, a quanto pare, estremamente cortese. I due interlocutori constatarono l'impossibilità di un accordo, ma, dal seguito degli avvenimenti, si direbbe che abbiano provato l'uno per l'altro una viva simpatia (quanto alla stima, non poteva mancare). Si lasciarono senza rancore, e subito dopo scesero in combattimento.

Per la prima volta nella sua vita, Annibale, invece d'imporre, dovette subire l'iniziativa dell'avversario che, per batterlo, usò la stessa tattica a tenaglia. Il quarantacinquenne Barca ritrovò, nel disastro, l'energia dei suoi vent'anni. Assalì Scipione in duello individuale, e lo ferì. Attaccò Massinissa. Formò e riformò cinque, sei, dieci volte le sue falangi sconvolte, per trascinarle al contrattacco. Ma non ci fu nulla da fare. Ventimila dei suoi uomini giacevano sul terreno. E a lui non rimase che salire su un cavallo e galoppare verso Cartagine. Vi giunse coperto di sangue, riunì il Senato, annunziò che aveva perso non una battaglia, ma la guerra, e consigliò di mandare un'ambasciata per chiedere pace. Così fu fatto.

Scipione si mostrò generoso. Volle la consegna di tutta la flotta cartaginese, meno dieci triremi, la rinunzia a ogni conquista in Europa, il riconoscimento di Massinissa in una Numidia indipendente, e un'indennità di diecimila talenti. Ma lasciò a Cartagine i suoi possedimenti tunisini e algerini, pur vietandole di aggiungervene altri e rinunziò alla consegna di Annibale, che il popolo di Roma avrebbe voluto veder aggiogato dietro il carro del vincitore il giorno del trionfo.

A tanta cavalleria da parte dell'ex nemico, non ne corrispose punta, per Annibale, da parte dei compatrioti. Il trattato di pace non era ancora ratificato, che alcuni cartaginesi già informavano segretamente Roma che Annibale pensava alla rivincita e si era dato anima e corpo ad organizzarla. In realtà egli cercava soltanto di rimettere ordine nella sua patria e, alla testa del partito popolare, tentava di distruggere i privilegi della corrotta oligarchia senatoriale e mercantile, ch'era la vera responsabile della disfatta.

Scipione usò tutta la sua influenza per dissuadere i compatrioti dal chiedere la testa del suo grande nemico. Ma invano. Per sfuggire all'arresto e alla consegna, Annibale fuggì di notte a cavallo, galoppò per oltre duecento chilometri fino a Tapso, e di lì s'imbarcò per Antiochia. Il re Antioco esitava in quel momento fra la pace e la guerra con Roma. Annibale gli consigliò la guerra e diventò uno dei suoi esperti militari. Ma, nonostante la sua perizia, Antioco fu disfatto a Magnesia, e i romani, fra le altre condizioni, imposero la consegna del Barca. Questi tornò a fuggire: prima a Creta, poi in Bitinia. I romani non gli diedero tregua e alla fine circondarono il suo nascondiglio. Il vecchio generale preferì la morte alla cattura. Livio racconta che, portando alla bocca il veleno, disse ironicamente: «Ridiamo la tranquillità ai romani, visto che non hanno la pazienza di aspettare la fine di un vecchio come me». Aveva sessantasette anni. Pochi mesi dopo, il suo vincitore e ammiratore Cornelio lo seguì nella tomba.

Fu questa seconda guerra punica a decidere per secoli e secoli le sorti del Mediterraneo e dell'Europa occidentale, perché la terza non ne fu che un poscritto del tutto superfluo. Essa diede a Roma la Spagna, il Nord Africa, il dominio sul mare e la ricchezza.

Ma da questi guadagni prese anche l'avvio una trasformazione della vita romana che non doveva rivelarsi benefica per le sorti dell'Urbe. In tutto erano rimasti sul campo trecentomila uomini, che costituivano il fior fiore dell'agricoltura e dell'esercito. Quattrocento città erano andate distrutte. La metà delle fattorie saccheggiate, specie nell'Italia del Sud, che appunto da allora non si è mai più completamente ripresa.

I romani di duecent'anni prima avrebbero posto riparo in pochi decenni a questi malanni. Ma i successori non erano più della loro tempra. Quello che li tentava ora non era più il lavoro in campagna, ma il commercio internazionale. La ricchezza, invece di faticarla con pazienza e tenacia, con una vita frugale e sparagnina, era più comodo andarsela a cercare bell'e fatta in Spagna, per esempio, dove bastava grattare la terra per trovare il ferro e l'oro. Le spogliazioni dei popoli vinti avevano riempito le casse del Tesoro. I tributi che pagavano gli stati soggetti, a suon di miliardi, anno per anno, praticamente facevano di ogni romano un *rentier* e lo svogliavano dal lavoro.

Questo *boom* economico, come lo avrebbero chiamato gli americani, sconvolse la società, rendendo inadeguata l'impalcatura su cui si era retta sino ad allora. Si cominciò a formare una nuova borghesia di trafficanti e di appaltatori. I costumi si addolcirono e ammollirono. Sorse quella che oggi si chiamerebbe una *social life* con salotti intellettuali e progressisti. La fede negli dèi s'indebolì come quella nella democrazia, che nei momenti di pericolo aveva dovuto, per salvare la patria, ricorrere ai dittatori e ai «pieni poteri».

La crisi non precipitò subito. Ma è in questi anni, seguiti alla catastrofe di Cartagine, che se ne creano le premesse.

CAPITOLO SEDICESIMO
«GRAECIA CAPTA...»

Uno dei primi carichi di bottino che, quando si decise a muoverle guerra, Roma riportò dalla Grecia, fu un gruppo di circa mille intellettuali che si erano distinti nella resistenza all'Urbe. Fra essi c'era un certo Polibio, che aveva la passione della storia e insegnò ai romani come la si scrive. «Con quali sistemi politici», egli si chiese arrivando, «questa città è riuscita in meno di cinquantatré anni a soggiogare il mondo: impresa che sinora non era mai riuscita a nessuno?»

In realtà Roma aveva impiegato molto più di cinquantatré anni. Ma per il greco Polibio, il «mondo» era soltanto la Grecia, la cui conquista effettivamente non aveva richiesto più di mezzo secolo. Senonché non erano affatto state le diavolerie politiche del Senato e dei generali romani a rendere così facile questo successo, ma il fatto che la Grecia, prima di essere conquistata, aveva già distrutto se stessa. La sua disintegrazione era avvenuta dal di dentro. Roma si limitò a raccoglierne i frutti.

I primi rapporti che l'Urbe aveva avuto con la Grecia risalivano infatti al tempo di Pirro, che prese l'iniziativa di annodarli, sbarcando in Italia nel 281 con i suoi soldati e i suoi elefanti per difendere Taranto e le altre città greche della penisola dall'aggressione romana. Ma in quel momento la Grecia, come nazione, aveva già cessato di esistere; o meglio, aveva abbandonato ogni speranza di diventarlo. Le varie città di cui era composta passavano il tempo a combattersi tra loro, e non ce n'era più una che fosse capace di tenere unite le altre nella difesa dei comuni interessi.

L'ultimo tentativo di creare una nazione greca era venuto dal di fuori, cioè dalla Macedonia, una terra che i greci di Atene, di Corinto, di Tebe eccetera, consideravano barbara e forestiera. In realtà, di greco essa aveva poco. Le impervie catene di monti che la chiudevano a sud avevano sbarrato il passo alla cultura e ai costumi, cioè alla civiltà delle metropoli della costa, che del resto era una civiltà troppo cittadina e mercantile per potersi acclimatare in quella severa e rozza contrada di chiuse valli, di sparse greggi, di villaggi arcaici e solitari. In compenso, la popolazione si era serbata sana, rude e forte. Essa non sapeva di grammatica e filosofia, credeva ai suoi dèi e obbediva ai suoi padroni. Costoro formavano un'aristocrazia di grossi proprietari fondiari, la cui sola occupazione era l'amministrazione delle terre e i cui soli svaghi erano i tornei e la caccia. A Pella, la capitale, ci andavano di rado e malvolentieri: non solo perché il viaggio era faticoso, ma anche perché in quel borgo campestre e senz'attrazioni c'era il re, dal quale volevano restare il più possibile indipendenti. Soltanto Filippo e suo figlio Alessandro riuscirono a disarmare le loro diffidenze e a unirli in una grande avventura di conquista. Ognuno di essi portò nell'esercito comune il proprio contingente di forze, delle quali fu il generale; e tutti insieme, sotto il comando unico del babbo e poi del figliolo, occuparono la Grecia, vi misero ordine, e cercarono di coordinare le forze con quelle macedoni per la conquista del mondo.

Fu soltanto una meravigliosa avventura, che non sopravvisse ai suoi due protagonisti. Quando nel 323, a soli trentatré anni, Alessandro morì in Babilonia, dopo aver condotto il suo esercito di vittoria in vittoria fino in Egitto e in India attraverso Asia Minore, Mesopotamia e Persia, il suo effimero impero cadde in pezzi. Ai suoi generali che, riuniti intorno al capezzale, gli chiedevano chi designasse come erede, rispose: «Il più forte», ma si dimenticò di precisare chi fosse costui, o forse non lo sapeva. Per cui essi si divisero l'eredità in cinque parti: Antipatro ebbe la Ma-

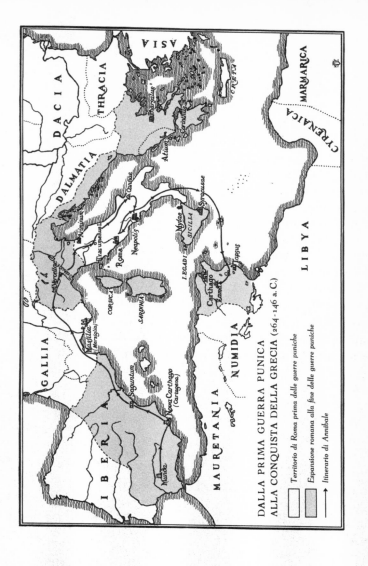

DALLA PRIMA GUERRA PUNICA
ALLA CONQUISTA DELLA GRECIA (264-146 a.C.)

☐ Territorio di Roma prima delle guerre puniche

▨ Espansione romana alla fine delle guerre puniche

→ Itinerario di Annibale

cedonia e la Grecia, Lisimaco la Tracia, Antigono l'Asia Minore, Seleuco Babilonia e Tolomeo l'Egitto. E subito, naturalmente, presero a farsi guerra tra loro.

Lasciamo questi *diadochi*, come venneri chiamati i cinque successori, alle loro dispute, che poi tornarono tutte a definitivo vantaggio di Roma. E limitiamoci a quelle che subito scoppiarono nell'interno del reame di Antipatro, che doveva tenere unite la Macedonia e la Grecia. Se questa unione si fosse fatta, Roma avrebbe trovato da rodere un osso molto più duro. Ma i greci non la volevano e fecero di tutto per sabotarla. Quando Alessandro morì, racconta Plutarco, il popolo ateniese, che non ne aveva ricevuto che benefici, si compose in cortei per le strade cantando inni di vittoria «come se fossero stati loro ad abbattere il tiranno». Demostene, ch'era stato il campione della «resistenza», una resistenza soltanto di parole, ebbe il suo momento di gloria e incitò i concittadini a organizzare un esercito per resistere ad Antipatro. L'esercito fu organizzato e naturalmente sconfitto dal nuovo re macedone. Il quale, ignorante com'era, non aveva le debolezze di Alessandro per la civilissima Atene, e la trattò com'era abituato a trattare i suoi soldati quando questi disobbedivano.

Quando anche Antipatro morì lasciando il trono a suo figlio Cassandro, Atene si ribellò di nuovo. E di nuovo fu sconfitta e castigata. Per decenni si andò avanti a furia di rivolte e di repressioni. Poi Demetrio Poliorcete (che vuol dire «conquistatore di città»), figlio di Antigono, venne dall'Asia Minore a scacciare i macedoni dalla Grecia. Ad Atene lo accolsero come un trionfatore e gli arredarono un appartamento nel Partenone, ch'egli riempì di prostitute e di efèbi. Poi si stancò di quegli ozi, si proclamò re di Macedonia, e come tale abolì l'indipendenza ateniese ch'egli stesso aveva restaurato, riconsegnando la città a una guarnigione macedone.

Da questo regime di anarchia che durò un secolo e che

fu complicato da una terrificante invasione di galli, la Grecia emerse politicamente finita. Sul solco della sua flotta mercantile e sulle spade di Filippo, di Alessandro e dei loro diadochi, la sua civiltà era penetrata dovunque, dall'Epiro all'Asia Minore, alla Palestina, all'Egitto, alla Persia, e fino all'India; e dovunque le classi dirigenti e intellettuali erano greche o grecizzanti. La sua filosofia, la sua scultura, la sua letteratura, la sua scienza, trapiantate in quei paesi di conquista, vi creavano una nuova cultura. Ma politicamente la Grecia era morta, e tale doveva restare per duemila anni.

Quando Roma, liberatasi di Cartagine, volse verso di essa lo sguardo, non vide che una Via Lattea di staterelli in perpetua baruffa gli uni con gli altri. Polibio non aveva nessuna ragione di meravigliarsi ch'essa impiegasse così poco a conquistarli. In realtà poteva impiegare molto meno.

Tutto cominciò per colpa di Filippo V, re di Macedonia. Questo stato, dissanguato da Alessandro, non era più quello di una volta. Ma era ancora il più solido della Grecia, le cui città erano divise in quel momento in due Leghe, quella Achea e quella Etolia, che facevano pace tra loro solo per unirsi contro di lui.

Nel 216 Filippo, sentendo che Annibale aveva schiacciato i romani a Canne, firmò un patto di alleanza con lui, e chiese ai greci di aiutarlo a distruggere Roma, che poteva diventare pericolosa per tutti. Una conferenza fu indetta a Naupacto, dove il delegato degli etoli, Agelao, parlando a nome di tutti i presenti, incitò Filippo a mettersi alla testa di tutti i greci in quella crociata. Senonché subito dopo, ad Atene e nelle altre città, cominciò a circolare la voce che Annibale avrebbe dato al macedone mano libera su di esse in cambio dell'aiuto ricevuto da lui. Di colpo rinacquero le diffidenze momentaneamente sopite, e la Lega Etolia mandò messi a Roma per chiedere aiuto contro Filippo. Il quale, per far fronte alla Grecia, dovette rinunziare all'Italia e stipulare anche lui un patto con Roma, mettendo così fine, prima ancora di averla cominciata, a quella prima guerra macedone.

Dopo Zama, furono Pergamo, l'Egitto e Rodi a chiedere aiuti all'Urbe contro Filippo che li molestava. L'Urbe, che aveva la memoria lunga e ricordava il tentativo del re macedone al tempo di Canne, mandò un esercito agli ordini di Tito Quinto Flaminino, che a Cinocefale, nel 197, lo schiacciò. La via della Grecia era ora aperta.

Ma Flaminino era uno strano tipo. Di famiglia patrizia, aveva studiato a Taranto, vi aveva imparato il greco, ed era un innamorato della civiltà ellenica. Per di più, nutriva idee «progressiste». Egli non uccise Filippo, anzi lo rimise sul trono nonostante le proteste dei suoi alleati greci, i quali pretendevano di essere stati loro a vincere a Cinocefale, come certi francesi oggi pretendono di essere stati loro a sconfiggere la Germania. Poi, in occasione dei grandi Giuochi Istmici, che riunivano a Corinto i delegati di tutta la Grecia, proclamò che tutti i suoi popoli e città erano liberi, non più soggetti né a guarnigioni né a tributi, e potevano governarsi con le proprie leggi. Gli ascoltatori, che si aspettavano la sostituzione del giogo romano a quello macedone, rimasero sbalorditi. E Plutarco racconta che poi scoppiarono in tale urlo di entusiasmo che un branco di corvi che incrociavano sulle loro teste piombarono giù, morti. Se anche tutte le altre sue storie Plutarco ce le ha raccontate con lo stesso scrupolo di verità, c'è da stare allegri.

Gli scettici di Atene e delle altre città non ebbero il tempo di mettere in dubbio le oneste intenzioni di Flaminino, poiché costui le attuò subito ritirando il suo esercito dalla Grecia. Ma dopo averlo salutato come «salvatore e liberatore» trovarono da ridire sul fatto ch'egli si fosse portato dietro un cospicuo bottino di guerra sotto forma di opere d'arte e che avesse emancipato alcune città della Lega Etolia, dove stavano di malavoglia. E chiamarono Antioco, l'ultimo erede di Seleuco, re di Babilonia, a riliberarli. A riliberarli da cosa, non si sa, visto che Flaminino li aveva lasciati liberissimi.

Pergamo e Lampsaco che, essendo più vicine ad Antioco, lo conoscevano meglio, e quindi sapevano cosa aspettarsi da lui, chiesero aiuto a Roma. E il Senato, che non aveva mai creduto all'esperimento liberale e progressista di Flaminino, mandò un altro esercito agli ordini dell'eroe di Zama. Con pochi uomini, questi attaccò Antioco, a Magnesia, lo sbaragliò, nonostante i saggi consigli strategici che gli aveva dato Annibale, suo ospite, e assicurò a Roma quasi tutta la costa mediterranea dell'Asia Minore. Poi si volse a Nord, batté i galli che ancora bivaccavano in quei paraggi, e rientrò in Italia senza toccare le città greche.

Per alcuni anni Roma insisté nei loro riguardi in questa politica di tolleranza e di rispetto, molto simile a quella che gli Stati Uniti hanno praticato in Europa dopo la seconda guerra mondiale. Interveniva nelle loro faccende interne solo se sollecitata, e cercava di puntellarvi l'ordine costituito. Per questo raccoglieva le antipatie di tutti gli scontenti, i quali l'accusavano di reazionarismo.

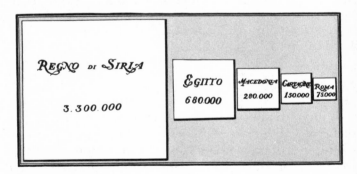

ESTENSIONE IN Kmq. DEI MAGGIORI STATI MEDITERRANEI ALL'INIZIO DELLE GUERRE PUNICHE

Di questo stato d'animo delle «masse», credette di poter approfittare Perseo di Macedonia che, succeduto a Filippo nel 179, le chiamò a raccolta per una guerra santa contro l'Urbe. Egli aveva sposato la figlia dell'erede di Antioco, Seleuco, che gli si alleò, e si trascinò dietro anche l'Illiria e l'Epiro. Questi ultimi stati furono i soli a dargli praticamente man forte, quando un terzo esercito romano, guidato da Emilio Paolo, figlio del console caduto a Canne, sopraggiunse e sbaragliò a Pidna, nel 168, Perseo, che fu tradotto in catene a Roma per adornare il carro del vincitore.

Fra le altre cose, cadde nelle mani di Emilio anche l'archivio segreto del vinto. E vi si trovarono i documenti relativi alla congiura con la prova delle varie responsabilità. Per castigo, settanta città macedoni furono rase al suolo, l'Epiro e l'Illiria devastati; Rodi, che aveva cospirato senza prender parte attiva alla guerra, venne privata dei suoi possedimenti in Asia Minore; e mille simpatizzanti greci di Perseo, fra cui Polibio, condotti come ostaggi a Roma.

Era già il segno che il Senato, abbandonate le illusioni di Flaminino e degli altri filelleni dell'Urbe, fra cui gli stessi Scipioni, aveva vinto il complesso d'inferiorità verso la Grecia e stava tornando ai suoi tradizionali sistemi di trattamento del vinto. Ma nemmeno stavolta i turbolenti greci vollero capire. Di lì a qualche anno nelle varie città vennero al potere nuove classi proletarie, che facevano tutt'uno del socialismo e del nazionalismo. La Lega Achea fu ricostituita e, quando seppe che Roma era impegnata nella terza guerra contro Cartagine, chiamò tutta la Grecia alla liberazione.

Ma ora Roma poteva tranquillamente combattere una guerra su due fronti. Mentre Scipione Emiliano s'imbarcava per l'Africa, il console Mummio calò su Corinto, ch'era una delle città più riottose. L'assediò, la conquistò, ne uccise tutti gli uomini, ne ridusse schiave le donne e, imbarcato tutto ciò che v'era di trasportabile a Roma, la diede alle fiamme. Grecia e Macedonia furono unite in una sola provincia sotto un governatore romano, ad eccezione di Atene e Sparta, cui si riconobbe una certa autonomia.

La Grecia aveva finalmente trovato la sua pace: la pace del cimitero.

La terza e ultima guerra punica fu voluta da Catone il Censore e provocata da Massinissa, ch'eran destinati a non vederne la fine.

Massinissa fu uno dei più strani personaggi dell'antichità. Visse fino a novant'anni, ebbe l'ultimo figlio a ottantasei, e a ottantotto galoppava ancora alla testa delle sue truppe. Dopo Zama, aveva riavuto il trono di Numidia e, siccome Cartagine si era impegnata con Roma a non più fare guerre, non si stancava di tormentarla con incursioni e ruberie. Cartagine protestava, e Roma la zittiva. Ma quando ebbe pagato l'ultima delle cinquanta indennità che doveva annualmente all'Urbe per il risarcimento, si ribellò a queste prepotenze e attaccò Massinissa.

A Roma in quel momento aveva il sopravvento il partito di Catone, che terminava sempre i suoi discorsi, su qualunque argomento li tenesse, col solito ritornello: «Quanto al resto, penso che Cartagine debba essere distrutta». Nell'incidente il Senato, aiutato da lui, vide l'occasione buona, e non solo intimò ai cartaginesi di non prendere iniziative, ma esigette trecento bambini di famiglia nobile per tenerli come ostaggi. I bambini furono consegnati fra i lamenti delle mamme, alcune delle quali si buttarono a nuoto dietro le navi che li portavano via, e morirono. Subito dopo, visto che la provocazione non era bastata, i romani chiesero la consegna di tutte le armi, di tutta la flotta e di gran parte del grano. Quando anche queste richieste furono accolte, il Senato esigette che tutta la popolazione si ritirasse a dieci miglia dalla città, che doveva essere rasa al suolo. Gli ambasciatori cartaginesi obbiettarono invano che la storia non aveva mai visto una simile atrocità, si gettarono in terra strappandosi i capelli, offrirono in cambio la propria vita.

153

Nulla da fare. Roma voleva la guerra, e guerra doveva essere ad ogni costo.

Quando lo seppero a Cartagine, la folla inferocita linciò i dirigenti che avevano consegnato i bambini, gli ambasciatori, i ministri e tutti gl'italiani che si trovò sottomano. Poi, pazzi di rabbia e di odio, chiamarono alle armi tutti, compresi gli schiavi, trasformarono ogni casa in un fortilizio, e in due mesi di febbrile lavoro approntarono ottomila scudi, diciottomila spade, trentamila lance e centoventi navi.

L'assedio, per terra e per mare, durò tre anni. Scipione Emiliano, il figlio adottivo del figlio del vincitore di Zama, si guadagnò una dubbia gloria, espugnando alla fine la città, dove per sei giorni ancora, strada per strada, casa per casa, si seguitò a combattere. Insidiato dai franchi tiratori che combattevano da tetti e finestre, Scipione distrusse tutti gli edifici.

Quelli che alla fine si arresero, furono solo cinquantacinquemila, dei cinquecentomila abitanti di Cartagine. Tutti gli altri erano morti. Il loro generale, che tanto per cambiare si chiamava Asdrubale, implorò per sé la misericordia di Scipione, che gliela concesse. Sua moglie, per la vergogna, si precipitò coi figli tra le fiamme di un incendio.

Scipione chiese al Senato il permesso di desistere da quel macello. Gli fu risposto che non soltanto Cartagine, ma tutte le sue dipendenze dovevano essere distrutte. La città continuò a bruciare per diciassette giorni. I pochi sopravvissuti furono venduti come schiavi. E il suo territorio fu d'allora in poi una provincia designata col nome generico di Africa.

Non ci fu trattato di pace perché non si sarebbe saputo con chi stipularlo. Gli ambasciatori cartaginesi avevano avuto ragione: mai si era vista nella storia una simile atrocità.

Per loro fortuna, Catone e Massinissa non ebbero il tempo di nutrire rimorsi. Erano già sottoterra.

CAPITOLO DICIASSETTESIMO
CATONE

Nel 195, subito dopo la prima guerra punica, le donne di Roma formarono un corteo, mossero verso il Foro, e chiesero al Parlamento l'abrogazione della Legge Oppia, promulgata durante il regime di austerità imposto dalla minaccia incombente di Annibale, che proibiva al bel sesso gli ornamenti d'oro, le vesti colorate e l'uso delle carrozze.

Per la prima volta nella storia di Roma le donne si facevano protagoniste di qualcosa, prendevano un'iniziativa politica, insomma affermavano i loro diritti. Non era mai accaduto, prima di allora. Per cinque secoli e mezzo, cioè dal giorno in cui era stata fondata, la storia di Roma era stata una storia di uomini, cui le donne avevano fatto, in massa e anonimamente, da coro. Le poche di cui si conosca il nome, Tarpeia, Lucrezia, Virginia, forse non sono mai esistite e non incarnano personaggi credibili, ma monumenti al Tradimento o alla Virtù. La vita pubblica romana era soltanto maschile. Le donne non contavano che in quella privata, cioè nell'ambito della casa e della famiglia, dove la loro influenza era legata esclusivamente alle loro funzioni di mamma, di sposa, di figlia o di sorella degli uomini.

In Senato, Marco Porcio Catone, nella sua qualità di censore preposto alla sorveglianza dei costumi, si oppose alla richiesta. E il suo discorso, tramandatoci da Livio, la dice lunga sulle trasformazioni avvenute in quegli ultimi anni nella vita familiare e sociale dell'Urbe.

«Se ciascuno di noi, signori, avesse mantenuto l'autorità e i diritti del marito nell'interno della propria casa, non saremmo arrivati a questo punto. Ora eccoci qui: la prepotenza femminile, dopo aver annullato la nostra libertà d'azione in famiglia, ce la sta distruggendo anche nel Foro. Ricordatevi quanto abbiamo penato a tenere in pugno le nostre donne e a frenarne la licenza, quando le leggi ci consentivano di farlo. E immaginatevi cosa succederà d'ora in poi, se queste leggi saranno revocate e le donne saranno poste, anche legalmente, su un piede di parità con noi. Voi le conoscete, le donne: fatevele vostre uguali, e immediatamente ve le ritroverete sul gobbo come padrone. Vedremo questo, alla fine: gli uomini di tutto il mondo, che in tutto il mondo governano le donne, governati dagli unici uomini che dalle donne si facciano governare: i romani.»

Le dimostranti sommersero in una risata di scherno l'oratore, che del resto c'era abituato come tutti coloro che dicono la verità, la Legge Oppia fu revocata, e Catone inutilmente cercò di rifarsi decuplicando le tasse sugli articoli di lusso. Certe ventate, quando cominciano a soffiare, non c'è barba di censore che possa fermarle. E le suffragette, assunta l'iniziativa, non intendevano più lasciarsela strappar di mano. Piano piano esse ottennero il diritto di amministrare la propria dote, il che le rendeva economicamente indipendenti e libere, come si direbbe oggi, di «vivere la loro vita»; poi quello di divorziare dal marito e ogni tanto, se non riuscivano, di avvelenarlo. E sempre più si abbandonarono a pratiche malthusiane per evitare la «scocciatura» dei figli.

Contrariamente a quel che si crede e a come ce lo hanno dipinto, l'uomo che cercava di contrastare il passo a queste nuove mode, tutte di origine greca, non era affatto un insopportabile moralista dalla bocca acerba e dal fegato in disordine. Tutt'altro. Marco Porcio Catone era un contadino plebeo dei dintorni di Rieti, pieno di salute e di buonumore, che campò fino all'età di ottantacinque anni (un'età, per quei tempi, quasi leggendaria), e morì dopo essersi tolto tutte le soddisfazioni: compresa quella, che gli stava particolarmente a cuore, di farsi molti nemici.

Fu il caso a far di lui un uomo politico di rilievo e forse il personaggio più interessante di quel periodo. Egli viveva in stoica semplicità sul suo poderetto coltivandolo con le proprie mani, quando poco discosto venne ad abitare un vecchio senatore in pensione, Valerio Flacco, ritiratosi laggiù per il disgusto che gli procurava la corruzione di Roma. Era un patrizio all'antica, cioè di quelli che avevano in orrore le raffinatezze, e prese subito in simpatia quel ragazzo dalle mani callose, dalle abitudini rozze, dai capelli rossi e dai denti radi, che leggeva i classici, ma di nascosto, perché se ne vergognava come di un vizio poco meno che turpe, e su di essi aveva imparato a scrivere e a parlare in uno stile schietto e asciutto. Diventarono amici sulla base di comuni abitudini e idee. E Valerio spinse Marco, che si chiamava Porcio perché la sua famiglia aveva sempre allevato porci, e Catone perché tutti i suoi antenati erano stati furbi, a far l'avvocato. Era il mestiere con cui si debuttava nella vita politica. E forse il senatore ve lo lanciò proprio con questo scopo, nella speranza di lasciare un erede nella polemica antimodernista, che l'età a lui non consentiva più di sostenere.

Catone si provò, e vinse, una di seguito all'altra, una dozzina di cause dinanzi al tribunale locale. Poi, con una clientela sicura, aprì uno studio, come si direbbe oggi, a Roma, si presentò alle elezioni, e batté il cosiddetto «corso degli onori» con annibalico piglio. Edile a trent'anni nel 199, pretore nel 198, tre anni dopo era console. Poi ricominciò: tribuno nel 191, censore nel 184, praticamente continuò a esercitare magistrature su magistrature fino alla più tarda vecchiaia, distinguendosi soprattutto in tempo di guerra, quando cambiava in militari i suoi galloni civili. L'accampamento gli si confaceva meglio del Foro, perché con più pertinenza poteva farvi appello alla disciplina, ch'egli considerava la condizione dei valori morali. Pare che fosse un generale pignolo. Ma i soldati glielo perdonavano perché marciava a piedi come loro, combatteva con tranquillo coraggio e, al momento del saccheggio, che rientrava nei diritti del vincitore, concedeva ad ognuno una libbra d'argento sul bottino, che poi consegnava interamente al Senato senza trattenerne neanche un'oncia per sé.

Era, questa, una regola che i generali romani avevano quasi sempre osservato, sino alle guerre puniche; ma che da qualche tempo costituiva un'eccezione. Il governo non guardava più tanto per il sottile la parte che il vincitore si era intascata della preda, quando questa era ricca. Quinto Minucio aveva riportato di Spagna trentacinquemila libbre d'argento e trentacinquemila denari, Manlio Vulsone dall'Asia quattromilacinquecento libbre d'oro; quattrocentomila sesterzi, qualcosa come ventidue miliardi di lire, erano stati estorti ad Antioco e a Perseo... Sotto quella pioggia d'oro, l'onestà dei generali e dei magistrati romani, strettamente legata alla povertà, al risparmio e all'avarizia, era naturale che affogasse. E la battaglia che condusse Catone per impedirlo era destinata al fallimento. Pure, egli la combatté ugualmente.

Nel 187, quando era tribuno, egli chiese a Scipione Emiliano e a suo fratello Lucio, che tornavano vincitori dall'Asia, di rendere conto al Senato delle somme versate come indennità di guerra da Antioco. Era una domanda perfettamente legittima, ma che sorprese Roma perché revocava in dubbio la correttezza del trionfatore di Zama, che in realtà era superiore a ogni sospetto. Non si capisce bene cosa spingesse a quel passo Catone, che non poteva certamente ignorare l'integrità dell'Africano e la sua immensa popolarità. Forse egli volle semplicemente ristabilire il principio, che stava cadendo in disuso, che i generali, quali che fossero il loro nome e i loro meriti, questi rendiconti li dovevano; oppure c'era sotto una violenta antipatia per il *clan* degli Scipioni, estetizzante, ellenizzante e modernizzante?

Forse, l'uno e l'altra. Comunque, la pretesa coalizzò, contro chi l'avanzava, quella oligarchia di dominanti famiglie che, nell'ambito dell'aristocrazia senatoriale, deteneva praticamente il monopolio del potere. Fino a Silla la storia romana si riassume in quella di alcune dinastie, e infatti presenta continuamente gli stessi nomi. Degli ultimi duecento consoli della repubblica, la metà appartenne a dieci sole casate, l'altra metà a sedici. E di esse, quella degli Scipioni era forse la più insigne, da quello ch'era caduto sulla Trebbia, a questo che aveva trionfato a Zama e ch'era il padre adottivo di colui che più tardi distrusse Cartagine.

L'Africano, per quanto ferito nell'orgoglio, si preparava a rispondere. Ma suo fratello Lucio glielo impedì. E, tratti dalla cartella i documenti che comprovavano le avvenute riscossioni e i relativi versamenti, li fece a pezzi dinanzi al Senato. Per questo gesto fu tratto dinanzi all'Assemblea e condannato per frode. Ma il castigo gli fu risparmiato per il veto di un tribuno, un certo Tiberio Sempronio Gracco, di cui sentiremo presto parlare, e che era, tanto per confermare la regola della politica per dinastie, di cui sopra si parlava, parente dell'imputato, avendo sposato la figlia dell'Africano, Cornelia. L'eroe di Zama fu convocato in Assemblea per essere sottoposto a giudizio. Egli interruppe il dibattimento invitando i deputati al tempio di Giove per celebrare l'anniversario della sua grande vittoria, che capitava proprio in quel giorno. I deputati lo seguirono, assistettero alle funzioni che vi si celebrarono. Ma, tornati in Parlamento, di nuovo convocarono il generale. Costui rifiutò stavolta di presentarsi e, amareggiato da quell'insistenza, si ritirò nella sua villa di Literno, dove rimase sino alla morte. I suoi persecutori lo lasciarono finalmente in pace. Ma Catone deplorò, giustamente, che per la prima volta nella storia di Roma i meriti combattentistici di un imputato facessero ostacolo alla giustizia, e in questo episodio denunziò il primo trapelare di un individualismo che presto avrebbe corrotto la società col culto dell'eroe e distrutto la democrazia. I fatti dovevano incaricarsi di dargli pienamente ragione.

159

Qualcuno si domanderà come, avendo contro di sé avversari possenti come le donne e la «mafia» delle famiglie aristocratiche, questo implacabile «piantagrane» sia riuscito tuttavia a restare in sella e a vincere le elezioni ogni volta che si presentava candidato a qualche magistratura. Pochi infatti lo amavano. La sua onestà in quel tempo di corruzione, il suo ascetismo in quell'epoca di mollezze, erano sentiti da tutti come un rimorso. Egli rappresentava ciò che ognuno avrebbe dovuto e forse voluto essere, ma purtroppo non era. E per questo appunto, pur detestandolo, lo rispettavano e gli davano il voto. Per di più era un grande oratore. E la cosa era abbastanza strana, perché aveva debuttato nelle lettere pubblicando un trattato contro i retori e anticipando la famosa frase di Verlaine: «Quando vedi l'oratoria, tirale il collo.» Ma appunto a furia d'insegnare agli altri come «non» si doveva parlare, aveva imparato egli stesso a parlare benissimo. Il poco che ci resta dei suoi discorsi basta a farcelo riconoscere più grande di Cicerone, certamente più rotondo, togato e letteralmente perfetto di lui, ma meno diretto, efficace e sincero. Il che ci dimostra che non c'è eloquenza, come non c'è letteratura, come non c'è musica né pittura, come non c'è nulla, senza una forza morale e una schietta convinzione che le sostengano.

Catone condiva anche le sue più severe requisitorie di umorismo. E quando, per esempio, come censore, fece espellere dal senato Manilio per aver baciato sua moglie in pubblico, e qualcuno gli domandò se lui non lo aveva fatto mai, rispose: «Sì, ma soltanto quando tuona. Per questo il maltempo mi mette sempre di buonumore». Anche quando gl'intentavano processi, e ci si provarono, a quanto pare, quarantaquattro volte, sotto le più svariate accuse, serbava la sua allegria e rideva nella stessa misura in cui mordeva. Con quel sarcasmo sempre pronto, con quei frizzi popolareschi, con quella faccia butterata di ferite, e quei capelli rossi e quei denti divaricati, non era piacevole trovarselo di fronte

160

in contradditorio. E nessuno sarebbe riuscito a spodestarlo, se egli stesso a un certo punto non si fosse stancato di quella inutile battaglia e spontaneamente ritirato a scrivere libri, occupazione che dentro di sé disprezzava.

Lo fece perché voleva opporre qualche testo scritto in latino a quelli che ormai tutti i letterati si erano messi a comporre in greco, la lingua che rischiava di assicurarsi il monopolio della cultura romana. Il *De agricultura* infatti, ch'è l'unico che ci resta di lui, è il primo libro in prosa vero e proprio che sia nato a Roma. Ed è un curioso manuale pratico in cui, assieme a idee vagamente filosofiche, si mescolano consigli sul sistema di curare i reumatismi e la diarrea. Quanto ai criteri sul modo di sfruttare le terre, eccoli qui. «Il migliore», egli dice «è un profittevole allevamento di bestiame. Eppoi? Un allevamento di bestiame moderatamente profittevole. Eppoi? Un allevamento di bestiame neanche moderatamente profittevole. Eppoi? Eppoi... eppoi, l'aratura e la semina.» Catone non voleva tornare neanche all'agricoltura, ma alla pastorizia.

Nessuno ebbe più vivo di lui il presentimento della decadenza di Roma, e nessuno meglio di lui diagnosticò il focolaio d'infezione: la Grecia. Ne aveva studiato la lingua; e, colto e avvertito com'era sotto i suoi rozzi abiti, aveva capito che la cultura ellenica era troppo più alta e raffinata di quella romana per non corromperla. Chiamava Socrate «una zitella pettegola», e approvava i giudici che lo avevano condannato a morte come sabotatore delle leggi e del carattere di Atene. Ma lo odiava appunto in quanto lo ammirava e si rendeva conto che le sue idee avrebbero conquistato anche l'Urbe. «Credimi sulla parola», scriveva al figlio, «se questo popolo riesce a contaminarci con la sua cultura, siamo perduti. Intanto ha cominciato con i suoi medici che, con la scusa di curarci, son venuti qui a distruggere i ''barbari''. Ti proibisco di aver a che fare con loro.» Lo preferiva morto piuttosto che guarito dalle aspirine e dalle vitamine greche.

Molto probabilmente fu questo terrore a suggerirgli l'insistenza, per cui è rimasto celebre, sul *delenda Carthago*. Più che a impedire una rinascita della città fenicia, egli mirava a distrarre Roma dalle tentazioni di una conquista della Grecia. Voleva che la sua patria guardasse a Occidente, non a Oriente, donde, secondo lui, non le sarebbero venuti che vizi e malanni. E forse rimase molto deluso dalla rapidità con cui Scipione venne a capo dell'impresa. Avrebbe preferito una guerra difensiva contro dieci Annibali a una offensiva contro l'Ellade. E quando vide i consoli Marcello, Fulvio ed Emilio Paolo tornare di laggiù con carri carichi di statue, dipinti, coppe di metallo, specchi, mobili di pregio e stoffe ricamate, e il popolo fare ressa di fronte a quelle meraviglie e discutere di moda, di stile, di cappellini, di sandali, d'argenteria e di cosmetici, dovette mettersi le mani nei capelli.

Morì nel 149, quando il Senato aveva già deciso di mandare l'ultimo Scipione *ad delendam Carthaginem*. Forse quel gesto gli ridiede un soffio di speranza; o per lo meno ci piace pensarlo. Avesse vissuto ancora un poco, si sarebbe accorto che la distruzione di Cartagine non era servita proprio a nulla. Anzi, una volta scomparsa quella città dalla faccia dell'Africa e del Mediterraneo, i romani non ebbero più occhi e orecchi e pensiero che per Fidia, Prassitele, Aristotele, Platone, la cucina, i belletti e le «etère» di Atene.

CAPITOLO DICIOTTESIMO

«...FERUM VICTOREM CEPIT»

Orazio, molto più tardi, convalidò *a posteriori* i timori che Catone aveva espresso *a priori,* con un famoso verso: *«Grecia capta ferum victorem cepit»* (la Grecia conquistata conquistò il barbaro vincitore). E per farlo, essa usò varie armi: la religione e il teatro per la plebe, la filosofia e le arti per le classi superiori, che ancora non erano colte, ma purtroppo lo diventeranno.

La religione di Roma, a Polibio, quando ve lo trassero prigioniero, parve ancora salda. Il «carattere» egli scrive, «per il quale a mio giudizio l'Impero romano è superiore a tutti gli altri, è la religione che vi si pratica. Ciò che in altre nazioni sarebbe considerato riprovevole superstizione, qui a Roma costituisce il cemento dello stato. Tutto ciò che ad essa attiene è rivestito di tale pompa e a tal punto condiziona la vita pubblica e privata, che niente potrà mai farle concorrenza. Credo che il governo l'abbia fatto apposta, per le masse. Non sarebbe necessario, se un popolo fosse composto esclusivamente di gente illuminata; ma per le moltitudini, che sono sempre ottuse e facili alle cieche passioni, è bene che ci sia almeno la paura a tenerle a freno.»

A un uomo come lui, che arrivava fresco fresco di Grecia, dove lo scetticismo e l'incredulità non avevano più limiti, si capisce che i romani, i quali un barlume di fede lo conservavano, dovevano far l'effetto di altrettanti monaci. Ma si trattava proprio d'un barlume, anche se certe forme liturgiche (la «pompa», diceva Polibio) erano tuttora, per forza d'abitudine, rispettate. Catone, che pure tirava a salvare tutti i vecchi costumi e credenze, si domandava in un

163

pubblico discorso come facessero gli àuguri, conoscendo ognuni i trucchi dell'altro, a non ridersi in faccia quando s'incontravano per strada. E sulla scena Plauto poteva impunemente ridicolizzare Giove nella parte di seduttore di Alcmena e presentare Mercurio come un pagliaccio.

Il popolo che batteva le mani a queste empie commedie era lo stesso che pochi anni prima, alla notizia del disastro di Canne, si era precipitato in piazza gridando: «Quale dio dobbiamo pregare per la salvezza di Roma?». Evidentemente, solo nei momenti di pericolo i romani si ricordavano di avere un dio, ma non sapevano chi fosse quello buono, fra i tanti che popolavano il loro paradiso. E curiosa fu la risposta del governo, che decise di affidare la salvezza dell'Urbe non a un dio romano, com'era sempre avvenuto sino ad allora, ma a una dea greca, Cibele, e ordinò che la sua statua fosse trasportata da Pessino, dove si trovava, in Asia Minore, a Roma. Attalo, il re di Pergamo, consentì al trasloco. E così *Magna Mater,* come la dea fu ribattezzata, un bel giorno giunse a Ostia, dov'era ad attenderla Scipione l'Africano alla testa di un comitato di nobili matrone. A Roma fu sparsa la voce che la nave, arenatasi alle foci del Tevere, era stata liberata e condotta lungo il fiume nel cuore della città dalla vestale Virginia Claudia in forza della sua castità. E tutti, ci credessero o no, bruciarono incenso al passaggio della dea, che le matrone portarono in processione fino al tempio della Vittoria. Il Senato rimase un po' scandalizzato e perplesso quando seppe che la Grande Madre doveva essere accudita da preti autoevirati. A Roma, nei collegi sacerdotali, non ce n'era. Alla fine ne trovarono alcuni, fra i prigionieri di guerra, e li fecero preti per l'occasione.

Da quel momento la liturgia greca si diffuse, ed essa fu applicata non soltanto agli dèi che venivano di laggiù, ma anche a quelli romani. E il risultato fu che, da austera e piuttosto lugubre, qual era stata sino ad allora, diventò allegra e carnevalesca. Nel 186 il Senato apprese con allarmato stupore che il popolino si era particolarmente affezionato a Dìòniso, ne aveva fatto il suo santo preferito, riempiva il suo tempio, e gli sacrificava con particolare entusiasmo. Se ne capisce facilmente la ragione: i sacrifici consistevano in pantagrueliche mangiate, in gagliarde bevute, e in un disfrenamento dei rapporti fra uomini e donne. Insomma, erano tutto fuorché «sacrifici». La polizia fece una retata di partecipanti a quelle feste, arrestandone settemila, ne condannò a morte alcune centinaia, gli altri alla prigione, e soppresse il culto. Ma quando si devono far intervenire i gendarmi per salvare i costumi d'un popolo, vuol dire proprio ch'essi sono in agonia.

Lo si vedeva del resto a teatro, che stava diventando il vero tempio di Roma.

Il primo tentativo di spettacolo era stato quello di Livio Andronico, il prigioniero di guerra tarantino, di origine greca, che nel 240 aveva sceneggiato, recitato e cantato in rozzi versi «saturnini» l'*Odissea.* Come abbiamo già detto, pubblico e governo n'erano rimasti sì compiaciuti, che avevano consentito agli attori di costituirsi in «corporazione» e di organizzare, per le grandi feste dell'anno, i cosiddetti *ludi scenici.*

Cinque anni dopo quella storica *première,* un altro prigioniero di guerra, napoletano, stavolta, Cneo Nevio, produsse un'altra commedia che, con piglio aristofanesco, metteva in ridicolo gli abusi e le ipocrisie della società romana. Il popolo si divertì. Ma le famiglie influenti, che si sentivano colpite, protestarono. Esse erano troppo rozze e cafone per accettare la satira, che trova diritto di cittadinanza solo presso i popoli molto civili. Il povero Nevio fu arrestato, e dovette ritrattare. Scrisse un'altra commedia, certo con l'intenzione di non offendere più nessuno, ma siccome era un uomo pieno di spirito non ci riuscì. Anche stavolta di sotto la penna gli uscì qualche frizzo, e lo pagò con la deportazione. Così Roma perse nello stesso tempo un commediografo che poteva dare l'avvio a una produzione originale e non più ricalcata sui modelli stranieri, e un umorista che poteva insegnare a quel popolo tetro e pesante l'arte di sorridere, di accorgersi dei propri difetti e di rimediarvi. In esilio Nevio continuò a comporre. E lasciò un brutto poema drammatico sulla storia romana, che rivelava in lui un forsennato patriottismo.

Da quel momento in poi il teatro romano continuò a scopiazzare quello greco, fino a quando un terzo forestiero venne a dargli un soffio di originalità. Quinto Ennio era un pugliese di padre italiano e di madre greca. Aveva studiato a Taranto, dove si rappresentavano i drammi di Euripide, di cui si era innamorato. Poi era andato a fare il servizio militare, e in Sardegna aveva attirato per il suo coraggio l'attenzione di Catone, ch'era lì come questore, e se lo portò dietro a Roma. I suoi *Annali,* una storia epica di Roma, da Enea alle guerre puniche, furono, fino a Virgilio, il poema nazionale dell'Urbe. Ma la sua passione era il teatro, per il quale scrisse una trentina di tragedie, prendendo di petto soprattutto lo zelo dei bigotti. Ed ecco, in bocca a un suo protagonista, le sue convinzioni religiose: «Vi assicuro amici, che gli dèi ci sono, ma s'infischiano di ciò che fanno i mortali. Come spieghereste altrimenti che il bene non sia sempre ripagato col bene e il male col male?». Cicerone, che riporta questa frase in cui trapelano già le teorie di Epicuro, e dice di averla sentita declamare con le sue orecchie, assicura ch'essa fu a lungo e sonoramente applaudita dalla platea.

Ennio consigliò i suoi seguaci a fare, nelle commedie, un po' di filosofia, ma non troppo. Sfortunatamente fu il primo a non tener conto di questa saggia massima, volle scrivere drammi «di pensiero», come si dice oggi; e il pubblico, annoiato, gli volse le spalle per accorrere alle farse di Plauto, che fu il primo vero commediografo di Roma.

Vi era capitato dall'Umbria dov'era nato nel 254, e già il suo nome faceva ridere. Tito Maccio Plauto voleva dire: «Tito, il pagliaccio dai piedi piatti». Cominciò come comparsa, risparmiò un po' di soldi, li investì in un affare sballato, e li perse. Allora, per mangiare, si mise a scrivere. Dapprima adattò commedie greche, interpolandovi battute su avvenimenti romani d'attualità. Ma quando vide che il pubblico soprattutto di questi rideva, lasciò i modelli forestieri e si diede a comporne di originali, prendendo a prestito la trama dalla cronaca della città e inaugurando un vero e proprio teatro «di costume». Fu presto l'idolo del pubblico che amava il suo buonumore cordiale e la sua grossa risata rabelaisiana. Il suo *Miles gloriosus* mandò in delirio la platea. Tutti gli vollero bene, e da lui accettarono anche l'*Amphitrion,* che conteneva quell'irriverente satira a Giove, presentato come un volgare dongiovanni che, per sedurre Alcmena, si spacciava per suo marito e invocava se stesso offrendosi sacrifici.

L'anno in cui Plauto morì, nel 184, giunse a Roma come schiavo Terenzio, un cartaginese, ch'ebbe la ventura di capitare nella casa di Terenzio Lucano, un senatore colto e affabile che scoprì il talento del suo servo e lo liberò. Terenzio, che in origine si chiamava Publio Afro, per gratitudine ne prese il nome. Quand'ebbe scritta la prima commedia, *Andria,* andò a leggerla a Cecilio Stazio, autore già affermato e che in quel momento furoreggiava, ma di cui non è rimasto nulla. Svetonio racconta che Stazio rimase così colpito che invitò a colazione il suo visitatore, sebbene questi fosse vestito come un mendicante. Terenzio frequentò i salotti e diventò di moda nelle classi alte, ma non raggiunse mai la popolarità di Plauto. La sua seconda commedia, *Hecyra,* cadde, perché il pubblico abbandonò in massa la platea quando seppe che al Circo era cominciato il combattimento di un gladiatore contro un orso. La fortuna gli sorrise con l'*Eunuco* che in due spettacoli dati lo stesso giorno gli procurò ottomila sesterzi, circa cinquanta milioni di lire. A Roma si mormorava che il vero autore di questi lavori fosse Lelio, il fratello di Scipione, grande amico e protettore di Terenzio. Il quale, con molto tatto, non smentì né confermò mai questo pettegolezzo. E forse appunto per sottrarvisi, decise di partire per la Grecia. Non tornò più. Sulla via del ritorno, una malattia lo uccise in Arcadia.

Gli ambienti intellettuali e sofisticati di allora ebbero per Terenzio la stessa passione che quelli francesi di oggi hanno avuto per Gide. Cicerone lo definì «il più squisito poeta della repubblica». Cesare, che di letteratura se n'intendeva ed era più schietto, lo considerava un perfetto stilista, ma un *dimidiatus Menander,* un Menandro dimezzato, sulla scena. Effettivamente le sue commedie non cadono mai nelle grossolanità di Plauto. I loro personaggi sono più complessi e sfumati, il loro dialogo più raccolto e ricco di sottintesi. Ma purtroppo è svolto in una lingua che non è più quella del popolo: il quale sentì l'artificio. E lo fischiò.

Questo popolo ora andava a teatro sempre più numeroso, anche perché non si pagava biglietto d'ingresso. I locali erano rudimentali, e si approntavano soltanto in occasione delle feste, dopo le quali venivano rimossi. Consistevano di un'intravatura di legno che sorreggeva il palcoscenico, davanti al quale c'era una «orchestra» circolare per i balletti che accompagnavano lo spettacolo. Gli spettatori stavano parte in piedi, parte sdraiati per terra, parte seduti su trespoli che si portavano da casa. Solo nel 145 fu costruito un teatro stabile, di legno anch'esso e senza tetto, ma con sedili fissi disposti circolarmente, torno torno il palcoscenico, secondo lo stile greco. Tutti vi erano ammessi: anche gli schiavi, che però non potevano sedere, e le donne, confinate tuttavia in fondo.

Nei prologhi che l'attore recitava prima che il sipario si alzasse, si trovano raccomandazioni alle mamme di soffiare il naso ai loro bambini prima dell'inizio dello spettacolo, o di ricondurre a casa quelli che frignavano. Doveva trattarsi di platee rumorose e indisciplinate, che interrompevano di frequente la recitazione con battute mordaci e frizzi grossolani e che spesso non si accorgevano nemmeno quando finiva lo spettacolo, il quale infatti si concludeva con un *nunc plaudite omnes,* cioè con un invito all'applauso.

Gli attori erano in genere schiavi greci, meno il protagonista che poteva essere un cittadino romano. Il quale però, dandosi a quella carriera, perdeva i suoi diritti politici, come accadeva in Francia fino al Seicento. Erano gli uomini a interpretare anche le parti femminili. Essi, finché il pubblico fu limitato, si contentarono di una sommaria truccatura. Ma quando le platee diventarono, nell'ultimo secolo prima di Cristo, strabocchevoli, fu introdotto, per distinguere i caratteri, l'uso delle maschere che si chiamavano *personae* dall'etrusco *phersu.* Sicché *dramatis personae* significa letteralmente «maschere del dramma». Gli attori che le incarnavano, quando si trattava di tragedia, portavano i *coturni,* ch'erano le scarpe a stivaletto; quando si trattava di commedia, portavano il *soccus,* cioè la scarpa bassa.

Anche allora, come oggi, ci furono continui conflitti tra il gusto del pubblico e la censura, che sorvegliava attentamente la produzione. Era stato in base a una Legge delle Dodici Tavole, la quale proibiva la satira politica e prevedeva persino la pena di morte, che il povero Nevio era stato bandito e, per non seguirne la sorte, i suoi successori avevano preso tutto a prestito dalla Grecia: scene, caratteri, situazioni, costumi, e perfino i nomi delle monete. I criteri cui s'ispirava questa poliziesca censura erano, come sempre, burocratici e ottusi. Essi consentivano qualunque oscenità, purché non si accennassero critiche al governo e ai cittadini in vista.

Per fortuna gli edili, che approntavano questi spettacoli per piacere alla massa e guadagnarsene i voti, erano sempre dalla parte degli autori e li proteggevano. Plauto dovette averne dalla sua uno molto potente per permettersi tutto quello che si permise. Se non fosse stato per lui, il teatro romano non sarebbe nemmeno nato. Sarebbe rimasto un'imitazione di quello greco e noi non vi troveremmo quello specchio di una società che invece, bene o male, ci ha fornito.

Ma tutto questo allentamento di freni avvenne soprattutto perché spirava in aria un vento di «libero pensiero». Lo avevano portato i «gréculi», come li chiamavano per dileggio i romani, un dileggio che non impediva loro di prenderseli per maestri. Prigionieri di guerra importati di laggiù in condizione di ostaggi e di schiavi, furono infatti i primi *grammatici, retori e filosofi,* che aprirono scuole a Roma. Il Senato, nel 172, scoprì fra essi due seguaci di Epicuro, e li bandì. Pochi anni dopo Cratete di Mallo, direttore della Libreria di stato di Pergamo e capo della scuola stoica, venne a Roma come ambasciatore, si ruppe una gamba, e, in attesa di guarire, si diede a far conferenze. Nel 155 Atene mandò in missione diplomatica tre filosofi (non aveva più che quelli, ormai): Carneade il platonico, Critolao l'aristotelico, e Diogene lo stoico. Anch'essi tennero conferenze, e Catone, quando sentì affermare da Carneade che gli dèi non esistevano e che giustizia e ingiustizia non erano che convenzioni, corse in Senato e chiese il rimpatrio dei tre ateniesi.

L'ottenne, ma serviva poco, visto che il pensiero e la cultura greci erano patrocinati da molti degli stessi romani, e fra i più influenti, che li avevano già assorbiti. Flaminino aveva in casa una galleria piena di statue di Policleto, Fidia, Scopa e Prassitele. Emilio Paolo, dal bottino fatto a spese di Perseo, aveva prelevato la biblioteca del re, e su quella educava i figli. Il più giovane di essi, quando egli morì, fu adottato da Cornelio Scipione, figlio dell'Africano. Ne prese il nome, e come Publio Cornelio Scipione Emiliano emulò il nonno distruggendo Cartagine e diventò il capo di quella potente casata convertendola tutta all'ellenismo. Bello e ricco com'era, di maniere affabili, d'intelligenza pronta e d'incorruttibile onestà (morendo, lasciò soltanto trentatré libbre d'argento e due d'oro), era particolarmente indicato per diventare l'idolo dei salotti che in quel momento cominciavano a pullulare. Polibio visse per anni ospite a casa sua, dove capitava quotidianamente anche Panezio, altro greco di Rodi, di sangue aristocratico e di scuola stoica. Il suo libro *Dei doveri,* che Scipione probabilmente suggerì e ispirò, fu il testo su cui si formò la «gioventù dorata» di Roma. A differenza di quelli antichi, i nuovi stoici non predicavano la virtù assoluta e non invocavano una completa indifferenza alla fortuna e alla sfortuna. Essi volevano soltanto proporre un surrogato, pieno di compromessi ma decente, a una fede che ormai non sorreggeva più il costume di Roma. Era l'indulgenza che si sostituiva al severo puritanismo di un tempo.

Il salotto di Scipione ebbe un'influenza enorme. Vi fecero spicco, oltre a Flaminino, Gaio Lucilio e Gaio Lelio, la cui fraternità col padrone di casa ispirò a Cicerone il libro *De amicitia.* Vi si dibattevano idee alate. Ci si entusiasmava per il Bello. Vi erano d'obbligo modi raffinati, idee originali e preziose, e soprattutto una lingua pulita, lustra, senz'accento: una lingua che poi, in mano a Catullo, il quale frequentò quegli ambienti, diventò quella letteraria e colta di Roma, ma che, in bocca ai personaggi di Terenzio, il pubblico fischiò perché la sentiva artificiale e lontana dalla sua.

CAPITOLO DICIANNOVESIMO

I GRACCHI

Fu in uno di questi salotti che si preparò la rivoluzione. La quale, contrariamente a quel che si crede, non nasce mai nelle classi proletarie, che poi le prestano la mano d'opera; ma in quelle alte, aristocratiche e borghesi, che poi ne fanno le spese. Essa è sempre, più o meno, una forma di suicidio. Una classe non si elimina che quando si è già eliminata da sé.

Cornelia, figlia di Scipione l'Africano, aveva sposato Tiberio Sempronio Gracco, il tribuno che aveva posto il veto alla condanna di Lucio, il fratello dell'eroe di Zama. Era stata una manifestazione di nepotismo a rovescio perché, ciò facendo, egli aveva salvato in sostanza lo zio di sua moglie. Ma, nonostante questa comprensibile debolezza, Sempronio aveva seguitato a godere fama d'integrità, e la meritava. Eletto censore, e poi per due volte console, aveva amministrato la Spagna con criteri liberali e metodi illuminati. Da Cornelia aveva avuto dodici figli, di cui nove erano morti in giovane età. Quando a sua volta egli morì, a Cornelia ne restavano tre soli: due maschi, Tiberio e Caio, e una femmina, Cornelia, non si sa se nata deforme, o diventata tale per paralisi infantile.

Mamma Cornelia fu una vedova esemplare e una grande educatrice. Doveva essere anche belloccia perché, a quel che dice Plutarco, un re egiziano la chiese in sposa. Essa rispose orgogliosamente che preferiva restare la figlia di uno Scipione, la suocera di un altro e la madre dei Gracchi. In quel momento infatti la seconda Cornelia aveva già sposato il distruttore di Cartagine. Non era stato, a quanto pare, un matrimonio d'amore, ma solo di convenienza, come si usava farne in quella società di famiglie e di dinastie per rinsaldare le alleanze.

Ma Cornelia era anche qualcosa che a Roma non si era visto mai sino ad allora: una grande «intellettuale» e una squisita *maîtresse de maison*. Il suo salotto, dove si riunivano le più illustri personalità della politica, delle arti e della filosofia, somigliava a quelli di certe signore francesi del Settecento e assolse press'a poco le stesse funzioni. Vi dominava, anche per ragioni di parentela, il cosiddetto «circolo degli Scipioni» con Lelio, Flaminino, Polibio, Gaio Lucilio, Muzio Scevola, Metello il Macedonico. Era quanto di meglio ci fosse in Roma a quel tempo, per sangue, per intelligenza, per esperienza. Ma come diversi erano questi nuovi *leaders* dai loro babbi e nonni! Intanto, accettavano come ispiratrice una donna. Poi, si facevano il bagno tutti i giorni, tenendo molto ai vestiti, e non erano affatto convinti che Roma dovesse dare lezioni al mondo. Anzi, erano persuasi del contrario: cioè che dovesse andare a scuola. Alla scuola della Grecia.

I discorsi che si tenevano in questo salotto non erano rivoluzionari, ma «progressisti» sì. E siccome erano tutte persone che avevano le mani in pasta, sapevano quel che dicevano, e quel che dicevano aveva poi un'eco anche al Senato e al governo.

La situazione di Roma effettivamente non era allegra, e autorizzava le più ampie critiche e le più nere previsioni. L'Urbe digeriva male l'immenso impero che con tanta rapidità aveva divorato. Il grano della Sicilia, della Sardegna, della Spagna e dell'Africa, riversato sui suoi mercati a basso prezzo perché prodotto a basso costo col gratuito lavoro degli schiavi, stava conducendo alla rovina economica quell'Italia rustica di coltivatori diretti, piccoli e medi proprietari, che aveva costituito il miglior baluardo contro Annibale e fornito i migliori soldati per batterlo. Incapaci di reggere alla concorrenza, essi stavano vendendo le loro modeste fattorie che venivano assorbite nei latifondi. Una legge del 220, che proibiva il commercio ai senatori, li obbligava ad investire nell'agricoltura i capitali che avevano accumulato col bottino di guerra. E molta parte delle terre requisite al nemico venivano concesse a speculatori in restituzione del denaro ch'essi avevano prestato allo stato. Ma né questi speculatori né i senatori erano più gentiluomini di campagna. Abituati a vivere in città, fra i suoi comodi e le sue mollezze, fra la politica e gli affari, non intendevano abbandonarla per tornare alla vita semplice e frugale dei loro stoici antenati. Così facevano quello che ancor oggi fanno certi baroni dell'Italia meridionale: acquistato un latifondo, lo davano in appalto a un amministratore che, col lavoro gratuito degli schiavi, cercava di farlo rendere il più possibile, per il padrone e per sé, sfruttando al massimo la fatica degli uomini e le risorse del suolo, senza pensare al domani.

Su questa crisi economica se ne innestava un'altra, sociale e morale: quella di una società che, abituata a basarsi sui suoi piccoli e liberi coltivatori, sempre più ora veniva affidandosi al saccheggio all'esterno e alla schiavitù all'interno. Di schiavi, quello che si riversava a Roma era un torrente senza pause. Quarantamila sardi vi furono importati d'un colpo solo nel 177, centocinquantamila epiroti dieci anni dopo. I «grossisti» di questa merce umana andavano a incettarla dietro le legioni che la procuravano, e che ormai erano giunte, sulla catastrofe degl'imperi greci e macedoni, in Asia, sul Danubio e fino ai confini della Russia. Ce n'era tale abbondanza che transazioni di diecimila capi alla volta erano normali sul mercato intercontinentale di Delo; e il prezzo scendeva fino a seimila lire l'uno.

In città, erano gli schiavi ormai che fornivano la mano d'opera nelle botteghe degli artigiani, negli uffici, nelle banche, nelle fabbriche, condannando alla disoccupazione e all'indigenza i cittadini che prima vi avevano trovato impiego.

I rapporti con gli imprenditori variavano secondo il temperamento di questi ultimi. C'era chi, sebbene verso lo schiavo non fosse tenuto a nulla, cercava di trattarlo umanamente. Ma la legge economica dei prezzi e della concorrenza poneva un limite a queste umane disposizioni. Essa voleva che si esigesse sempre di più e si concedesse sempre di meno.

In campagna, la miseria dello schiavo era ancora più marcata dai tempi in cui esso era una merce rara, e, assunto in casa, finiva col farne parte come un parente povero. La modestia delle proprietà e la scarsezza di braccia da lavoro rendevano dirette e umane le relazioni col padrone. Ma nei latifondi, dove gli schiavi erano ingaggiati a torme, il padrone non si faceva vedere, e al suo posto c'era un aguzzino scelto fra le peggiori canaglie, che cercava di risparmiare anche l'impossibile sul cibo e sui cenci, ch'erano l'unico salario dovuto a quegli sciagurati. I quali, se disobbedivano o si lamentavano, venivano caricati di catene e gettati in un *ergastolo* sotterra.

Nel 196 c'era stata una loro ribellione in Etruria. Furono tutti uccisi dalle legioni, e molti crocefissi. Dieci anni dopo un'altra rivolta scoppiò in Apulia: i pochi che sopravvissero alla repressione furono internati in miniera. Nel 139 scoppiò una vera e propria guerra servile, capeggiata da Euno, che massacrò la popolazione di Enna, occupò Agrigento, e in breve, con un esercito di settantamila uomini, tutti schiavi ribellati, s'impadronì di quasi tutta la Sicilia, sconfiggendo anche un esercito romano. Si dovette faticare sei anni per venirne a capo. Ma il castigo fu, come sempre, adeguato agli sforzi.

Proprio in quell'anno 133 avanti Cristo, Tiberio Gracco, il figlio di Sempronio e di Cornelia, venne eletto tribuno.

Nel salotto di sua madre, egli era cresciuto con idee radicali, che gli erano state ribadite in testa dal suo precettore Blossio, un filosofo greco di Cuma. E all'età in cui si pensa alle ragazze, egli già non pensava che alla politica. Era quello che si suol dire un «idealista». Ma sino a che punto le sue idee, che erano eccellenti, fossero al servizio della sua ambizione, ch'era grandissima, o viceversa, lo ignorava egli stesso, come d'altronde capita a tutti gl'idealisti. La situazione del paese la conosceva un po' perché nel salotto se n'era sempre parlato, e con grande competenza; un po' perché, a quel che ci ha detto suo fratello, era andato personalmente a studiarsela in Etruria e n'era rimasto inorridito. Egli comprese che l'Italia correva alla rovina se la sua agricoltura cadeva definitivamente in mano agli speculatori e agli schiavi, e che in Roma stessa nessuna sana democrazia poteva trionfare con un proletariato che giornalmente si corrompeva nell'ozio e coi sussidi.

L'unico rimedio da opporre allo schiavismo, all'urbanesimo e alla decadenza militare, gli parve un'audace riforma agraria che, appena eletto, propose all'Assemblea. Essa consisteva di tre proposte: 1. Nessun cittadino doveva possedere più di centoventicinque ettari dell'Agro pubblico, che potevano diventare duecentocinquanta solo se aveva due figli o più. 2. Tutte le terre distribuite o affittate dallo stato dovevano essergli restituite allo stesso prezzo, più un rimborso per gli eventuali miglioramenti apportativi. 3. Esse dovevano essere divise e ridistribuite fra i cittadini poveri in lotti di cinque o sei ettari ognuno, con impegno a non venderli e a pagarvi sopra una modesta tassa.

Erano proposte ragionevoli e in piena coerenza con le Leggi Licinie che già oltre due secoli prima erano state approvate. Ma Tiberio ebbe il torto di condirle di un'oratoria demagogica e barricadiera che, oltre a tutto, stonava con la sua condizione sociale. Perché questi «progressisti», di alta estrazione, nobile o borghese che fosse, non sapevano sfuggire, allora come ora, a una contraddizione fra abitudini di vita raffinate e sofisticate e atteggiamenti politici populisti e piazzaioli. «I nostri generali» egli disse parlando dal Rostro «v'incitano a combattere per i templi e le tombe dei vostri antenati. Ozioso e falso appello. Voi non avete paterni altari. Voi non avete tombe ancestrali. Voi non avete nulla. Voi combattete e morite solo per procurare lusso e ricchezza agli altri.»

Era detto bene perché, per disgrazia, Tiberio era anche un eccellente oratore. Ma c'erano gli estremi del sabotaggio. Il Senato proclamò illegali le proposte, ne accusò l'autore di ambizioni dittatoriali e persuase Ottavio, l'altro tribuno, a opporvi il veto. Tiberio rispose con un progetto di legge per cui un tribuno, quando agiva contro la volontà del Parlamento, doveva essere immediatamente deposto. L'Assemblea approvò la proposta, e i littori di Tiberio scacciarono a forza Ottavio dal suo banco. Poi il progetto di legge fu votato, e l'Assemblea, temendo per la vita di Gracco, lo scortò fino a casa.

Abbiamo l'impressione ch'egli non vi sia stato accolto quel giorno dall'unanime entusiasmo che forse s'aspettava. Forse Cornelia sola seguitò a riconoscerlo uno dei suoi «gioielli», come un giorno aveva definito lui e Caio. Gli altri dovevano essere un po' scossi non tanto dalla legge che aveva imposto e che corrispondeva in pieno alle vedute politiche e sociali del «salotto», quanto dai mezzi incostituzionali che aveva usato contro Ottavio. Ma furono certamente scandalizzati e gli tolsero la loro solidarietà quando, contro una precisa norma che lo vietava, Tiberio si portò nuovamente in lizza per il tribunato.

Fu obbligato a farlo perché il Senato minacciava, appena scaduto di carica, di processarlo. Ma era un gesto di ribellione. Abbandonato così dai suoi stessi amici di casa, Tiberio accentuò ancora di più la sterzata a sinistra per guadagnarsi i favori della plebe. Promise, se rieletto, di abbreviare il servizio militare, di abolire il monopolio dei senatori nelle giurie dei tribunali e, siccome in quel momento Attalo III di Pergamo moriva lasciando il suo reame a Roma, propose di venderne la proprietà mobiliare per aiutare col ricavato i contadini ad attrezzare i loro poderi. E qui scantonò nella demagogia pura, fornendo validi argomenti all'avversario.

Il giorno delle elezioni, Tiberio apparve nel Foro con una guardia armata e vestito a lutto per dare ad intendere che la bocciatura significava per lui la condanna a morte. Ma mentre si votava, irruppe un gruppo di senatori coi manganelli in mano, guidati da Scipione Nasica. Il prestigio di cui ancora il Senato godeva e che Gracco aveva scioccamente trascurato, è dimostrato dal fatto che dinanzi a quelle toghe patrizie gli amici di Tiberio cedettero rispettosamente il passo lasciandolo solo. Fu ucciso con una mazzata sulla nuca. E il suo corpo, insieme con quello di alcune centinaia di sostenitori, venne gettato nel Tevere.

Suo fratello Caio chiese il permesso di ripescarlo e di dargli sepoltura. Glielo negarono.

Questo avvenne nel 132. Nove anni dopo, cioè nel 123, il secondo dei «gioielli» di Cornelia aveva preso il posto del fratello come tribuno. Lo conosciamo meglio e lo stimiamo di più, perché ci sembra d'intelligenza più realistica del fratello, e anche più sincero. Era stato anche lui un magnifico oratore: Cicerone lo considerava il più grande (dopo di lui, s'intende); aveva militato coraggiosamente sotto suo cognato Scipione Emiliano a Numanzia, e aveva un gran controllo di sé. Infatti andò per gradi, senza voler strafare sin dal primo momento.

In quei nove anni le Leggi Agrarie di Tiberio che, dopo averne ucciso l'autore, il Senato non osò abrogare, avevano dato i loro buoni frutti, nonostante l'applicazione avesse urtato contro molte difficoltà pratiche. L'anagrafe registrava ottantamila nuovi cittadini, che lo erano diventati appunto perché avevano avuto un lotto di terra. Ma molte proteste si erano levate dai vecchi proprietari che non volevano né scorporo né confisca e che affidarono la loro causa a Scipione l'Emiliano. Non si sa perché costui accettasse la difesa di quegl'interessi che erano contrari alle sue idee. Ma forse, a fargliene assumere il patronato, furono proprio le ragioni di famiglia per le quali avrebbe dovuto astenersene. I suoi rapporti con la moglie Cornelia erano andati sempre peggiorando. E una mattina del 129 fu trovato assassinato nel suo letto. Chi lo avesse ucciso, non si è mai saputo; ma naturalmente i pettegolezzi delle case aristocratiche, dov'erano odiate, incriminavano la sposa e la suocera.

Cresciuto in mezzo a tante sciagure e in una casa ormai disertata anche dai più intimi amici, Caio condusse avanti con cautela l'applicazione delle leggi di Tiberio; creò nuove colonie agricole nell'Italia del Sud e in Africa; si guadagnò i soldati stabilendo ch'essi fossero d'ora in poi equipaggiati a spese dello stato; fissò al grano un «prezzo politico», ch'era la metà di quello di mercato. E con quest'ultima misura, che fu poi l'arma più forte nelle mani di Mario e di Cesare, ebbe dalla sua tutto il popolino dell'Urbe.

Armato di questi successi, egli poté ripresentarsi al tribunato dell'anno seguente senza rimetterci la vita, com'era capitato a suo fratello; e vincere. Allora credette di poter giocare le carte grosse, e qui sbagliò. Egli propose di aggiungere ai trecento senatori di diritto altri trecento eletti dall'Assemblea e di estendere la cittadinanza a tutti i non-schiavi del Lazio e a buona parte di quelli del resto della penisola.

Ma aveva fatto male i conti con gli egoismi del proletariato romano, che dei confratelli del Lazio e della penisola s'infischiava. Il Senato prontamente agì, per sfruttare questo errore tattico del suo avversario. Spinse l'altro tribuno, Livio Druso, a proposte ancora più radicali: che si abolissero le tasse imposte dalla legge di Tiberio ai nuovi proprietari e che quarantaduemila nullatenenti di Roma avessero in distribuzione nuove terre in dodici nuove colonie. Subito l'Assemblea approvò il progetto. E quando Caio vi fece ritorno, trovò che tutti i favori ormai li aveva monopolizzati Druso.

Si presentò per una terza elezione, e fu bocciato. I suoi sostenitori dissero che c'era stata frode, ma egli li consigliò alla moderazione e si ritrasse a vita privata.

Quando si trattò di far fronte agl'impegni contratti per liquidare Caio, il Senato si trovò in imbarazzo e tentò di tergiversare. L'Assemblea capì ch'era un primo passo per il sabotaggio della legislazione dei Gracchi, i cui simpatizzanti si presentarono alla successiva seduta in armi. Uno di essi fece a pezzi un conservatore che aveva pronunciato parole di minaccia contro Caio.

L'indomani i senatori apparvero in tenuta di battaglia, seguito ciascuno da due schiavi. I gracchisti si trincerarono sull'Aventino, e Caio cercò d'interporsi per ristabilire la pace. Non riuscendovi, si buttò a nuoto nel Tevere. Sull'altra riva, quando stava per essere raggiunto dai suoi persecutori, ordinò a un suo servo di ucciderlo. Il servo obbedì. E poi, tratto il pugnale intriso di sangue dal petto del padrone, lo immerse nel proprio. Un seguace di Caio mozzò la testa al cadavere, la riempì di piombo e la portò al Senato, che aveva offerto di compensarne il peso in oro. Intascò la ricompensa e si rifece una «verginità politica». Il popolino che tanto lo aveva applaudito, non batté ciglio all'assassinio del suo eroe: era troppo occupato a saccheggiarne la casa.

Cornelia, la madre di due figli morti ammazzati e di una vedova sospetta di assassinio, prese il lutto. Il Senato le ordinò di toglierselo.

CAPITOLO VENTESIMO

MARIO

Con Caio vennero uccisi duecentocinquanta suoi sostenitori e altri tremila furono arrestati. Parve, lì per lì, che i conservatori avessero partita vinta, e ci si aspettò una radicale repressione. Ma essa non venne. Il Senato accantonò la riforma agraria, ma non toccò il calmiere del grano né tentò di ripristinare il monopolio dell'aristocrazia nelle giurie dei tribunali. Capiva che, malgrado quella momentanea vittoria, la situazione non consentiva radicali restaurazioni.

Per qualche anno si visse alla giornata senza sostituire nessun rimedio a quello che i Gracchi avevano tentato, sia pure prematuramente e commettendo molti errori tattici. Con la scusa di favorire ancora di più i nuovi piccoli proprietari creati dalle leggi agrarie, si consentì loro di vendere le terre avute in assegnazione. Essi, rimasti senz'aiuto, lo fecero. E i latifondi si riformarono, sulla solita base del lavoro servile. Appiano, ch'era un democratico dei più moderati, riconosceva in quegli anni che in tutta Roma ci saranno stati sì e no duemila proprietari. Tutti gli altri erano nullatenenti, e la loro condizione peggiorava di giorno in giorno.

A dare il tracollo e a fornire il pretesto della grande rivolta fu il cosiddetto «scandalo d'Africa» che cominciò nel 112. Micipsa, succeduto a Massinissa sul trono di Numidia, e morto sei anni prima, aveva lasciato Giugurta, suo figlio naturale, reggente e tutore dei suoi legittimi eredi ancora minorenni. Giugurta ne uccise uno e si mise in guerra con l'altro che chiese aiuto all'Urbe, protettrice di quel reame. L'Urbe mandò una commissione d'inchiesta, che Giugurta comprò con una lauta mancia. Chiamato a Roma, corruppe i senatori che dovevano giudicarlo. E insomma si dovette aspettare l'elezione a console di Quinto Metello, ch'era un mediocre galantuomo, per vedere un generale disposto a far la guerra all'usurpatore e a respingere le «bustarelle».

Sebbene a quei tempi i giornali non ci fossero, la gente era ugualmente informata e conosceva benissimo i fatti e i loro retroscena. L'odio che covava contro l'aristocrazia dal giorno dell'uccisione dei Gracchi, scoppiò violento quando si seppe che Metello, pur essendo fra i migliori, si opponeva all'elezione al consolato di Caio Mario, un suo luogotenente, solo perché non era aristocratico. E, senza neanche sapere con esattezza chi fosse, l'Assemblea votò compatta per costui e gli affidò il comando delle legioni. Perché a Roma si diceva in quel momento quello che dovunque e in tutt'i tempi si dice, quando la democrazia entra in agonia: «Ci vuole un uomo...».

E per caso, con quella scelta, lo trovò.

Mario era un personaggio all'antica, come ormai se ne incontrava solo in provincia. Era nato infatti ad Arpino, come Cicerone, figlio di un povero bracciante, e per università aveva avuto la caserma, dove si era arruolato giovanissimo. Si era guadagnato i gradi, le medaglie e le cicatrici che tatuavano il suo corpo all'assedio di Numanzia. Tornando, aveva fatto un buon matrimonio. Aveva sposato una Giulia, sorella di un Caio Giulio Cesare, che come famiglia non era nulla di eccezionale perché apparteneva soltanto alla piccola aristocrazia terriera, ma che aveva già per figlio un altro Caio Cesare, destinato a far parlare di sé per millenni. In grazia delle sue gesta militari, Mario era stato eletto tribuno. Ed egli ne aveva approfittato non per fare politica e mostrarvi tutta la sua incapacità, ma per tornare con accresciuti poteri alla testa dei suoi soldati, sotto il comando di Metello. Costui traccheggiava nella guerra giugurtina. E quando seppe che il suo sottoposto voleva andare a Roma per concorrere al consolato, se ne scandalizzò come di una pretesa fuori di luogo per un povero contadino come lui: il consolato, è vero, era aperto anche ai plebei, ma soltanto in teoria...

Mario, ch'era suscettibile e rancoroso, si offese. E, una volta eletto, reclamò il posto di Metello, che dovette cedergliela. La guerra prese subito un altro ritmo. In pochi mesi Giugurta fu costretto ad arrendersi e adornò il carro del vincitore, che a Roma fu gratificato con un superbo trionfo dal popolo che vedeva in lui il suo campione. Questo popolo non sapeva che il colpo decisivo all'usurpatore di Numidia lo aveva dato non Mario, ma un suo questore di nome Silla, ch'era un po' rispetto a Mario proprio quello che Mario era stato rispetto a Metello.

Per il momento tuttavia era Mario l'eroe della città che, ignorando una Costituzione ormai agli sgoccioli e ravvisando in lui «l'uomo che ci voleva», gli riconfermò per sei anni di seguito il consolato. Infatti il pericolo esterno non era finito con Giugurta, anzi incombeva più grave di prima per via dei galli tornati in massa all'offensiva. Cimbri e teutoni si erano rifatti vivi, più numerosi e aggressivi che mai, rotolando come una valanga dalla Germania alla Francia. Un esercito romano che li incontrò in Carinzia era stato distrutto. Poi ne distrussero un secondo sul Reno, e un terzo e un quarto, finché il Senato ne mandò un quinto agli ordini di due aristocratici, Servilio Cepione e Manlio Massimo. I quali non seppero far di meglio che litigare fra loro, per gelosia, e ognuno disfare quel che l'altro faceva. A Orange ottantamila legionari, il prestigio dell'aristocrazia donde quegli inetti generali venivano e quarantamila ausiliari rimasero sul terreno. E Roma trattenne il fiato nel terrore di vedersi venire addosso quelle orde. Grazie a Dio, invece delle Alpi, esse scavalcarono i Pirenei per mettere a sacco la Spagna. E quando tornarono sui loro passi per assalire l'Italia, Mario, console da quattro anni, era pronto a riceverli.

Egli aveva preparato un nuovo esercito, che costituì la

sua vera grande rivoluzione, quella che poi fornì le armi a suo nipote Cesare. Aveva capito che non c'era più da fare assegnamento sui cittadini che si chiamavano «atti alle armi» solo perché, iscritti a una delle cinque classi, erano tenuti al servizio militare, ma non volevano prestarlo. E si rivolse agli altri, ai nullatenenti, ai disperati, attirandoli con una buona paga e con la promessa di bottino e di lauta assegnazione di terre dopo la vittoria. Era la sostituzione di un esercito mercenario a quello nazionale: operazione rischiosa e, alla lunga, catastrofica, ma resa necessaria dal decadimento della società romana.

Egli condusse le sue proletarie reclute, inquadrate da sottufficiali veterani, al di là delle Alpi. Le indurì con le marce. Le allenò alla battaglia con scaramucce su obbiettivi minori. E alla fine fece loro costruire un campo trincerato nei pressi di Aix in Provenza, punto di passaggio obbligato per i teutoni.

Costoro vi sfilarono accanto per sei giorni di seguito, tanto erano numerosi, e derisoriamente chiesero ai soldati romani di sentinella sugli spalti se avevano messaggi per le loro mogli in patria. Erano rimasti quelli di tre secoli prima: alti, biondi, fortissimi, coraggiosissimi, ma senza nessuna nozione di strategia, altrimenti non si sarebbero lasciati alle terga quel po' po' di nemico. E infatti la pagarono cara. Dopo poche ore, Mario piombò alle loro spalle, e ne sterminò centomila. Plutarco dice che gli abitanti di Marsiglia drizzarono palizzate con gli scheletri e che, concimate da tanti cadaveri, le terre diedero quell'anno un raccolto mai visto.

Dopo quella vittoria, Mario rientrò in Italia e attese i cimbri presso Vercelli, là dove Annibale aveva guadagnato il suo primo successo. Come i loro fratelli teutoni, anche costoro mostrarono più coraggio che cervello. Avanzarono baldanzosamente nudi nella neve, e si servirono dei loro scudi come slitte per scivolare sui romani lungo i pendii ghiacciati, gaiamente schiamazzando, come se si fosse trattato d'u-

184

n'esercitazione sportiva. Anche lì, come a Aix, più che una battaglia, fu un mostruoso macello.

A Roma, Mario fu accolto come un «secondo Camillo». E, in segno di gratitudine, gli regalarono tutto il bottino catturato al nemico. Così egli diventò ricchissimo, proprietario di terre «grandi come un reame». E per la sesta volta consecutiva lo elessero console.

Nel giuoco della politica, che per la prima volta ora gli toccava di affrontare, l'eroe, come spesso capita agli eroi, si mostrò meno illuminato che nel maneggio delle legioni. Egli aveva fatto ai suoi soldati delle promesse che ora bisognava mantenere. E per mantenerle, dovette far lega con i capi del partito popolare: Saturnino, tribuno della plebe, e Glaucia, pretore. Erano due canaglie, espertissimi in tutti i raggiri parlamentari, che, all'ombra del popolarissimo Mario, volevano semplicemente fare i loro affari. Le terre furono effettivamente distribuite in applicazione delle leggi dei Gracchi; ma nello stesso tempo, per guadagnar voti al loro partito, il calmiere del grano, già bassissimo, fu ancora ridotto di nove decimi. Era una misura assurda che metteva in pericolo il bilancio dello stato. I più moderati fra gli stessi popolari esitarono, il Senato persuase un tribuno a porre il veto, ma Saturnino, contro la Costituzione, presentò ugualmente la legge. Ci furono incidenti. Per il consolato dell'anno 99, candidati per fare da collega a Mario si portarono Glaucia per i popolari e Caio Memmio, uno dei pochi aristocratici tuttora rispettati, per i conservatori. Questi venne assassinato dalle bande di Saturnino. E allora il Senato, ricorrendo alla misura di emergenza del senatoconsulto per la difesa dello stato, ordinò a Mario di fare giustizia e di ristabilire l'ordine. Mario esitò. Non faceva altro, del resto, da quando si era cacciato nella politica. Era invecchiato, ingrassato, e beveva molto. Ora si trattava di scegliere fra un'aperta ribellione e la liquidazione dei suoi amici. Scelse la seconda strada, e lasciò che Saturnino, Glaucia e i loro seguaci venissero lapidati a morte dai conservatori che per l'occasione egli stesso capeggiò. Poi, sapendo ormai di essere inviso a tutti, all'aristocrazia che vedeva in lui un infido alleato, e alla plebe che vedeva in lui un traditore sicuro, si ritirò pieno di rancore e partì per un viaggio in Oriente.

Non erano trascorsi due anni da quando Roma lo aveva trionfalmente accolto come un «secondo Camillo». E se egli avesse accettato con un po' più di filosofia questa ingratitudine, sarebbe passato alla storia con un nome immacolato. Ma era rozzo, passionale, pieno di ambizioni insoddisfatte, e più che mai convinto di essere «l'uomo che ci voleva». Per cui, quando gli avvenimenti lo richiamarono sulla scena, egli vi si ripresentò senza esitazione alcuna, a rappresentarvi una parte piuttosto ambigua.

Nel 91, Marco Livio Druso fu eletto tribuno. Era un aristocratico, figlio di colui che si era opposto a Tiberio Gracco, e padre di una ragazza che più tardi sposerà un certo Ottaviano, destinato a diventare Cesare Augusto. Egli propose all'assemblea tre riforme fondamentali: distribuire nuove terre fra i poveri; ridare il monopolio nelle giurie al Senato, ma dopo avervi aggiunto altri trecento membri; e conferire la cittadinanza romana a tutti gl'italiani liberi. L'Assemblea approvò i primi due progetti. Il terzo non venne in discussione, perché la mano di un ignoto assassino ne soppresse l'autore.

Subito dopo, tutta la penisola era in armi. Essa seguitava ad essere trattata, dopo secoli di unione a Roma, come una provincia conquistata. La si spremeva con le tasse e con le leve militari. La si sottoponeva a leggi approvate da un Parlamento in cui essa non aveva nessuna rappresentanza. E il grande sforzo dei prefetti romani nei vari capoluoghi era stato quello di fomentarvi il contrasto fra ricchi e poveri in modo da tenerli perpetuamente disuniti. Soltanto qualche milionario aveva ottenuto, brigando e distribuendo mance, la cittadinanza romana. Ma nel 126 l'Assemblea aveva proibito agl'italiani di provincia di emigrare nell'Urbe, e nel 95 ne aveva scacciati quelli che c'erano già.

La ribellione si estese in un lampo, salvo in Etruria e Umbria che rimasero fedeli. E reclutò un esercito, armato più di disperazione che di lance e di scudi, specialmente fra gli schiavi, che subito unirono le loro sorti a quelle dei ribelli. Costoro proclamarono una repubblica federale con capitale a Corfinio, che fece tutt'uno della «guerra sociale» con questa seconda «guerra servile». Nel panico che si diffuse a Roma, dove nessuno si faceva illusioni sulla vendetta che quei diseredati dovevano covare verso chi per tanti secoli li aveva oppressi, risorse il mito di Mario, «l'uomo che ci voleva». Egli improvvisò un esercito col suo solito sistema, e lo condusse di vittoria in vittoria, ma senza badare a spese, devastando e massacrando l'intera penisola. Quando già oltre trecentomila uomini erano caduti da ambo le parti, il Senato si decise a concedere la cittadinanza agli etruschi e agli umbri in premio della loro fedeltà, e a tutti coloro ch'erano pronti a giurarla, per fargli deporre le armi.

La pace che seguì fu quella di un cimitero, e torna poco a gloria di colui che l'aveva imposta. Per di più Roma tenne la sua parola inglobando i nuovi cittadini in dieci nuove tribù, che dovevano votare *dopo* le trentacinque romane che formavano i comizi tributi: cioè senza nessuna possibilità di contraddirne i verdetti. Per ottenere i pieni diritti democratici, essi dovettero aspettare Cesare, cui infatti aprirono con tanto entusiasmo le porte, senza rendersi conto ch'egli era la fine della democrazia.

Ed ecco l'anno dopo la guerra riprendere: non più «servile», non più «sociale», ma *civile*. E stavolta Mario non si limitò ad approfittarne; fu colui che la provocò, convinto di essere ancora «l'uomo che ci voleva».

Un uomo infatti continuava, purtroppo, a volerci. Ma non era più lui. Era quello che, anch'essi per caso com'era capitato ai popolari, avevano trovato i conservatori: l'antico subalterno e questore di Mario in Numidia: Silla.

SILLA

Silla fu eletto console l'anno 88 avanti Cristo, cioè poco dopo la fine della rivoluzione sociale e servile che Mario aveva così sanguinosamente represso. E la scelta, voluta dai conservatori, era un po' fuori della Costituzione e della consuetudine, in quanto era quella di un uomo che non aveva seguìto un regolare *cursus honorum*.

Lucio Cornelio Silla veniva dalla piccola e povera aristocrazia, e si era sempre mostrato refrattario alle due grandi passioni dei suoi contemporanei: quella per l'uniforme militare, e quella per la toga di magistrato. Aveva avuto una giovinezza scapestrata. Si era fatto mantenere da una prostituta greca più anziana di lui, l'aveva tradita e maltrattata. Non si era mai occupato di politica e di cose serie, forse non aveva fatto nemmeno studi regolari. Però aveva letto molto, conosceva benissimo la lingua e la letteratura greca, e aveva un gusto raffinato in cose d'arte.

Le sue qualità di fondo, ch'erano enormi, forse non sarebbero mai emerse, se, eletto non si sa come questore e assegnato col grado press'a poco di capitano all'esercito di Mario in Numidia, non si fosse trovato direttamente implicato nella liquidazione di Giugurta. Fu lui infatti a persuadere Bocco, il re dei mori, a consegnargli l'usurpatore. Era una brillante operazione che coronava quelle già compiute con la spada in pugno. Silla si era mostrato un magnifico comandante, freddo, scaltro, coraggiosissimo, e di grande ascendente sui soldati. Aveva preso interesse alla guerra e ci si divertiva perché implicava il giuoco e il rischio: due cose che gli erano sempre piaciute. Perciò seguì Mario anche nelle campagne contro i teutoni e i cimbri, contribuendo potentemente alle sue vittorie.

Rientrato a Roma nel 99 con questi meriti al suo attivo, avrebbe potuto benissimo concorrere a magistrature più alte. Invece, nulla: si era stufato. E per quattr'anni si rituffò nella vita di prima fra prostitute, gladiatori del Circo, poeti maledetti e attori squattrinati. Poi, d'improvviso, si presentò candidato alla pretura, e fu bocciato. Allora, morso dall'orgoglio che in lui teneva il posto dell'ambizione, concorse come edile, fu eletto, e incantò i romani offrendo loro, nell'anfiteatro, lo spettacolo del primo combattimento di leoni. L'anno dipoi naturalmente era pretore; e come tale ebbe il comando d'una divisione in Cappadocia per rimettere sul trono Ariobarzane, spodestato da Mitridate. Riportò a Roma, con la vittoria, un grosso bottino. Ma ancora più grosso pare che fosse quello che si era intascato. Era stanco di debiti, e preferiva finanziarsi da solo le campagne elettorali, piuttosto che dipendere da un partito. Infatti non era iscritto a nessuno. Essendo nato aristocratico, ma povero, nutriva la stessa indifferenza e il medesimo disprezzo per l'aristocrazia che lo aveva «snobbato» e per la plebe che non lo considerava dei suoi. Aveva sempre vissuto per se stesso, in compagnia di gente ai margini. E il suo litigio con Mario non avvenne su questioni politiche, ma solo perché si era fatto regalare da Bocco un bassorilievo d'oro in cui era rappresentato il re dei mori che consegnava Giugurta a lui, Silla, invece che a Mario. Miserie, come si vede.

Al consolato dell'88, Silla si presentò non per fare politica, ma per avere il comando dell'esercito che si stava allestendo contro Mitridate nella solita turbolenta provincia dell'Asia Minore, dove già egli aveva combattuto contro Ariobarzane di Cappadocia. E vinse soprattutto per via di donne. Egli infatti divorziò, coprendola di regali, dalla sua terza moglie, Clelia, per sposarne una quarta: Cecilia Metella, vedova di Scauro, e figlia di Metello il Dalmatico, pontefice massimo e principe, cioè presidente, del Senato. Fu per questa parentela con una delle sue più potenti famiglie, che l'aristocrazia cominciò a vedere in Silla il proprio campione. E ne favorì l'elezione, assegnandogli subito dopo l'agognato comando.

Il tribuno Sulpicio Rufo cercò d'invalidare queste nomine e propose all'assemblea di trasferirle a Mario che, sebbene quasi settantenne, ancora brigava posti, incarichi e onori. Ma Silla non era uomo disposto a rinunzie. Corse a Nola, dove l'esercito si stava organizzando. E, invece d'imbarcarlo per l'Asia Minore, lo condusse su Roma, dove Mario ne aveva improvvisato un altro per resistergli. Silla vinse facilmente e rapidamente, Mario fuggì in Africa e Sulpicio fu ucciso da un suo schiavo. Silla ne espose sul Rostro la testa decapitata, e compensò l'assassino prima liberandolo in cambio del servigio che aveva reso, eppoi uccidendolo in cambio del tradimento che aveva compiuto.

Altre rappresaglie, dopo questa prima restaurazione, non ce ne furono, o ce ne furono poche. Con i suoi trentacinquemila uomini accampati nel Foro, Silla proclamò che d'ora in poi nessun progetto di legge poteva essere presentato all'Assemblea senza il preventivo consenso del Senato, e che il voto nei comizi doveva essere dato per centurie, secondo la vecchia Costituzione serviana. Poi, dopo essersi fatto confermare il comando militare col titolo di proconsole, consentì all'elezione di due consoli per il disbrigo delle faccende in patria: l'aristocratico Cneo Ottavio e il plebeo Cornelio Cinna. E partì per l'impresa che gli stava a cuore.

Non era ancora in vista delle coste greche, che già Ottavio e Cinna si azzuffavano. E, dietro di loro, scendevano in lizza per le strade i conservatori, o *optimates,* da una parte, e i democratici, o *populares*, dall'altra. La guerra sociale e servile di due anni prima sboccava nella guerra civile. Ottavio vinse e Cinna fuggì, ma in un solo giorno si erano accatastati sui selciati dell'Urbe oltre diecimila cadaveri.

Mario si affrettò a tornare precipitosamente dall'Africa e a raggiungere Cinna, che girava in provincia per suscitarvi la rivolta. Melodrammaticamente si presentò con una toga a brandelli, i sandali logori, la barba lunga, le cicatrici delle ferite bene in vista. E in un battibaleno raccolse un esercito di seimila uomini, quasi tutti schiavi, con cui marciò sulla capitale, rimasta ormai senza difesa. Fu un massacro. Ottavio aspettò la morte con calma, seduto sul suo scranno di console. Le teste dei senatori, issate sulle picche, furono portate a spasso per le strade. Un tribunale rivoluzionario condannò migliaia di patrizi alla pena capitale. Silla fu proclamato decaduto dal comando, tutte le sue proprietà vennero confiscate, tutti i suoi amici uccisi. Si salvò solo Cecilia, perché riuscì a fuggire e a raggiungere il marito in Grecia. Sotto il nuovo consolato di Mario e Cinna, il terrore continuò implacabile per un anno. Avvoltoi e cani mangiavano per le strade i cadaveri, cui si era rifiutata la sepoltura. Gli schiavi liberati seguitarono a saccheggiare, incendiare e rubare finché Cinna, con un distaccamento di soldati galli, non li ebbe isolati, circondati e massacrati tutti. Per la prima volta nella storia di Roma, ci si servì di una truppa forestiera per ristabilire l'ordine nella città.

Furono queste le ultime gesta di Mario, che morì nel bel mezzo della carneficina, roso dall'alcool, dai rancori, dai complessi d'inferiorità, dalle ambizioni deluse che gliel'avevano ispirata. Peccato, per un così grande capitano che, prima d'immergerla nella guerra civile, aveva tante volte salvato la patria.

Restava Cinna, ormai praticamente dittatore, perché Valerio Flacco, eletto al posto di Mario, fu spedito con dodicimila uomini in Oriente per deporvi Silla.

Tagliato dalla madrepatria, costui stava assediando Atene che si era alleata con Mitridate, in arrivo dall'Asia con un esercito cinque volte superiore. Era una situazione quasi disperata, che poteva diventare senza uscite, se egli si fosse

191

fatto sorprendere sotto le mura della città da Mitridate e da Flacco contemporaneamente. Ma in Silla, diceva chi lo conosceva, sonnecchiavano insieme una volpe e un leone, e la volpe era molto più pericolosa del leone. Un certo numero di «miracoli» da lui provocati ad arte avevano persuaso i suoi soldati ch'egli fosse un dio e, come tale, infallibile. Era soltanto, si capisce, un formidabile generale che conosceva perfettamente gli uomini e i mezzi per sfruttarne, con freddo e lucido calcolo, la forza e le debolezze. Rimasto senza aiuto di denaro, aveva procurato la cinquina alle sue truppe, lasciando loro saccheggiare Olimpia, Epidauro e Delfi. Ma sempre, subito dopo, aveva ristabilito la disciplina. L'imprendibile Atene fu presa con un assalto di sorpresa. E Silla ne ricompensò i soldati lasciando loro in balìa la città. «Non si sa quanta gente uccisero» dice Plutarco. «Ma il sangue corse à fiumi per le strade e inondò i suburbi.»

Dopo giorni e giorni di massacro, Silla che, con tutto il suo amore per la Grecia, per la sua cultura e per la sua arte, vi aveva assistito con totale distacco, disse che in nome dei morti bisognava perdonare ai sopravvissuti. Riordinò le falangi e le condusse contro l'esercito di Mitridate che avanzava su Cheronea e Orcomeno. Lo batté in una magistrale battaglia, ne incalzò i resti attraverso l'Ellesponto fin nel cuore dell'Asia. E si preparava ad annientare definitivamente le ultime forze nemiche, quando Flacco sopraggiunse con l'ordine di sostituirlo al comando.

I due generali s'incontrarono. E, al termine di quella conversazione, Flacco non solo aveva rinunziato a eseguire gli ordini, ma si era spontaneamente messo sotto quelli di Silla. Il suo luogotenente Fimbria cercò di ribellarsi. E allora Silla offrì una vantaggiosa pace a Mitridate, garantendogli il rispetto del suo reame entro i vecchi confini, ed esigendo solo, per risarcimento, ottanta navi e duemila talenti, con cui pagare la truppa e ricondurla in patria. Poi mosse verso la Lidia incontro a Fimbria, ma non ebbe bisogno di batterlo, perché la truppa, appena lo vide, si unì a quella sua, tale ormai era il prestigio del nome di Silla. E Fimbria, rimasto solo, si uccise.

Silla tornò sui suoi passi senza trascurare di saccheggiare tesori e di spremere quattrini in tutte le province in cui passava. Attraversò la Grecia, imbarcò il suo esercito a Patrasso, e nell'anno 83 arrivò a Brindisi. Cinna, precipitatoglisi incontro per fermarlo, fu ucciso dai suoi soldati. A Roma scoppiò la rivoluzione.

Silla portava al governo un bel bottino: quindicimila libbre d'oro e centomila d'argento. Ma il governo, tuttora in mano ai popolari guidati dal figlio di Mario, Mario il Giovane, lo proclamò nemico pubblico e gli mandò incontro un esercito per combatterlo. Molti aristocratici fuggirono dall'Urbe per unirsi a Silla. Uno di essi, Cneo Pompeo, considerato il più brillante campione della «gioventù dorata», gli portò un piccolo esercito personale, composto esclusivamente di amici, clienti e servi della sua famiglia.

In battaglia, Mario il Giovane fu sonoramente battuto. Ma, prima di fuggire a Preneste, mandò l'ordine ai suoi seguaci di Roma di uccidere tutti i patrizi che ancora erano rimasti nella capitale. Il pretore convocò il Senato, com'era suo diritto. E i senatori segnati nella «lista nera» vennero scannati sui loro seggi. Poi gli assassini sgombrarono la città per raggiungere Mario e le altre forze popolari che si preparavano a giocare l'ultima carta contro Silla. La battaglia della Porta Collina fu una delle più sanguinose dell'antichità. Dei cento e più mila uomini di Mario, oltre la metà giacquero sul terreno. Ottomila prigionieri vennero indiscriminatamente massacrati. E le teste decapitate dei generali, issate sulle picche, furono portate in processione sotto le mura di Preneste, ultimo bastione della resistenza popolare, che poco dopo si arrese. Mario si era già ucciso. Anche la testa sua fu mozzata, spedita a Roma e issata nel Foro.

Il trionfo che la capitale riservò a Silla il 27 e il 28 gennaio dell'81 fu immenso. Il generale era seguito dal corteo entusiasta dei proscritti di Mario, tutti con corone di fiori intorno alla testa, che lo acclamavano come padre e salvatore della patria. E i soldati stavolta non motteggiavano il loro capitano. Osannavano anch'essi. Silla celebrò i sacrifici di rito sul Campidoglio, poi nel Foro arringò la folla ritracciando con ipocrita modestia l'incredibile serie di successi che lo avevano condotto sin lì e ascrivendoli unicamente alla fortuna, in onore della quale chiese, o meglio impose, che gli venisse riconosciuto il titolo di *felix,* che letteralmente vorrebbe dire «felice», ma in questo caso significava baciato dal destino, unto del signore, in una parola «l'uomo della provvidenza». Il popolo s'inchinò, e stabilì di erigergli, per gratitudine, la prima statua equestre, di bronzo dorato, che si fosse vista a Roma, dove non si era mai tollerato che qualcuno venisse rappresentato altrimenti che a piedi.

Non fu questa la sola novità che Silla introdusse per sottolineare l'assolutezza dei suoi poteri. Egli fu il vero inventore del «culto della personalità». Fece coniare nuove monete col suo profilo e introdusse nel calendario, come obbligatorie, le «feste della vittoria di Silla». Dall'alto del suo totalitarismo di dittatore, trattò Roma come una qualunque città conquistata, lasciandola sotto la guardia del suo esercito in armi, e sottoponendola alla repressione più feroce. Quaranta senatori e duemilaseicento cavalieri che avevano parteggiato per Mario furono condannati a morte e giustiziati. Premi fino a sessanta milioni di lire furono distribuiti a coloro che consegnavano, vivo o morto, un proscritto fuggitivo. Il Foro e le strade furono ornati di teste decapitate, allegramente, come oggi sa fa coi palloncini colorati. «Mariti» dice Plutarco, «furono scannati tra le braccia delle loro mogli, e figli tra quelle delle loro mamme.» Anche molti fra coloro che avevano cercato di barcamenarsi senza prender partito per nessuno vennero soppressi o deportati, specie se erano ricchi: Silla aveva bisogno del loro patrimonio per ingrassare i suoi soldati. Uno degl'indiziati era un giovanotto di nome Caio Giulio Cesare che, nipote di Mario per parte della moglie di costui, si rifiutò di rinnegare lo zio. Poi comuni amici si misero di mezzo, e il giovanotto se la cavò con una condanna al confino. Nel firmare la sentenza, Silla disse, come fra sé e sé: «Commetto una sciocchezza, perché in quel ragazzo ci sono molti Marii». Ciò nonostante, la firmò ugualmente.

Pochi giorni dopo essersi definitivamente insediato al potere, Silla si trovò di fronte, in una pubblica cerimonia, al gesto d'insubordinazione di uno dei suoi più fidi luogotenenti, Lucrezio Ofella, il conquistatore di Preneste, un bravo soldato, ma di carattere spavaldo e indisciplinato. Dinanzi alla truppa, che pure lo adorava, Silla lo fece pugnalare da una guardia, come Hitler doveva fare, duemila anni più tardi, con Roehm, e Stalin con dozzine di suoi amici. Era il segnale della «normalizzazione».

Silla governò da autocrate per due anni. Per colmare i vuoti provocati dalla guerra civile nella cittadinanza, ne concesse il diritto a stranieri, soprattutto spagnoli e galli. Distribuì terre a oltre centomila veterani, specie in quel di Cuma, dov'egli stesso aveva una fattoria. Per scoraggiare l'urbanesimo, abolì le distribuzioni gratuite di grano. Abbassò il prestigio dei tribuni e ristabilì la regola dei dieci anni d'intervallo per chi concorreva al consolato per la seconda volra. Rinsanguò il Senato, svuotato dai massacri, con trecento nuovi membri della grossa borghesia a lui fedeli; e gli restituì tutti i diritti e privilegi di cui aveva goduto prima dei Gracchi. Era proprio una «restaurazione aristocratica». Egli la compì sino in fondo, congedò l'esercito decretando che d'allora in poi nessuna forza armata potesse più bivaccare in Italia. Poi, ritenendo esaurita la sua missione, in mezzo al generale sbalordimento, rimise nelle mani del Senato i suoi poteri, ripristinò il governo consolare. E, come un privato qualsiasi, si ritirò nella sua villa di Cuma.

Cecilia Metella, in quel momento, era già morta. Si era ammalata poco dopo il trionfo di suo marito che, siccome si trattava di un male infettivo, l'aveva fatta trasportare in un'altra casa, e lì l'aveva lasciata crepare, come una cagna rognosa.

Poco prima dell'abdicazione, Silla, ormai vicino alla sessantina, aveva conosciuto Valeria, una bella ragazza di venticinque anni. Il caso gliel'aveva fatta trovare accanto, al Circo. Essa vide un capello sulla toga del dittatore, e con due dita glielo tolse. Silla si volse per guardarla, stupito dapprima del suo sfrontato ardire, poi dalla sua avvenente bellezza. «Non fartene, dittatore,» gli disse lei «voglio anch'io partecipare, sia pure solo per un capello, alla tua fortuna.» Pare che sia stato l'unico vero disinteressato amore di Silla, troppo egoista per nutrire di questi sentimenti. Egli la sposò di lì a poco, e nessuno può sapere quanto il desiderio di godersi appieno quella bella e giovane moglie abbia influito sui suoi propositi di abdicazione.

Il giorno in cui, deposto il potere e le insegne del comando, egli rincasò come un privato qualsiasi, in mezzo allo sbigottito e impaurito silenzio dei passanti, uno di costoro si mise a seguirlo ingiuriandolo. Silla non si volse, nemmeno quando il marrano gli lanciò uno sberleffo. Solo disse ai pochi amici che lo accompagnavano: «Che imbecille! Dopo questo gesto, non ci sarà più un dittatore al mondo disposto ad abbandonare il potere».

Trascorse gli ultimi due anni della sua vita a far l'amore con Valeria, a cacciare, a discorrere di filosofia con gli amici e a scrivere le sue *Memorie,* che ci son giunte solo a pezzi e a bocconi. Il «felice» pare che sia stato felice davvero, in quel crepuscolo della sua esistenza, ch'era stata piena e senza delusioni né rimpianti (di rimorsi egli non era capace), quale egli stesso l'aveva sognata affacciandovisi. Fra i suoi veterani di Cuma, egli restò vigoroso e alacre fino all'ultimo giorno, dirimendo le loro controversie al suo solito modo imperioso e spiccio. Quando un certo Granio gli disobbedì a proposito di non so quale bagattella, lo fece venire nella sua camera e strangolare dai servi, come ai tempi in cui era dittatore. Il suo orgoglio e la sua prepotenza non vennero meno neppure quando si trovò a faccia a faccia con la morte, che bussava alla sua porta sotto forma di un'ulcera maligna che forse era un cancro. Coi suoi occhi celesti e freddi sotto la chioma dorata, con quel pallido viso che sembrava «una bacca di gelso spruzzata di farina», come diceva Plutarco, seguitò a nascondere le sue sofferenze sotto un gaio sorriso e parole scherzose. Prima di spirare, dettò il proprio epitaffio:

«Nessun amico mi ha reso servigio, nessun nemico mi ha recato offesa, che io non abbia ripagati in pieno».

Era vero.

UNA CENA A ROMA

La restaurazione di Silla aveva un difetto fondamentale: era, appunto, una «restaurazione», cioè qualcosa che negava le esigenze o, come oggi si direbbe, le «istanze» che avevano provocato la rivoluzione. Al suo autore era mancato, per compiere un'opera vitale e duratura, ciò che più le è necessario: la fiducia negli uomini. I quali non se la meritano, ma la esigono in coloro che si propongono di guidarli. Silla non credeva a nulla; e tanto meno alla possibilità di migliorare i suoi simili. L'amore che aveva per se stesso era così grande che non gliene restava per loro. Li disprezzava ed era convinto che l'unica cosa da fare era tenerli in ordine. Per questo aveva creato un formidabile apparato poliziesco e lo aveva lasciato in appalto all'aristocrazia: non perché la stimasse, ma perché era convinto che gli altri, i popolari, fossero ancora più spregevoli e che ogni loro riforma sarebbe stata un peggioramento. La conseguenza fu che dieci anni dopo la sua morte la sua opera politica era in pezzi.

I patrizi che si erano ritrovati con tutto quel potere in mano, invece di usarlo per rimettere ordine nel governo e nella società, ne approfittarono per rubare, corrompere e uccidere. Tutto ormai non era più che una questione di quattrini. Comprare l'elezione a una carica era un'operazione normale, e c'era un'industria apposta per procurare voti, con tecnici specializzati: gli *interpreti*, i *divisori* e i *sequestri*. Pompeo, per far eleggere il suo amico Afranio, invitò nel suo palazzo i capi delle tribù, e contrattò i loro suffragi come altrettanti sacchi di mele. Nei tribunali avveniva anche di peggio. Lentulo Sura, assolto dai giurati con due voti di maggioranza, disse, picchiandosi una manata sulla fronte: «Accidenti, ne ho comprato uno di troppo. E ai prezzi cui sono saliti!...».

Poiché tutto dipendeva dal denaro, il denaro era diventato la sola preoccupazione di tutti. Nella burocrazia c'erano ancora, si capisce, funzionari capaci e onesti. Ma la maggior parte erano dei predoni incompetenti che, per avere un posto nell'amministrazione di una provincia, non solo rinunciavano agli stipendi, ma lo pagavano, sicuri di potere, in un anno, abbondantemente rifarsi. E infatti si rifacevano: con le tasse, con la rapina, con la vendita degli abitanti come schiavi. Cesare, quando gli fu assegnata la Spagna, doveva ai suoi creditori qualcosa come sei miliardi di lire. In un anno ripagò tutto. Cicerone si guadagnò il titolo di «galantuomo» perché, nel suo anno di governo in Cilicia, mise da parte solo ottocento milioni, e lo strombazzò a tutti come un esempio nelle sue lettere.

I militari non si comportavano meglio. Lucullo tornò a casa, dalle sue imprese in Oriente, plurimiliardario. Pompeo portò dalle stesse regioni un bottino di novanta o cento miliardi al Tesoro dello stato e di duecento a quello suo privato. Tale era la facilità di moltiplicare il capitale quando se ne aveva abbastanza per comprarsi una carica, che i banchieri lo prestavano a chi non ne aveva a un tasso d'interesse del cinquanta per cento. Il Senato proibì ai suoi membri di praticare questa ignobile usura. Ma il divieto fu aggirato con dei prestanome. Anche uomini di grande dignità come Bruto erano associati con strozzini che amministravano il loro denaro prestandolo a quelle po' po' di condizioni. In mano a una classe dirigente così corrotta, Roma era ormai diventata una pompa che succhiava quattrini in tutto il suo Impero per consentire a una categoria di satrapi una vita sempre più fastosa e un lusso sempre più insolente.

Una sera Cicerone cominciò a prendere in giro Lucullo per la fama che si era fatto di raffinato ghiottone. Cicerone era un giovane avvocato di Arpino, figlio di un agricoltore benestante, che gli aveva dato una buona educazione. Appena ventisettenne e ancora quasi del tutto sconosciuto, aveva affrontato un processo celebre e per lui molto pericoloso: perché si trattava di difendervi Roscio contro Crisògono, ch'era un grande favorito di Silla, in quel momento ancora dittatore. Vinse con un'arringa magistrale. Poi, forse temendo qualche rappresaglia da parte di Silla, partì per la Grecia dove rimase tre anni a studiarvi la lingua, l'oratoria di Demostene e la filosofia di Posidonio, mediocre epigono di Socrate e della scuola stoica.

Tornò tre anni dopo, quando Silla era già morto, sposò Terenzia e la sua dote, ch'era cospicua, e, con la professione di avvocato, coltivò la politica che del resto vi era strettamente connessa. Subito ebbe per le mani un altro celebre processo, quello contro Verre, un senatore che, andato a governare la Sicilia, vi aveva commesso ogni sorta di ladronerie e birbonate, ma era sostenuto da tutta l'aristocrazia. Si trovò contro Ortensio, il principe del Foro romano, l'avvocato di fiducia dell'aristocrazia e del Senato. Quella causa fu un po' l'affare Dreyfus del tempo, con i patrizi da una parte, e il popolo, ma soprattutto la grande borghesia *equestre* dall'altra. E ancora una volta Cicerone vinse, togliendo lo scettro di mano a Ortensio e diventando così l'idolo di una classe sociale ch'era anche quella in cui egli stesso era nato.

Lucullo era un ex luogotenente di Silla, che per otto anni ne aveva proseguito l'opera in Oriente combattendo contro Mitridate. Veniva da una famiglia aristocratica, povera e malfamata. Dicevano che suo padre si era fatto corrompere dagli schiavi insorti in Sicilia, che suo nonno aveva rubato statue e che sua madre aveva più amanti che capelli in testa. Forse eran tutte calunnie. Comunque Lucullo, da giovane, non aveva mostrato nessuno di questi vizi, aveva soltanto una grande ambizione e tutte le qualità per soddisfarla: l'intelligenza, l'eloquenza, la cultura e il coraggio. Finché era stato vivo Silla, che per lui aveva un debole, la carriera gli era stata facile. Morto il protettore, non aveva esitato, per continuarla, a procurarsi i favori di una donna, Precia, molto potente per i suoi amorosi intrighi; e attraverso di lei ebbe il proconsolato della Cilicia, cioè la possibilità di seguitare a comandare, a guerreggiare, a vincere e ad arricchirsi con le spoglie del nemico. Per raggiungere, come capitano, la statura dei Mario, dei Silla e dei Cesare, gli mancò una qualità sola: l'intuito psicologico. Condusse i suoi soldati di vittoria in vittoria, ma li stancò fino al punto di provocarne l'ammutinamento. E come, per intrigo, aveva avuto il comando, per intrigo lo perse. Richiamato a Roma, si era ritirato dalla vita pubblica, e ora badava soltanto a godersi le sue ricchezze, ch'erano immense, e a farne insolente sfoggio. La villa di Miseno gli era costata oltre dieci miliardi di lire, la fattoria di Tuscolo aveva oltre ventimila ettari, e il palazzo che si era costruito al Pincio era celebre per la galleria di statue, per i preziosi manoscritti che aveva saccheggiato in Oriente, per i giardini dov'egli coltivava con diligenza di appassionato botanico piante sino ad allora ignote a Roma, come il ciliegio, e soprattutto per la sua cucina, laboratorio delle più raffinate squisitezze.

Cicerone dunque una sera, in un ritrovo di amici, cominciò a prendere in giro Lucullo sulla sua ghiottoneria dicendo che si trattava di una posa e scommettendo che se si fosse andati a casa sua senza avvertire i cuochi, si sarebbe trovata una cena frugale, da contadini o da soldati. Lucullo accettò la sfida, invitò tutti a fare un sopralluogo e solo chiese il permesso di mandare ai suoi servitori l'ordine di apparecchiare per tutti nella sala di Apollo. Bastò, per far capire al suo personale di cosa si trattava; nella sala di Apollo, un pranzo non poteva costare meno di duecentomila sesterzi. Vi erano d'obbligo, come antipasti, frutti di mare, uccellini di nido con asparagi, pasticcio d'ostrica, scampi. Poi veniva il pranzo vero e proprio: petti di porchetta, pesce, anatra, lepre, tacchino, pavoni di Samo, pernici di Frigia, murene di Gabes, storione di Rodi. E formaggi, e dolci, e vini.

Plutarco, che ci racconta l'episodio, non dice chi intervenne al banchetto. Ma doveva esserci il fior fiore della società romana. Non mancava certamente Marco Licinio Crasso, un aristocratico figlio di un famoso luogotenente di Silla, che si era ucciso piuttosto che arrendersi a Mario. Silla aveva ricompensato l'orfano lasciandogli comprare a prezzi di liquidazione i beni dei marianisti proscritti e permettendogli di organizzare il primo corpo di pompieri che si sia visto a Roma. Quando scoppiava un incendio, Crasso correva sul posto; ma, invece di spegnere le fiamme, contrattava su due piedi l'edificio che bruciava col proprietario, ch'era sempre ben felice di liberarsene. E solo quando era suo metteva in azione le pompe. Altrimenti, lo lasciava bruciare.

Un altro che certamente non poteva mancare era Tito Pomponio Attico che, sebbene di ascendenze borghesi, rappresentava un tipo di aristocratico più raffinato. Non avendo bisogno d'insudiciarsi con affari loschi perché era già ricchissimo di famiglia, aveva badato soltanto a perfezionare la sua cultura a Atene. Lì lo conobbe Silla e ne rimase così sedotto che voleva farne un suo collaboratore. Ma Attico aveva rinunziato per seguitare a studiare. Poi investì il suo patrimonio, che assommava a oltre dieci miliardi, in una fattoria in Epiro per l'allevamento del bestiame, nell'acquisto di appartamenti a Roma, in una scuola per gladiatori, e in una casa editrice per libri di alta cultura. Cicerone, Ortensio, Catone e molti altri grossi personaggi del tempo si servivano di lui, oltre che come consigliere finanziario, anche come banca di deposito. E tali erano la stima e il prestigio di cui godeva che, sebbene vivesse frugalmente, da vero epicureo, non c'era salotto della società romana dove non fosse in permanenza invitato, né festa cui non partecipasse.

E ci sarà stato certamente anche Pompeo, il favorito e genero di Silla che, con un po' d'ironia, lo chiamava «il Grande». Di lignaggio equestre, cioè borghese, anche lui, era il «principe azzurro» della «gioventù dorata» di Roma. Si era guadagnato la vittoria sul campo e un trionfo, prima ancora di raggiungere la maggiore età. Ed era così bello che la cortigiana Flora diceva di non potersi staccare da lui senza dargli un morso. Passava per un giovane integro e, per quel tempo, lo era: cercava di fare il bene di tutti con lo stesso impegno con cui faceva quello suo proprio. Gli si attribuivano molte ambizioni. In realtà ne aveva una sola: quella di essere al di sopra di tutti, in tutto. Ma, più che un'ambizione, era una vanità.

Eran tutti personaggi che, nella Roma stoica di tre secoli prima, non si sarebbero incontrati. E non solo per la foggia raffinata dei loro abiti, per i piatti che mangiavano, e per i discorsi che tenevano in un bel latino liscio e pulito, condito di richiami letterari, ma anche perché a queste feste partecipavano in compagnia delle donne ormai uscite dal loro stato di soggezione. Clodia, la moglie di Quinto Cecilio Metello, era a quei tempi la «prima signora» della città, e faceva scuola alle altre. Essa era femminista, usciva sola la sera e, quando incontrava un conoscente, invece di abbassare pudicamente gli occhi com'era sempre usato, lo abbracciava e baciava. Invitava a cena gli amici quando suo marito era assente, affermava il diritto alla poligamia anche per le donne, e lo praticò senza risparmio, prendendosi amanti a dozzine e piantandoli con molta grazia, ma senza rimorso. Uno di essi fu il poeta Catullo, che non riuscì più a dimenticarla, si strusse di gelosia e la sfogò nei suoi versi, dov'essa appare col nome di Lesbia. Celio, un altro abbandonato, per vendicarsi, l'accusò in tribunale di averlo voluto avvelenare e la chiamò pubblicamente *quadrantaria*, che vuol dire «quarto di centesimo»: la tariffa delle prostitute povere. Clodia fu condannata a una multa: non perché fosse colpevole, ma perché era la sorella di Publio Clodio, uno dei capi del partito radicale, inviso agli aristocratici allora onnipotenti e nemico giurato di Cicerone, che sostenne le parti di Celio dicendo che gli seccava accusare una donna, e specialmente quella che si era mostrata così buona amica di tanti uomini.

Con questi esempi davanti agli occhi, era difficile alle ragazze trasformarsi in buone madri di famiglia. Dettati unicamente dai calcoli politici e d'interesse, i matrimoni si facevano e si disfacevano con disinvoltura. Pompeo, per fare carriera, divorziò dalla prima moglie per sposare Emilia, la figliastra di Silla. Poi, rimasto vedovo, sposò Giulia, la figlia di Cesare, che di mogli ne cambiò quattro e le tradì regolarmente tutte. «Questa città» diceva Catone «non è più che un'agenzia di matrimoni politici corretti dalle corna.» E Metello il Macedonico, in un accorato discorso ai suoi compatrioti, li invitò a mettere ordine nella loro vita familiare dicendo: «Capisco anch'io che una moglie è soltanto una noia...». Il matrimonio con mano, cioè quello che non ammetteva divorzio, era praticamente scomparso, appunto per consentire ai coniugi di rinnegarlo quando volevano. E bastava, per farlo, una semplice lettera. Figli non se ne volevano, perché sarebbero stati un impaccio. Essi erano diventati ormai un lusso che solo i poveri potevano consentirsi. Non più preoccupate dalle gestazioni, dagli allattamenti e dalle pappine, le spose cercavano, come oggi si direbbe, «evasioni». E le trovavano soprattutto nelle tresche amorose e nella cultura, che ormai cominciava a diventare un fatto mondano e di salotto.

I gusti letterari di questa società ricca e frivola non si orientarono verso il più grande poeta e scrittore del tempo, Lucrezio. L'autore di *De rerum natura* fu probabilmente un aristocratico, ma visse ritiratissimo anche per ragioni di salute: pare che fosse afflitto da una forma ciclica di mania depressiva, e la sua ispirazione era troppo alta, tragica e profonda per diventare di moda. A furoreggiare era Catullo, poeta facile e sentimentale, qualcosa di mezzo fra Gozzano e Géraldy. Era un borghese di Verona, benestante e avaro, che piangeva sempre miseria, ma aveva casa a Roma, una villa a Tivoli e un'altra sul Garda. Piaceva alle signore perché parlava solo d'amore e aveva reso morbida e salottiera una lingua che sembrava fatta solo per codici di legge e proclami di vittoria.

Con lui andavano per la maggiore Marco Celio, un aristocratico squattrinato, simpatizzante per le idee comuniste; Licinio Calvo, un dilettante di poesia e di oratoria non privo d'ingegno; e Elvio Cinna, che, dopo la morte di Cesare, fu scambiato per sbaglio per uno degli assassini e ucciso dalla folla. Erano tutti degl'intellettuali «di sinistra», che si opponevano alla dittatura senza far nulla per difendere la democrazia. Ma ebbero un'influenza superiore forse ai loro meriti, perché ora avevano a disposizione, oltre ai salotti e alle donne, una vera e propria editoria per diffondere le proprie opere.

Attico aveva introdotto la pergamena, e ne faceva «volumi» (che vuol dire «rotoli») con pagine composte di due o tre «colonne» di manoscritto. Adibiti a riempirle a mano erano schiavi specializzati, cui si pagava solo il mantenimento. Nemmeno gli autori erano retribuiti se non con qualche dono occasionale; e quindi solo i ricchi, praticamente, potevano dedicarsi alla letteratura. Un'edizione si aggirava quasi sempre sulle mille copie che venivano distribuite ai librai, dai quali venivano a comprare gli amatori. Fu uno di costoro, Asinio Pollione, a istituire la prima biblioteca pubblica di Roma.

Questo progresso tecnico stimolò la produzione. Terenzio Varrone pubblicò i suoi saggi sulla lingua latina e sulla vita rustica. Sallustio, fra una battaglia politica e l'altra, diede alle stampe le sue *Storie*, magnificamente scritte, ma piuttosto partigiane. E Cicerone, diventato ormai «il maestro» per eccellenza dell'arte oratoria, tradusse in libri le sue orazioni, di cui soltanto cinquantasette sono giunte sino a noi.

La cultura insomma non era più il monopolio di qualche solitario specialista, ma aveva cominciato a diffondersi in quella società che ormai voltava risolutamente le spalle ai rudi costumi e alla sana ignoranza della prima èra repubblicana. Ci si avvicinava a quella che si suol chiamare «l'età dell'oro» di Roma, e che, come tutte le «età dell'oro», preluse all'agonia della sua civiltà.

CICERONE

Pompeo e Crasso, che abbiamo incontrato nel capitolo precedente, non erano soltanto dei gaudenti affaristi, ma anche degli uomini politici che pretendevano recitare una parte di primo piano. E ci riuscirono, sebbene poi l'abbiano pagata ambedue con la vita.

Come favoriti di Silla, ebbero dapprincipio la carriera facile. Fu infatti a loro che, dopo il ritiro del dittatore, il Senato ricorse mettendoli alla testa di due eserciti, per domare le rivolte di Spagna e d'Italia.

La Spagna si era già rivoltata varie volte contro le malversazioni dei governatori romani. Ma ora alle malversazioni si erano aggiunte le inutili crudeltà. Nel 98 il generale Didio, imitando l'esempio del suo predecessore Sulpicio Galba, attirò nel suo campo una intera tribù d'indigeni con la promessa di una distribuzione di terre, e la sterminò. Un suo ufficiale, Quinto Sertorio, indignato da sì inutili barbarie, disertò, chiamò alle armi le altre tribù, organizzò fra loro un esercito, per otto anni lo condusse di vittoria in vittoria contro i romani, e per altrettanti governò saggiamente la provincia. Metello, il generale che il Senato aveva mandato a combatterlo, non riuscendo a venirne a capo, promise qualcosa come due miliardi e mezzo di lire e diecimila ettari di terra a chi riuscisse a ucciderlo. Perpenna, altro rifugiato romano nel campo di Sertorio, lo pugnalò. Ma, invece di andare a riscuotere il premio, preferì prendere l'eredità del morto e continuare in proprio la guerra. Allora il Senato mandò Pompeo, che sconfisse facilmente il rinnegato, lo catturò e lo soppresse, restituendo la Spagna alle malversazioni dei governatori.

Più grave era la rivolta che intanto stava insanguinando l'Italia. Lentulo Baziate teneva a Capua una scuola di gladiatori, frequentata naturalmente da schiavi, che vi si preparavano, praticamente, alla morte nel Circo per il divertimento degli spettatori. Un giorno duecento tentarono di fuggire, settantotto ci riuscirono, saccheggiarono i dintorni e si scelsero come capo un tracio di nome Spartaco, che dovett'essere un uomo di buon lignaggio e di notevoli qualità. Egli lanciò un appello a tutti gli schiavi d'Italia, che si contavano a milioni, ne organizzò settantamila in un esercito assetato di libertà e di vendetta, insegnò loro a fabbricarsi le armi, e batté i generali che il Senato gli mandò contro.

Queste vittorie non lo ubriacarono. Era un politico accorto e sapeva benissimo che la sua era, a lungo andare, una lotta senza speranza. Per cui avviò la sua orda verso le Alpi, col proposito, una volta attraversatele, di scioglierla e di rimandare ognuno a casa propria. Così almeno racconta Plutarco. Ma i suoi seguaci vollero tornare indietro, si misero a saccheggiare città e campagne, e Spartaco, che doveva essere un uomo di coscienza e che cercava d'impedire queste predonerie, non si sentì di abbandonarli. Perse una battaglia, ne vinse un'altra ancora contro Cassio. E finalmente si trovò faccia a faccia con l'Urbe che trattenne il fiato nel terrore di vedere tutti gli schiavi d'Italia e quelli di Roma stessa, che vi costituivano una pericolosa quinta colonna, unirsi agl'insorti e formare con loro una valanga.

Allora fu dato il comando a Crasso, e sotto le sue bandiere si arruolò volontariamente il fiore dell'aristocrazia. Spartaco si rese conto di avere di fronte a sé l'Impero, e si ritirò verso il Sud pensando di traghettare le sue forze in Sicilia e di lì in Africa. Crasso lo seguì, agganciò e distrusse la sua retroguardia, lo incalzò. A marce forzate, dalla Spagna, stava intanto sopravvenendo Pompeo con le sue legioni. Conscio di essere ormai alla fine, Spartaco attaccò, si gettò di persona in mezzo alla mischia, uccise di sua mano due centurioni e fu a sua volta talmente crivellato di colpi che non fu più possibile, dopo, identificarne il cadavere.

La maggior parte dei suoi uomini perirono con lui. Circa seimila, snidati nei boschi, vennero crocefissi ai margini della via Appia.

Correva l'anno 72, e i due vittoriosi generali, di ritorno a Roma, non congedarono i loro eserciti, come voleva la legge e come desiderava il Senato. Fra loro non si amavano: erano ambedue troppo ricchi, troppo fortunati e troppo ambiziosi. Ma quando il Senato rifiutò il trionfo a Pompeo e la distribuzione di terre ch'egli aveva promesso ai suoi veterani, strinsero alleanza e accamparono minacciosamente i loro uomini nei dintorni della città stessa.

Subito i popolari, che dalla morte di Silla spiavano il momento di vendicarsi dei soprusi dell'aristocrazia, si schierarono intorno a loro, ne fecero i propri campioni, e li elessero consoli per l'anno 70. Pompeo e Crasso non erano affatto popolari: appartenevano anzi per nascita all'alta borghesia. Ma il cieco egoismo dell'aristocrazia aveva sortito appunto questo effetto: di spingere l'alta borghesia dalla parte del proletariato. I due consoli infatti, come prime misure, adottarono quella di restaurare il potere dei tribuni, che Silla aveva esautorato, e di togliere ai patrizi il monopolio delle giurie nei tribunali, riammettendovi anche i cavalieri. Dopodiché rinnovarono la loro alleanza per la spartizione dei vantaggi personali. Pompeo avrebbe avuto il comando supremo delle operazioni in Oriente sostituendovi Lucullo e aggiungendo ai suoi poteri di generale quelli di ammiraglio per la repressione dei pirati del Mediterraneo che rendevano insicure le rotte per l'Asia Minore; in compenso s'impegnava a riaprire i mercati orientali agl'investimenti dei banchieri, alleati di Crasso, che ne diventava così il supremo patrono.

Nel Senato, che si oppose unanimemente a questa misura, una sola voce si elevò a difenderla: quella di un giovane, tuttora quasi sconosciuto e poco amato dai suoi aristocratici confratelli: Giulio Cesare. L'Assemblea l'approvò altrettanto unanimemente, trascinata da un altro giovane: Cicerone. La vittoria dell'Assemblea e di Pompeo segnò la fine della supremazia patrizia e della restaurazione sillana che vi era imperniata sopra, ed ebbe conseguenze decisive sul seguito degli avvenimenti. Subito dopo la partenza di Pompeo alla testa di centoventicinquemila uomini, cinquecento navi e centocinquanta milioni di sesterzi, il commercio con l'Oriente riprese, e di conseguenza cadde il prezzo del grano, sostegno dell'aristocrazia terriera.

Solo un avvenimento venne a turbare questo pacifico e progressivo ritorno alla democrazia, ridando ossigeno alla reazione. Noi non conosciamo Lucio Sergio Catilina che dalle descrizioni dei suoi nemici, e particolarmente di Sallustio e di Cicerone. Quest'ultimo ce lo dipinge come «un torbido individuo in perpetuo litigio con dio e con gli uomini, che non riusciva a trovar pace né in sonno né da desto: di qui il suo colorito terreo, i suoi occhi iniettati di sangue, il suo andazzo epilettico: in breve, il suo aspetto di pazzo». Il guaio è che Cicerone era, per parte di moglie, cognatastro di una vestale, della cui deflorazione Catilina era stato accusato. Al processo lo avevano assolto. Ma nei salotti si diceva ch'era vero e che non faceva meraviglia poiché aveva già assassinato il proprio figlio per contentare la sua amante.

Forse anche per questa ostilità che incontrava dovunque, Catilina, sebbene di aristocratiche ascendenze, passò dalla parte dei più scalmanati popolari e si tinse di giacobinismo. Il suo programma era radicale: reclamava l'abolizione di tutti i debiti per tutti i cittadini. E si cominciò a sussurrare ch'egli aveva già organizzato una banda di quattrocento disperati per uccidere i consoli e impadronirsi del governo.

In realtà nessuno vide mai questa famosa banda, e Catilina si contentò di presentare molto democraticamente la sua candidatura al consolato, sperando evidentemente che sul suo nome si facesse l'unanimità antisenatoriale che aveva così bene funzionato per Crasso e Pompeo. Ma l'alta borghesia, cui appartenevano i creditori e che aveva in gran sospetto quella specie di comunista, stavolta non marciò. Essa era con la plebe quando si trattava di rintuzzare i monopoli dell'aristocrazia; ma era con l'aristocrazia, e quindi col Senato, quando erano in giuoco lo stato e il capitalismo.

Lo si vide nell'atteggiamento di Cicerone che oppose la propria candidatura a quella di Catilina e vinse predicando la «concordia degli ordini», cioè la Santa Alleanza dell'aristocrazia con la grande borghesia, e di essa fu quell'anno il grande interprete.

Trombato alle lezioni, come oggi si direbbe, Catilina cominciò a organizzare la famosa congiura raccogliendo segretamente qualche migliaio di seguaci a Fiesole e costituendo una quinta colonna anche nell'interno della città. Di essa faceva parte un po' di tutto: schiavi, senatori e due pretori, Cetego e Lentulo. Con questa forza alle spalle si ripresentò l'anno dopo alle elezioni e, per assicurarsene l'esito, architettò l'assassinio del suo rivale e di Cicerone.

Questa fu almeno la versione che costui diede, quando si presentò nel Campo di Marte seguito dai suoi armigeri per il conteggio dei voti. Catilina risultò ancora una volta battuto.

Il 7 novembre del 63, Cicerone disse che durante la notte i cospiratori erano venuti a casa sua per ucciderlo, ma erano stati ricacciati dalle sue guardie. E l'indomani, incontrando Catilina in Senato, pronunciò contro di lui quella celebre orazione («Fino a quando, Catilina, abuserai della nostra pazienza?...») che tuttora costituisce la croce e la delizia degli studenti di ginnasio. Non gli bastò un giorno, per quella requisitoria: gli ce ne vollero tre. Fu il suo capolavoro, e vi profuse in ugual misura tutti i tesori della sua eloquenza rotonda e cantante, della sua vanità e della sua gigioneria.

Il 3 dicembre riuscì a far spiccare mandato di arresto contro Lentulo, Cetego e altri cinque cospiratori di alto rango. Ma già Catilina, nottetempo e in silenzio, aveva abbandonato Roma e raggiunto le sue truppe in Toscana. Il 5 Cicerone chiese che i prigionieri fossero condannati a morte. Silano e Catone il Giovane lo appoggiarono. E a difendere gl'imputati di nuovo non si levò che una fresca e giovane voce: quella di Cesare, fedele avvocato dei popolari, che chiese una semplice pena detentiva. La sua oratoria, all'opposto di quella di Cicerone, era sobria e scarna. Quand'ebbe finito di parlare, alcuni giovani aristocratici cercarono di ucciderlo. Cesare riuscì a sfuggire, mentre Cicerone si recava alla prigione per far eseguire la sentenza e l'altro console, Marco Antonio, padre di un giovanotto destinato a diventare più famoso di lui, partiva alla testa dell'esercito per annientare Catilina.

La battaglia ebbe luogo presso Pistoia, e nessuno degl'insorti si arrese. Schiacciati dal numero, combatterono sino all'ultimo uomo intorno alla loro bandiera, le aquile di Mario, e a Catilina, che ne seguì la sorte.

Il primo ad essere sorpreso ed entusiasmato dell'energia che aveva mostrato, fu Cicerone, che non sospettava di averne tanta. In un discorso al Senato egli disse modestamente che l'impresa che aveva compiuto era così grande da superare i limiti di quelle consentite agli uomini. E, posta così la candidatura alla divinizzazione, aggiunse che avrebbe paragonato se stesso a Romolo se il salvataggio di Roma non fosse stato un avvenimento molto più glorioso della sua fondazione.

I senatori sorrisero a quel linguaggio, ma gli decretarono volentieri il titolo di «Padre della Patria». E quando, alla fine del 63, egli lasciò la carica, lo scortarono in segno di omaggio fino a casa. Tutto questo contribuì ancora di più a montare la testa del grande oratore, che ormai si considerava l'arbitro di Roma. Egli possedeva ville ad Arpino, Pozzuoli e Pompei, una fattoria di cinquantamila sesterzi a Formia, un'altra di cinquecentomila a Tuscolo, e un palazzo di tre milioni e mezzo sul Palatino. Era tutta roba comprata con «prestiti» dai clienti perché la legge proibiva agli avvocati di rimettere «parcelle». E i «prestiti», che naturalmente non venivano rimborsati, le sostituivano. Ma Cicerone escogitò anche un altro mezzo per arricchire: i testamenti, dove si faceva designare erede. In trent'anni ereditò dalla sua clientela venti milioni di sesterzi, una dozzina di miliardi di lire.

Era logico che un simile uomo predicasse la «concordia degli ordini» cercando un punto di equilibrio, che non fosse la bieca reazione di una casta aristocratica cui non apparteneva, ma nemmeno il progressismo di chi era interessato al generale livellamento.

Ricco com'era, principe del Foro e «Padre della Patria», sembrava che non gli mancasse più nulla. Invece gli mancava la cosa più importante: la pace in famiglia. Terenzia era una sposa virtuosa e insopportabile che gli avvelenò la vita con i suoi nervi, i suoi acciacchi reumatici e un'eloquenza non inferiore a quella del marito. Due oratori, in una casa, sono troppi. Il principe del Foro, in quella sua, cedeva lo scettro alla moglie, che lo usava a proposito e a sproposito per lamentarsi continuamente di qualcosa. Quando alla fine si decise a lasciarlo vedovo, Cicerone la rimpiazzò con Publilia, che gli portò una dote non inferiore a quella della povera defunta. Ma poi la mandò via perché non era nelle grazie di sua figlia Tullia, l'unico suo vero e disinteressato affetto.

Dopo l'affare Catilina, la sua stella politica cominciò a tramontare, sebbene qualche bagliore le fosse ancora riservato sotto Cesare, di cui fu a volta a volta amico e nemico, come vedremo, ma a cui non perdonò il fatto di essere un oratore grande per lò meno quanto lui, sebbene in tutt'altro stile. Sempre più intensi diventarono i suoi ozi letterari, cui dobbiamo alcune fra le più belle pagine della lingua latina. A noi piacciono soprattutto, per la loro immediatezza, le lettere, piene di aneddoti autobiografici. Ne scrisse a profusione e vi si dipinse qual era: un lavoratore assiduo, un tenero padre, un accorto amministratore delle finanze pubbliche e di quelle private, il buon amico di amici che potevano essergli utili, e un vanitoso così inconscio della propria vanità da immortalarla in una prosa impeccabile con una specie di candore che ne redime il difetto quasi trasformandolo in virtù.

CESARE

Nel momento in cui Catilina cadeva, giungeva a Roma Metello Nepote, luogotenente e avanguardia di Pompeo, sbarcato a Brindisi di ritorno da un seguito di brillanti vittorie in Asia Minore. Aveva anticipato il viaggio per concorrere alla carica di pretore e, una volta eletto, favorire una nuova candidatura di Pompeo al consolato.

Il primo obbiettivo lo raggiunse coi voti dei popolari, ma si trovò accanto come collega Marco Catone, rappresentante dei più intransigenti conservatori, i quali, dopo la vittoria su Catilina, credevano di essere ridiventati i padroni della situazione. Essi non videro perché dovevano appoggiare le ambizioni di Pompeo, il quale non avrebbe chiesto di meglio che di diventare il loro campione. Se l'avessero scelto come tale, forse si sarebbero salvati, o per lo meno avrebbero ritardato la propria disfatta, visto il prestigio di cui Pompeo godeva. Ma la maggior parte erano invidiosi di lui, della sua ricchezza, dei suoi successi, e pensarono di non averne bisogno.

Ancora una volta una sola voce in Senato fece «stecca» sul coro, appoggiando Pompeo: quella di Cesare, anche lui pretore. L'Assemblea quel giorno fu tumultuosa. Cesare, destituito insieme con Nepote, fu salvato dalla folla che venne a proteggerlo e che voleva sollevarsi. Egli la calmò e la rimandò a casa. Per la prima volta il Senato si accorse che quel giovanotto rappresentava qualcosa e si rimangiò la destituzione.

Caio Giulio Cesare aveva allora ventisette anni e veniva, come Silla, da una famiglia aristocratica povera che faceva risalire le sue origini ad Anco Marzio e a Venere, ma che, dopo questi opinabili antenati, non aveva più dato alla storia di Roma personaggi di grido. C'erano stati dei Giuli pretori, questori, e anche consoli. Ma di ordinaria amministrazione. La loro casa sorgeva nella Suburra, il quartiere popolare e malfamato di Roma, e qui egli nacque chi dice nel 100, chi nel 102 avanti Cristo.

Non sappiamo nulla della sua infanzia, se non ch'ebbe come precettore un gallo, Antonio Grifone, il quale, oltre al latino e al greco, gl'insegnò qualcosa di molto utile sul carattere dei suoi compatrioti. Pare che nella pubertà fosse afflitto da mali di testa e attacchi di epilessia, e che la sua ambizione fosse allora quella di diventare uno scrittore. Fu calvo molto presto e, vergognandosene, cercò di rimediarvi coi «riporti», tirandosi i capelli dalla nuca alla fronte. Perdeva molto tempo ogni mattina in questa complicata operazione.

Svetonio dice ch'era alto, piuttosto grassottello, di pelle chiara, d'occhi neri e vivi. Plutarco dice ch'era magro e di mezza taglia. Forse hanno ragione ambedue. L'uno lo descrive da giovane, l'altro da uomo maturo, quando di solito ci si appesantisce un po'. I lunghi periodi di vita militare dovettero irrobustirlo. Fu sin da ragazzo un eccellente cavaliere, e usava galoppare con le mani dietro la schiena. Ma camminava molto anche a piedi alla testa dei suoi soldati, dormiva nei carri, mangiava sobriamente, il suo sangue si serbava sempre freddo e il suo cervello lucido. Di viso non era bello. Sotto quel cranio pelato e un po' massiccio, c'erano un mento quadrato e una bocca arcuata e amara, incorniciata da due rughe dritte e profonde, e col labbro di sotto che sporgeva su quello di sopra. Tuttavia fu sempre fortunato con le donne. Ne sposò quattro e ne ebbe infinite altre come amanti. I suoi soldati lo chiamavano *moechus calvus*, «l'adultero calvo» e, quando sfilavano per le vie di Roma in occasione di un trionfo, gridavano: «Ehi, uomini, chiudete in casa le vostre mogli: è tornato il seduttore zuccapelata!». E Cesare era il primo a riderne.

Contrariamente a una certa leggenda che lo riveste di una seriosa e sussiegosa solennità, Cesare era un perfetto uomo di mondo, galante, elegante, spregiudicato, ricco di umorismo, capace di incassare i frizzi altrui e di rispondervi con mordente sarcasmo. Era indulgente coi vizi degli altri, perché aveva bisogno che gli altri lo fossero coi suoi. Curione lo chiamava «il marito di tutte le mogli e la moglie di tutti i mariti». E una delle ragioni per cui gli aristocratici l'odiarono tanto era ch'egli seduceva regolarmente le loro spose, le quali a dire il vero facevano a gara per essere sedotte. Fra esse c'era anche Servilia, sorellastra di Catone, che anche per questo gli fu irriducibilmente ostile. Servilia gli era così devota che gli sacrificò anche la figlia Terzia, cui lasciò il suo posto quando gli anni l'obbligarono a ritirarsi. Cesare ricompensò la generosa madre facendole attribuire i beni di certi senatori proscritti ad un prezzo ch'era un terzo del loro valore. E Cicerone ci ricamò sopra un giuoco di parole, dicendo che quella svendita era stata fatta *Tertia deducta*. Lo stesso Pompeo, per quanto più bello, ricco e, in quel momento, famoso di Cesare, si vide portar via la moglie da lui e la ripudiò. Cesare se ne fece perdonare, dandogli in sposa la figlia sua.

Questo straordinario personaggio intorno a cui, d'ora in poi, tutta la storia di Roma e del mondo comincia a ruotare, era dunque, quanto a moralità, figlio dei suoi tempi. E infatti debuttò in un modo che non lasciava presagire nulla di buono. Finiti gli studi sui sedici anni, partì al seguito di Marco Termo che andava in Asia a farvi una delle tante guerre. Ma, invece che un bravo soldato, diventò un favorito di Nicomede, re di Bitinia, che aveva un debole per i bei ragazzi. Tornato a Roma diciottenne, sposò Cossuzia, perché così voleva suo padre. Ma quando costui morì, la ripudiò e rimpiazzò con Cornelia, figlia di quel Cinna che aveva a suo tempo preso la successione di suo zio Mario. E così venne a rinsaldare i vincoli che già lo legavano al partito democratico.

Silla, quando instaurò la dittatura, gli ordinò di divorziare. Cesare, sebbene abituato a cambiar moglie come si cambia vestito, spavaldamente rifiutò. Venne condannato a morte e la dote di Cornelia fu confiscata. Poi, come già abbiamo detto, comuni amici si interposero, e Silla lo lasciò andare in esilio. Cesare ripagò quel gesto di clemenza definendolo «una fesseria». Però s'ingannava. Silla aveva capito benissimo la «fesseria» che stava facendo: ma forse aveva per lui una segreta simpatia.

Quando il dittatore si fu ritirato, Cesare tornò a Roma. Ma, trovandola ancora in balìa dei reazionari, che lo detestavano come nipote di Mario e genero di Cinna, ripartì per la Cilicia. Una barca di pirati lo catturò in mare e chiese per il suo riscatto venti talenti, qualcosa come quattrocentoquaranta milioni di lire. Cesare rispose insolentemente ch'era un prezzo troppo basso per il suo valore e che preferiva dargliene cinquanta. Mandò i suoi servi a procurarli e ingannò l'attesa scrivendo versi e leggendoli ai suoi rapitori che non li gustarono punto. Cesare li chiamò «barbari» e «cretini», e promise loro d'impiccarli alla prossima occasione. Tenne la parola, perché, appena liberato, corse a Mileto, noleggiò una flottiglia, inseguì e catturò quei filibustieri, riprese i suoi quattrini, cioè quelli dei suoi creditori (cui non li restituì) e, manifestazione di clemenza, prima d'impiccarli, tagliò loro la gola.

Fu lui stesso a raccontare quest'avventura in alcune lettere agli amici, e non giureremmo sulla sua autenticità. Cesare non era ancora, in quel momento, il sobrio e spassionato scrittore del *De bello gallico*, che, avendo vinto realmente molte battaglie, non aveva più bisogno di romanzarle. Era un ragazzaccio chiacchierone, arrogante e dissipato che quando, rientrato a Roma nel 68, si presentò candidato al

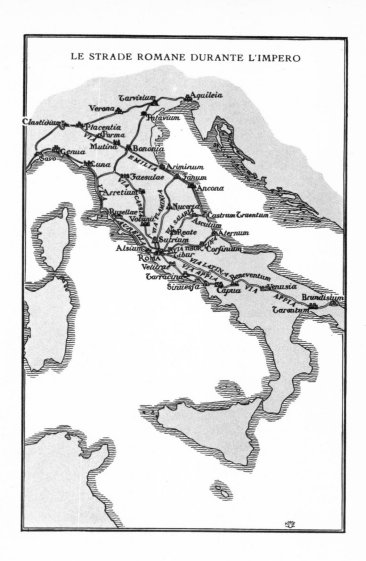

LE STRADE ROMANE DURANTE L'IMPERO

posto di questore, era già carico di debiti. Li aveva contratti con Crasso dopo aver sedotto anche a lui la moglie Tertulla. Con quei soldi comprò i voti, fu eletto, ebbe un governatorato e un comando militare in Spagna, combatté i ribelli, e tornò a Roma con la fama di bravo soldato e di accorto amministratore.

Nel 65 si ripresentò alle elezioni, fu eletto edile e ringraziò i suoi sostenitori finanziando spettacoli mai visti. Ma fece anche un'altra cosa: fece ritrasferire in Campidoglio i trofei di vittoria di Mario, che Silla aveva epurato. Tre anni dopo fu nominato propretore in Spagna. I suoi creditori si riunirono e chiesero al governo che non lo lasciasse partire prima di aver pagato. Egli stesso riconobbe di dover loro venticinque milioni di sesterzi. E Crasso, come al solito, glieli prestò. Cesare tornò fra gl'iberici, li sottomise quasi completamente, e riportò a Roma un tale bottino che il Senato gli accordò il trionfo. O forse lo fece soltanto per impedirgli di concorrere al consolato, visto che la candidatura non poteva essere presentata in propria assenza, e al trionfatore la legge impediva di tornare a Roma prima della cerimonia. Ma Cesare ci venne ugualmente, lasciando l'esercito fuor delle porte di città. E proprio durante questa campagna elettorale cominciò la sua grande azione politica.

I conservatori detestavano Cesare che aveva difeso Catilina, ricollocato i trofei di Mario in Campidoglio e ora si presentava come capo dei popolari. E potevano benissimo impedirgli il successo opponendogli un uomo del prestigio di Pompeo, che invece delusero, come abbiamo detto, perché erano gelosi delle sue vittorie e delle sue ricchezze. Queste erano tali che gli consentivano di tenere un esercito suo proprio: quello con cui sbarcò a Brindisi di ritorno dall'Oriente e che poteva eleggerlo dittatore con la forza. Generosamente, Pompeo lo congedò, e fu solo con un piccolo seguito di ufficiali che entrò a Roma e vi celebrò il trionfo. Coraggioso in battaglia, Pompeo era timidissimo in fatto di responsabilità politiche e non voleva mai fare nulla contro la legalità e il «regolamento». Il Senato lo sapeva, ne approfittò per trattarlo con freddezza e si rifiutò di distribuire ai suoi soldati le terre ch'egli aveva loro promesso. Cesare ci vide una buona occasione per attirarlo dalla parte sua e di Crasso.

Questo capolavoro di diplomazia si saldò con un accordo tripartito: il primo triumvirato. Pompeo e Crasso mettevano la loro influenza, ch'era grande, e le loro ricchezze, ch'erano immense, al servizio di Cesare per farlo eleggere console. Questi, assunto il potere, avrebbe distribuito le terre ai soldati di Pompeo e concesso a Crasso gli appalti cui questi aspirava.

Così fu rotta la famosa «concordia degli ordini» auspicata da Cicerone, cioè l'alleanza fra l'aristocrazia e l'alta borghesia. Quest'ultima, che vedeva in Crasso e Pompeo i suoi legittimi rappresentanti, fece lega invece coi popolari di Cesare. E l'aristocrazia, stupidamente e arrogantemente convinta di non aver bisogno di aiuti e di non dover dividere i suoi privilegi con nessuno, rimase isolata. Essa presentò come suo candidato un personaggio insignificante, Bibulo, che fu eletto. Ma non poté impedire che fosse eletto anche Cesare, figura di ben altro rilievo.

Cesare mantenne gl'impegni che aveva assunto con gli alleati. Propose subito la distribuzione delle terre e la ratifica delle misure adottate da Pompeo in Oriente. Il Senato si oppose. E allora Cesare portò i disegni di legge davanti all'Assemblea. Era quello che avevano fatto anche i Gracchi, i quali ci avevano rimesso la pelle. Ma i tempi erano cambiati. Bibulo oppose il veto dicendo che gli dèi, interrogati, si erano dimostrati contrari. L'Assemblea gli rise in faccia e un popolare gli rovesciò un vaso da notte in testa. I progetti furono approvati a grande maggioranza. Pompeo diventò il genero di Cesare, sposandone la figlia Giulia, borghesi e proletari si strinsero in un grande abbraccio, e per mesi e mesi si divertirono a spese dei triumviri, che offrirono magnifici spettacoli nel Circo.

In quest'atmosfera di favore popolare fu facile a Cesare attuare le sue riforme economiche e sociali, ch'erano poi quelle dei Gracchi. Il Senato le contrastò tutte mandando regolarmente Bibulo in Assemblea a dire che gli dèi le disapprovavano. L'Assemblea si infischiava degli dèi e rideva di Bibulo che alla fine si chiuse in casa e non ne uscì più. Poiché l'uso era di battezzare l'anno col nome dei due consoli, i romani chiamarono il cinquantanovesimo «quello di Giulio e Cesare».

Questi lo concluse facendo eleggere come suoi successori per il 58 Gabinio e Pisone, del quale sposò la figlia Calpurnia dopo regolare divorzio dalla sua terza moglie Pompea, che stava per essere processata per oltraggio al pudore e alla religione: l'accusavano di aver introdotto il suo amante Clodio, travestito da donna, nel recinto sacro alla dea Bona, di cui Pompea era sacerdotessa. Il fatto era vero. Clodio, giovane aristocratico bello, ambizioso e senza scrupoli, frequentava la casa di Cesare, ne ammirava la politica e ancor di più la moglie. Non si sa tuttavia se costei fosse sua complice, quando lo colsero in quell'empio tentativo. Cesare, chiamato a deporre, proclamò l'innocenza di Pompea. Quando il giudice gli chiese come mai in tal caso aveva divorziato da lei, rispose: «Perché la moglie di Cesare non può essere macchiata neanche da un sospetto». E testimoniò anche in favore di Clodio dicendo che non lo riteneva capace di un simile gesto, sebbene risultasse ch'egli ne aveva compiuti anche di peggiori: quello per esempio di sedurre la sua propria sorella, la famosa Clodia, moglie di Quinto Cecilio Metello, colei che Catullo chiamava Lesbia e che Cicerone perseguitava con la sua linguaccia. Rancoroso e impiccione com'era, il grande avvocato venne a testimoniare anche contro il fratello. Ma Cesare mise in moto Crasso, che comprò i giudici. E Clodio fu assolto.

Perché Cesare tenesse tanto a salvare quello scapestrato che, come oggi di direbbe, gli aveva disonorato la moglie, lo si vide subito dopo, quando Clodio si portò candidato per il tribunato della plebe e Cesare lo sostenne. Evidentemente, dopo aver installato il suocero e un amico intimo nella carica di consoli, voleva un debitore alla testa del proletariato. Cesare s'infischiava dell'onore coniugale. Clodio, con tutta quella faccenda, gli aveva dato il pretesto di liberarsi di una sposa che non gli serviva più a nulla e di rimpiazzarla con un'altra che gli serviva molto con la sua parentela. Al momento di lasciare la carica, egli si era autonominato proconsole per cinque anni della Gallia Cisalpina e Narbonese. Poiché la legge proibiva di far stazionare truppe dall'Appennino in giù, chi aveva il comando di quelle dall'Appennino in su era praticamente il padrone della penisola. E Cesare ormai voleva essere questo padrone.

Sapeva benissimo che il Senato avrebbe fatto il possibile per impedirglielo. Ma Cesare aveva dimostrato che si poteva governare anche senza di esso, facendo approvare direttamente le leggi dall'Assemblea. Negli ultimi tempi si era spinto anche più in là: aveva imposto che tutte le discussioni che si svolgevano in quel solenne e aristocratico consesso venissero registrate e pubblicate giorno per giorno. Così nacque il primo giornale. Si chiamò *Acta diurna*, e fu gratuito, perché, invece di venderlo, lo affiggevano ai muri in modo che tutti i cittadini potessero leggerlo e controllare ciò che facevano e dicevano i loro governanti. L'invenzione fu d'immensa portata perché sancì il più democratico di tutti i diritti. Il Senato, che traeva prestigio anche dalla sua segretezza, fu così sottoposto alla pubblica opinione, e non si riebbe mai più da questo colpo.

Con Gabinio e Pisone a guardagli le spalle come consoli; con un avventuriero facilmente ricattabile come Clodio alla testa della plebe; con l'amicizia di Pompeo e il sostegno finanziario di Crasso; col Senato imbrigliato e costretto a rendere conto delle sue decisioni, Cesare ora poteva allontanarsi anche da Roma per procurarsi quello che tuttavia gli mancava: la gloria militare e un esercito fedele.

LA CONQUISTA DELLA GALLIA

Quando Cesare vi giunse nel 58, la Francia era per i romani soltanto un nome: Gallia. Essi non ne conoscevano che le province meridionali, quelle che avevano sottoposto a vassallaggio per assicurarsi le comunicazioni terrestri con la Spagna. Cosa ci fosse più a Nord, lo ignoravano.

Più a Nord non c'era ciò che oggi si chiama una nazione. Sparpagliate nelle varie regioni, vivevano delle tribù di razza celtica che passavano il témpo a farsi la guerra tra loro. Cesare, che tra l'altro era anche un gran giornalista e aveva il dono dell'osservazione, vide che ognuna di queste tribù era divisa in tre ceti: i nobili o cavalieri che avevano il monopolio dell'esercito, i preti o *druidi* che avevano il monopolio della religione e dell'istruzione, e il popolo che aveva il monopolio della fame e della paura. Cesare pensò che per dominare queste tribù bastava tenerle divise, e che per tenerle divise bastava opporre i cavalieri ai cavalieri. Ognuno, per combattere l'altro, si sarebbe portato dietro un pezzo di popolo. C'era un solo pericolo: che i druidi s'intendessero fra loro e costituissero il centro spirituale di una unità nazionale. E per questo bisognava averli tutti dalla parte di Roma.

Cesare aveva in simpatia i galli per due ragioni: anzitutto perché uno di loro era stato il suo primo precettore, eppoi perché erano i fratelli di sangue di quei celti del Piemonte e della Lombardia che Roma aveva già assoggettato e che costituivano le sue migliori fanterie. Se riusciva a estendere questa soggezione a tutta la Francia, vi avrebbe trovato una miniera inesauribile per i suoi eserciti.

Cesare non aveva le forze necessarie a una conquista. Gli avevano dato solo, per tutto quel po' po' di territorio, quattro legioni, neanche trentamila uomini. E proprio nel momento in cui ne assumeva il comando, quattrocentomila elvezi straripavano dalla Svizzera sulla Gallia Narbonese, minacciando di sommergerla, e centocinquantamila germani traversavano il Reno per rinforzare nelle Fiandre il loro confratello Ariovisto che già vi si era stabilito tredici anni prima. Tutta la Gallia impaurita chiese protezione a Cesare che, senza neanche avvertirne il Senato, arruolò a proprie spese altre quattro legioni e ingiunse ad Ariovisto di venire a discutere un accomodamento con lui. Ariovisto rifiutò e Cesare, per affermare il suo prestigio agli occhi dei suoi nuovi sudditi, non ebbe altra scelta che la guerra contro di lui e contro gli elvezi.

Furono due campagne temerarie e folgoranti. Battuti, nonostante la loro enorme superiorità numerica, gli elvezi chiesero di poter ritirarsi nella loro patria, e Cesare glielo consentì purché accettassero il vassallaggio a Roma. I germani furono addirittura annientati presso Ostheim. Ariovisto fuggì, ma morì poco dopo. Lo scapestrato e indebitato donnaiolo si rivelava, sul campo di battaglia, un formidabile generale.

Approfittando di quel successo che aveva lasciato a bocca aperta tutta la Gallia, Cesare le chiese di unirsi sotto il suo comando per evitare d'ora in poi altre invasioni. Ma i galli erano pronti a tutto, fuorché ad andare d'accordo tra loro. Molte tribù si ribellarono e domandarono aiuto ai belgi, che accorsero. Cesare li sconfisse, poi sconfisse coloro che li avevano chiamati, e annunziò a Roma, piuttosto prematuramente, che tutta la Gallia era sottomessa. Il popolo tripudiò, l'Assemblea acclamò, il Senato fece la bocca torta. Cesare subodorò che i conservatori gli stavano preparando qualche brutto tiro, rientrò in Italia, e convocò a Lucca Pompeo e Crasso per rinsaldare con loro, a comune difesa, il triumvirato.

Roma infatti era in preda alle convulsioni, dacché Cesare aveva lasciato il consolato. Il campione degli aristocratici fino a quel momento era stato Catone, un reazionario piuttosto ottuso, ma galantuomo. Forse avrebbe avuto anche idee più aperte, se non avesse portato il nome di suo nonno, il grande Censore, che le aveva avute chiusissime. Quel nome lo rovinò, obbligandolo a recitare una parte in cui forse non credeva. Per difendere l'austerità degli antichi costumi, andava in giro scalzo e senza tunica, sempre brontolando contro quelli nuovi. Lo aveva fatto anche il primo Catone, ma mescolando ai suoi brontolii risate schiette e gorgoglianti, sarcasmi pungenti, strippate di fagioli e bevute di chianti. Suo nipote aveva un viso accigliato e scontroso, un colorito itterico da pastore protestante, e una bocca acerba, da zitella ossessionata dal rimorso dei peccati non commessi. Forse rompeva tanto le scatole agli altri perché se le rompeva anche lui, a fare sempre quella professione di moralista guastafeste. Ma poi era un moralista a modo suo, che non trovò nulla da obbiettare, per esempio, al fatto che sua moglie Marcia, scocciata anche lei da un marito così scocciante (e chi potrebbe darle torto, povera donna?), si prendesse per amico l'avvocato Ortensio, il rivale di Cicerone, ch'era bello e facondo come un Giovanni Porzio giovane. Anzi, quando se ne accorse, disse all'adultero: «La vuoi? Te la presto» (così almeno racconta Plutarco). Non solo. Ma quando, di lì a poco, Ortensio morì, Catone si riprese in casa Marcia e continuò a vivere con lei come se nulla fosse avvenuto.

Questo curioso uomo aveva tuttavia le sue qualità. Era, anzitutto, onesto. E ciò spiega come mai, in un'epoca in cui era in vendita tutto, ma specialmente i voti degli elettori, non riuscì a far carriera oltre il grado di pretore. I senatori, di cui egli difendeva il monopolio politico e che all'onestà non ci tenevano, avrebbero preferito ch'egli lottasse con armi più adeguate alla generale corruzione e al nemico

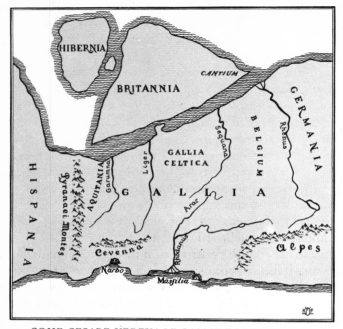

COME CESARE VEDEVA LE GALLIE E LA BRITANNIA:

Gallia est omnis divisa in partes tres, quarum unam incolunt Belgae, aliam Aquitani, tertiam, qui ipsorum lingua Celtae, nostra Galli appellantur (Caes. De bello Gallico, 1, 1).

L'IBERNIA è l'Irlanda attuale
Il CANTIUM la penisola inglese di Kent
Il fiume SEQUANA è la Senna
Il fiume LIGER la Loira
Il fiume GARUMNA la Garonna
Il fiume ARAR la Saona

che ora si trovavano di fronte: quel Clodio che, dopo la partenza di Cesare, era diventato il padrone di Roma e, fra le altre cose, aveva ottenuto dall'Assemblea che Catone fosse mandato come alto commissario a Cipro. Catone obbedì, e i conservatori si trovarono senza un capo (la testa l'avevano già persa da vari anni).

Per loro fortuna Clodio era, più che un grande politico, un grande demagogo, e quindi non aveva il senso della misura. Nel suo cieco odio contro Cicerone si mise a perseguitarlo obbligandolo a fuggire in Grecia, ne confiscò il patrimonio e ne fece radere al suolo il palazzo sul Palatino.

Ora, Cicerone non era a Roma quello che Cicerone credeva di essere. Ma rappresentava pur sempre una specie d'istituzione nazionale, e Pompeo e Cesare furono i primi a disapprovare quelle misure. Ma Clodio non se ne diede per inteso, si rivoltò contro i suoi due potenti padroni, arruolò una banda di manganellatori e si diede a terrorizzare la città. Quinto, il fratello di Cicerone, che aveva chiesto all'Assemblea di richiamare il proscritto, subì un attentato e se la cavò per miracolo. Ma perché la sua richiesta venisse accolta, Pompeo dovette assoldare a sua volta una squadra di delinquenti al comando di Annio Milone, un aristocratico con pochi quattrini e punti scrupoli come Clodio, cui mosse guerra. Roma diventò allora ciò che settant'anni fa era Chicago.

Cicerone, accolto al ritorno da grandi feste, diventò ora l'avvocato dei triumviri che lo avevano salvato, ne sostenne la causa di fronte al Senato, fece concedere a Cesare nuovi fondi per le sue truppe in Gallia e a Pompeo un commissariato con pieni poteri per sei anni per risolvere il problema alimentare della penisola. Ma nel 57 Catone tornò da Cipro dove aveva brillantemente assolto le sue mansioni e, sotto la sua guida, i conservatori ripresero la lotta contro i triumviri. Calvo e Catullo riempirono Roma di epigrammi contro di loro. Presentandosi candidato per il consolato del 56, l'aristocratico Domizio impostò la sua campagna elettorale sulla revoca delle Leggi Agrarie di Cesare. Cicerone fiutò, come al solito, il vento, credette che spirasse in favore delle destre, si schierò dalla parte di Domizio, e denunziò per malversazione Pisone, il suocero di Cesare.

Fu per mettere riparo a tutto questo che i triumviri s'incontrarono a Lucca, dove fu deciso che Crasso e Pompeo si ripresentassero al consolato e, dopo la vittoria, riconfermassero Cesare governatore della Gallia per altri cinque anni. Spirato il loro termine, Crasso avrebbe avuto la Siria e Pompeo la Spagna. Così, fra tutti e tre, sarebbero stati padroni di tutto quanto l'esercito.

Il piano funzionò perché le ricchezze di Crasso e di Pompeo, aumentate dai contributi di Cesare che ora aveva in mano il portafogli di tutta la Gallia, bastarono a comprare una maggioranza. E così il proconsole poté tornare nelle sue province, dove frattanto si profilava una nuova invasione germanica. Cesare massacrò gl'intrusi respingendoli oltre il Reno, poi attraversò con un piccolo distaccamento la Manica, e per la prima volta con lui i romani calpestarono il suolo inglese. Non si sa con precisione perché ci andò: forse solo per vedere cosa c'era. Ci rimase pochi giorni, sconfisse le poche tribù che trovò sulla sua strada, prese qualche appunto e tornò indietro. Ma l'anno dopo ritentò l'avventura con forze maggiori, batté un esercito indigeno guidato da Cassivelauno, si spinse fino al Tamigi, e forse sarebbe andato anche più in là, se di Gallia non gli fosse giunta la notizia che la rivolta era scoppiata.

Cesare lo ritenne lì per lì un episodio di ordinaria amministrazione. Sbarcato sul continente, sbaragliò gli eburoni che avevano preso l'iniziativa rivoluzionaria, e lasciò nelle loro settentrionali province il forte del suo esercito a presidiarle, per tornarsene con piccola scorta in Lombardia. Ma vi era da poco arrivato quando seppe che tutta la Gallia era in subbuglio, per la prima volta unita agli ordini di un abile capo, Vercingetorige. Cesare lo conosceva: era un guerriero dell'Alvernia, terra di soldatacci montanari e robusti, figliolo d'un Celtillo che aveva aspirato a diventare re di tutta la Gallia, e per questo i suoi lo avevano ammazzato. Forse il giovanotto nutriva le stesse ambizioni del padre e aveva sperato di ricevere l'investitura da Cesare, di cui si era mostrato amico. Deluso, si rivoltava. Ma, più giudizioso degli altri, faceva appello al sentimento nazionale e si era assicurato l'appoggio dei druidi, che gli avevano dato una sanzione religiosa.

Ora Vercingetorige stava con grosse forze fra Cesare a Sud e il suo esercito a Nord. La situazione non poteva essere peggiore. Cesare l'affrontò con la consueta audacia. Coi suoi sparuti drappelli, riattraversò le Alpi e prese a risalire la Francia, paese ormai tutto nemico. Camminò a piedi giorno e notte, alla testa dei suoi soldati, fra le nevi delle Cevenne, puntando sulla capitale avversaria. Vercingetorige vi accorse per difenderla. Cesare lasciò il comando a Decimo Bruto e, con una scorta di pochi cavalieri, filtrò fra le linee nemiche verso il grosso delle sue forze. Le riunì, batté separatamente gli àvari e i cenabi, saccheggiando le loro città, ma di fronte a Gergovia dovette ritirarsi, tallonato dagli edui, che aveva considerato i più fedeli tra i suoi alleati e che ora lo abbandonavano.

Si accorse di essere solo, uno contro dieci, in un paese ostile, e si considerò perduto. Giocando tutto per tutto, mosse su Alesia, dove Vercingetorige aveva ammassato l'esercito, e vi mise l'assedio. Subito, da tutte le parti i galli accorsero per liberare il loro capitano. Erano duecentocinquantamila quelli che si concentrarono contro le quattro legioni romane. Cesare ordinò ai suoi d'innalzare due valli: uno verso la città assediata, uno di fronte alle forze che accorrevano in suo aiuto. E fra questi due bastioni sistemò i suoi con le poche munizioni e vettovaglie che ancora avevano. Dopo una settimana di disperata resistenza su due fronti, i romani erano alla fame, ma i galli erano a loro volta nell'anarchia, e cominciarono a ritirarsi in disordine. Cesare racconta che, se avessero insistito ancora per un giorno, avrebbero vinto.

Vercingetorige in persona uscì dalla città stremata a chiedere grazia. Cesare la concesse alla città, ma i ribelli diventarono proprietà dei legionari che li rivendettero come schiavi e ci fecero il loro gruzzolo. Lo sfortunato capitano fu condotto a Roma, dove l'anno dopo seguì in catene il carro del trionfatore, che lo «sacrificò agli dèi», come si diceva a quei tempi.

Cesare rimase ancora quell'anno in Gallia a liquidare i resti della rivolta. Lo fece con una severità che non era abituale in lui, mostratosi sempre generoso con l'avversario vinto. Ma, una volta inflitto il castigo con la soppressione dei capi, tornò ai suoi metodi di clemenza e di comprensione. E così, dosando con sapienza il pugno duro e la carezza, fece dei galli un popolo rispettoso e attaccato a Roma, come si vide durante la guerra civile contro Pompeo, quando essi non abbozzarono nemmeno un tentativo per scuotere il tentennante giogo che li teneva soggetti.

Roma non si rese conto della grandezza del dono che il suo proconsole le aveva fatto. Essa vide nella Gallia soltanto una nuova provincia da sfruttare, grande due volte l'Italia e popolata di cinque milioni di abitanti. Certo, non poteva supporre che Cesare vi avesse fondato una nazione destinata a perpetuare e diffondere la civiltà e la lingua di Roma in tutta Europa. Eppoi, in quel momento non aveva tempo di occuparsi di queste faccende, impegnata com'era nelle sue discordie.

Crasso, dopo il consolato, era partito per la Siria, come si era stabilito a Lucca; nella sua smania di gloria militare aveva mosso guerra ai parti, ne era stato sconfitto a Carre e, mentre trattava col generale vincitore, questi lo aveva ucciso e ne aveva mandato la testa mozza a decorare in teatro una scena di Euripide. Pompeo invece, fattosi dare un esercito per governare la Spagna, era rimasto con esso in Italia in un atteggiamento che non lasciava presagire nulla di buono. Il più forte vincolo che lo univa a Cesare era scomparso con la morte di Giulia. Cesare gli offrì di rimpiazzarla con la nipotina Ottavia. E, il vedovo avendo rifiutato, offrì se stesso come sposo della figlia di lui al posto di Calpurnia da cui avrebbe divorziato. A Roma si passava con disinvoltura dalla condizione di suocero a quella di genero. Ma Pompeo respinse anche questa proposta: non teneva a una parentela con Cesare, perché finalmente s'era messo d'accordo coi conservatori e n'era diventato il campione. Sapendo che il proconsolato di Cesare sarebbe finito nel 49, si fece protrarre il proprio fino al 46. Così sarebbe rimasto il solo, fra i due, ad avere un esercito.

La democrazia agonizzava sotto i colpi di Clodio e di Milone che l'avevano ridotta a una questione di manganelli. Alla fine Milone accoppò Clodio, che poco prima gli aveva bruciato la casa. La plebe tributò al defunto onoranze da martire, ne portò il cadavere in Senato e appiccò il fuoco al palazzo. Pompeo chiamò i suoi soldati a sedare il tumulto, e così rimase padrone della città. Cicerone salutò in lui il «console senza collega»; e la formula piacque ai conservatori che l'adottarono perché consentiva di attribuire a Pompeo i poteri del dittatore evitando la sgradita parola. Pompeo acquartierò in Roma tutto il suo esercito, all'ombra del quale l'Assemblea tenne le sue sedute e i tribunali i loro processi. Fra questi ultimi, famoso quello di Milone che venne condannato per l'assassinio di Clodio, nonostante la difesa di Cicerone, il quale poi pubblicò la sua arringa. Quando Milone, fuggito a Marsiglia, la lesse, esclamò: «O Cicerone, se tu avessi davvero pronunziato le parole che hai scritto, non sarei qui a mangiar pesce!». Il che ci fa nascere molti dubbi sulla rispondenza degli scritti del grande avvocato coi suoi discorsi veri.

Pompeo ripropose la legge che esigeva la presenza in città per concorrere al consolato. L'Assemblea, presidiata dalle sue truppe, approvò. Era l'esclusione di Cesare, che non poteva tornare prima del giorno fissato per il trionfo. Correva l'anno 49, la carica di Cesare spirava il 1° di marzo, ma Marco Marcello sostenne che bisognava anticipare quel termine. I tribuni della plebe opposero il veto, ma il veto presupponeva una legalità democratica che non c'era più. E Catone rincarò la dose proclamando che Cesare doveva essere processato e bandito dall'Italia.

Come ringraziamento per la conquista della Gallia, non c'era male.

IL RUBICONE

Le esitazioni di Cesare prima di scatenare la guerra civile hanno fatto la gioia di molti scrittori e la fortuna di un fiumiciattolo, di cui altrimenti nessuno conoscerebbe il nome: il Rubicone. Esso marcava, presso Rimini, il confine fra la Gallia Cisalpina, dove il proconsole aveva diritto di tenere i suoi soldati, e l'Italia vera e propria, dove la legge gli vietava di condurli; e fu sulle sue sponde che gli storici descrivono Cesare meditabondo e roso dai dubbi. Ma il fatto è che quando Cesare giunse lì, la decisione l'aveva già presa o, per meglio dire, gliel'avevano già imposta.

Pur di evitare una lotta fra romani, egli aveva accettato tutte le proposte avanzate da Pompeo e dal Senato che ormai erano una cosa sola: di mandare una delle sue scarsissime legioni in Oriente a vendicarvi Crasso, di restituirne un'altra a Pompeo che gliel'aveva prestata per le operazioni in Gallia. Ma quando il Senato definitivamente gli rispose impedendogli di concorrere al consolato e mettendolo alla scelta: o sbandare l'esercito, o essere dichiarato nemico pubblico, egli comprese che, scegliendo la prima alternativa, si consegnava inerme nelle mani di uno stato che voleva la sua pelle. Avanzò ancora un'ultima proposta, che i suoi luogotenenti Curione e Antonio vennero a leggere, sotto forma di lettera, in Senato: egli avrebbe congedato otto delle sue dieci legioni, se gli prolungavano il governatorato della Gallia fino al 48. Pompeo e Cicerone si pronunziarono in favore; ma il console Lentulo cacciò i due messi fuori dall'aula, e Catone e Marcello chiesero al Senato, che consentì controvoglia, di conferire a Pompeo i poteri per impedire che «pregiudizio fosse recato alla cosa pubblica». Era la formula di applicazione della legge marziale. Essa metteva definitivamente Cesare con le spalle al muro.

Cesare adunò la sua legione favorita, la tredicesima, e parlò ai soldati, chiamandoli non *milites*, ma *commilitones*. Poteva farlo. Oltre che il loro generale, egli era stato davvero anche il loro compagno. Erano dieci anni che li conduceva di fatica in fatica e di vittoria in vittoria, alternando sapientemente l'indulgenza al rigore. Quei veterani erano veri e propri professionisti della guerra, se ne intendevano, e sapevano misurare i loro ufficiali. Per Cesare, che di rado era dovuto ricorrere alla propria autorità per affermare il proprio prestigio, avevano un rispettoso affetto. E quando egli ebbe spiegato loro come stavano le cose e chiese se se la sentivano di affrontare Roma, la loro patria, in una guerra che, a perderla, li avrebbe qualificati traditori, risposero di sì all'unanimità. Erano quasi tutti galli del Piemonte e della Lombardia: gente a cui Cesare aveva dato la cittadinanza che il Senato si ostinava a disconoscerle. La loro patria era lui, il generale. E quando questi li avvertì che non aveva neanche i soldi per pagar loro la cinquina, essi risposero versando nelle casse della legione i loro risparmi. Uno solo disertò per schierarsi con Pompeo: Tito Labieno. Cesare lo considerava il più abile e fidato dei suoi luogotenenti. Gli spedì dietro il bagaglio e lo stipendio, che il fuggiasco non si era curato di ritirare.

Il 10 gennaio di quell'anno 49 «trasse il dado» com'ebbe a dire egli stesso, cioè passò il Rubicone con quella legione, seimila uomini, contro i sessantamila che Pompeo già aveva raccolto. A Piceno lo raggiunse la dodicesima, a Corfinio l'ottava. Altre tre ne formò con volontari del posto, che non avevano dimenticato Mario e ne vedevano in Cesare, suo nipote, il continuatore. «Le città si aprono dinanzi a lui e lo salutano come un dio» scrisse Cicerone, che cominciava a non essere più sicuro di aver scelto bene schierandosi coi conservatori. In realtà l'Italia era stanca di costoro e non opponeva resistenza al ribelle, che la ripagava con lungimirante clemenza: niente saccheggi, niente prigionieri, niente epurazioni.

Durante questa incruenta avanzata su Roma, Cesare seguitò a cercare un compromesso, o almeno a darsi le arie di cercarlo. Scrisse a Lentulo prospettandogli i disastri cui Roma poteva andare incontro con quella lotta fratricida; scrisse a Cicerone dicendogli di riferire a Pompeo ch'egli era pronto a ritirarsi a vita privata, se gli garantivano la sicurezza. Ma, senza aspettare le risposte, seguitò ad avanzare contro Pompeo che avanzava anche lui, ma verso Sud.

Pur respingendo le offerte di Cesare, i conservatori avevano abbandonato Roma, dopo aver dichiarato che avrebbero considerato nemici i senatori che vi fossero rimasti. Carichi di soldi, di pretese e d'insolenza, ognuno con servi, mogli, amiche, efebi, tende di lusso, biancheria di lino, uniformi e pennacchi, questi aristocratici facevano schiamazzante codazzo a Pompeo, frastornandogli il cervello con le loro chiacchiere. Pompeo non aveva avuto gran carattere nemmeno quand'era giovane e magro. Ora, invecchiato e imbolsito, aveva perso anche quel poco; e per non affrontare una decisione, seguitò a ritirarsi fino a Brindisi, dove caricò tutto il suo esercito sulle navi e lo traghettò a Durazzo. Curiosa tattica, per un generale che aveva un esercito doppio di quello avversario. Ma disse che voleva allenarlo e disciplinarlo, prima di affrontare la battaglia risolutiva.

Cesare entrò in Roma il 16 marzo, lasciando l'esercito fuori della città. Si era ribellato allo stato, ma ne rispettava i regolamenti. Chiese il titolo di dittatore, e il Senato rifiutò. Chiese che fossero mandati messi di pace a Pompeo, e il Senato rifiutò. Chiese di poter disporre del Tesoro, e il tribuno Lucio Metello oppose il veto. Cesare disse: «Tanto mi è difficile pronunciare minacce, quanto mi è facile eseguirle». Subito il Tesoro gli venne messo a disposizione. Cesare, primo di vuotarlo per impinguare le casse dei suoi reggimenti, vi versò tutto il bottino accumulato nelle ultime campagne. Il furto, sì; ma, prima, la legalità.

I conservatori preparavano la riscossa ammassando tre eserciti: quello di Pompeo in Albania, quello di Catone in Sicilia, e un altro in Spagna. Contavano di far capitolare Cesare e l'Italia per fame, senza bisogno di una battaglia che paventavano. Cesare mandò in Sicilia due legioni al comando di Curione, che inseguì Catone imbarcatosi per l'Africa, lo attaccò senz'adeguata preparazione, fu sconfitto e morì in combattimento chiedendo perdono a Cesare del male che gli aveva fatto. Contro la Spagna andò Cesare in persona per assicurarsi i rifornimenti di grano. Credeva che i pompeiani vi fossero meno forti e si trovò di fronte a impreviste difficoltà. Ma Cesare dava il meglio di sé nei momenti di pericolo. Un giorno, assediato, dirottò un fiume e divenne assediante. Il nemico capitolò, e la Spagna fu di nuovo sotto il controllo di Roma. Il popolo, liberato dallo spettro della carestia, lo acclamò, e il Senato gli diede il titolo di dittatore. Ma ora fu Cesare a rifiutarlo: gli bastava quello di console, che gli conferirono gli elettori.

Con l'abituale speditezza, rimise ordine nelle faccende interne dello stato, ma senza processi, né bandi, né confische. Poi radunò l'esercito a Brindisi, imbarcò ventimila uomini sulle dodici navi che aveva a disposizione, e li sbarcò in Albania sulle tracce di Pompeo, che rimase di stucco convinto com'era che d'inverno nessuno avrebbe osato traversare quel braccio di mare pattugliato dalla sua potente flotta. Perché non abbia attaccato subito quel temerario nemico, capitatogli a tiro con sì poche forze, non lo si è mai saputo. Eppure, ebbe dalla sua anche la tempesta che mandò a picco la squadra di Cesare, impedendole di traghettare il resto dell'esercito. Sulla barca con cui cercò di raggiungere tuttavia la costa italiana, Cesare gridava ai vogatori atterriti: «Non abbiate paura: state trasportando Cesare e la sua stella». Ma l'uragano ributtò sugli scogli l'uno e l'altra, che, se Pompeo in quel momento avesse preso l'iniziativa, non sarebbero mai più risorti.

Il tempo finalmente si rimise al bello, e in rinforzo alle demoralizzate truppe di Cesare giunse Marc'Antonio, il migliore dei suoi luogotenenti, con altri uomini e la sussistenza. Prima di attaccare, Cesare dice di aver mandato a Pompeo una nuova proposta di pace, che non ebbe effetto. Ma nemmeno l'attacco di Cesare ebbe effetto. Pompeo resisté, prese alcuni prigionieri, e li uccise. Anche Cesare prese dei prigionieri, ma li arruolò. I suoi veterani riconobbero che la battaglia era andata male perché non ci avevano messo impegno e chiesero di esserne castigati. Cesare rifiutò ed essi lo supplicarono di ricondurli all'attacco. Egli invece li condusse in Tessaglia a riposarsi e a rifocillarsi in quel granaio.

Nel campo di Pompeo, Afranio consigliava di tornare nell'indifesa Roma abbandonando Cesare al suo destino. Ma la maggioranza fu per dargli il colpo di grazia perché lo consideravano ormai già vinto. Pompeo che, non avendo idee, seguiva quelle degli altri, mosse dietro al nemico, e lo raggiunse nella piana di Farsalo. Aveva cinquantamila fanti e settemila cavalieri; Cesare, ventiduemila fanti e mille cavalieri. La vigilia della battaglia, nel campo di Pompeo ci furono gran banchetti, discorsi, bevute e brindisi alla certa vittoria. Cesare mangiò un rancio di grano e cavoli coi suoi soldati, nel fango della trincea. Di fronte a lui, che impartiva ordini indiscutibili ai suoi ufficiali, c'erano mille strateghi chiacchieroni con mille piani diversi e un generale che aspettava che gliene suggerissero uno.

Farsalo fu il capolavoro di Cesare, che perse duecento uomini soli, ne uccise quindicimila, ne catturò ventimila, ordinò di risparmiarli, e celebrò la vittoria consumando, sotto la sontuosa tenda di Pompeo, il pranzo che i cuochi avevano preparato a costui per celebrarne il trionfo. Lo sventurato generale in quel momento cavalcava verso Larissa, sempre seguito da quella turba di aristocratici fannulloni, tra i quali c'era anche un certo Bruto, di cui Cesare aveva cercato il cadavere sul campo di battaglia col terrore di trovarcelo. Era figlio della sua vecchia amante Servilia, la sorellastra di Catone, e forse ne era egli stesso il padre. Respirò, quando ricevette da Larissa una lettera di lui che gli chiedeva perdono e ne impetrava altrettanto per il cognato Cassio, che aveva sposato sua sorella Terzia (succeduta a sua madre Servilia nelle grazie di Cesare) e che era caduto prigioniero con gli altri pompeiani.

Cesare diede subito l'assoluzione ad ambedue perché Roma era allora ciò che Ennio Flaiano dice che oggi è l'Italia: un paese non soltanto di poeti, di eroi, di navigatori, ma anche di zii, di nipoti e di cugini.

Ma torniamo a Pompeo che, raggiunta a Mitilene sua moglie, con essa s'imbarcava alla volta dell'Africa, probabilmente col proposito di mettersi alla testa dell'ultimo esercito senatoriale: quello che erano venuti organizzando a Utica Catone e Labieno. La nave gettò l'àncora nelle acque d'Egitto, stato vassallo di Roma, che lo amministrava attraverso il suo giovane re, Tolomeo XII. Era un signorotto mezzo degenerato e mezzo citrullo, in balìa di un *vizir*, cioè di un primo ministro eunuco e canaglia: Potino. Costui sapeva già di Farsalo, e credette di assicurarsi la gratitudine del vincitore assassinando il vinto. Pompeo fu pugnalato alle spalle sotto gli occhi della moglie, mentre sbarcava da una scialuppa. E la sua testa fu presentata a Cesare che storse la propria con orrore, quando arrivò e la vide. Cesare non amava il sangue, nemmeno quello dei suoi nemici. E non c'è dubbio che avrebbe graziato Pompeo, se lo avesse catturato vivo.

Ormai ch'era lì, Cesare volle, prima di tornare a Roma, mettere a posto le faccende di quel paese, che da tempo stava andando in malora. Tolomeo avrebbe dovuto, secondo il testamento di suo padre, dividere il trono con sua sorella Cleopatra, dopo averla sposata (questi amori tra fratelli in Egitto son rimasti frequenti fino a Faruk: fanno parte del «color locale»). Ma Cleopatra, quando Cesare giunse, non c'era: Potino l'aveva confinata e rinchiusa per poter fare il suo comodo. Cesare la mandò a chiamare di nascosto. Per raggiungerlo, essa si fece nascondere tra le coltri di un letto che il servo Apollodoro doveva portare negli appartamenti dell'illustre ospite a palazzo reale. Questi la trovò al momento di coricarsi: un momento particolarmente propizio a una donna di quella fatta.

Non bellissima, ma piena di *sex-appeal*, bionda, serpentina, maestra sapiente di ciprie e di cosmetici, con una voce melodiosa che non corrispondeva affatto, come spesso capita, al suo carattere avido e calcolatore, intellettuale quanto bastava per tenere in piedi con brio una conversazione, e assolutamente ignara di tutto quel che potesse rassomigliare al pudore; era proprio quel che ci voleva per un donnaiolo spregiudicato come Cesare dopo tutti quei mesi di trincea e di astinenza. Perché in fatto di femmine Cesare era rimasto quello di prima e di sempre: per lui, quel ch'era lasciato era perso.

L'indomani egli rimise d'accordo fratello e sorella, cioè praticamente ridiede tutto il potere a costei ai danni di Potino che venne discretamente soppresso, con la scusa, forse vera, che stava tramando un complotto. Purtroppo, la città insorse contro Cesare, e la guarnigione romana che la presidiava si unì ai ribelli. Cesare coi suoi pochi uomini trasformò il palazzo reale in un fortino, spedì un messo in Asia Minore a chiedere rinforzi, fece bruciare la flotta perché non cadesse in mano al nemico (e purtroppo l'incendio si propagò anche alla grande biblioteca, onore e vanto di Alessandria), e con un colpo di mano ch'egli stesso guidò gettandosi a nuoto, s'impadronì dell'isolotto di Faro, dove aspettò i rinforzi che sopraggiungevano per mare. Tolomeo credette ch'egli fosse perduto, si unì ai ribelli, e non se ne seppe più nulla. Cleopatra rimase coraggiosamente con Cesare che, al sopraggiungere dei suoi, sbaragliò gli egiziani e la rimise sul trono.

Rimase nove mesi con lei, quanti le occorsero per mettere al mondo un bambino che fu chiamato, perché non ci fossero dubbi sulla sua paternità, Cesarione. Dovett'essere un grande amore, per rendere Cesare sordo agli appelli di Roma, caduta preda in sua assenza delle «squadre» di Milone, tornato da Marsiglia. Finalmente, alla notizia ch'egli stava per intraprendere con lei un lungo viaggio sul Nilo, i suoi stessi soldati si ribellarono: fra loro era corsa voce che il generale volesse sposarla e restare in Egitto come re del Mediterraneo.

Allora Cesare si scosse, si rimise alla testa dei suoi, accorse in Asia Minore dove «venne, vide e vinse» a Zela, contro Farnace, il ribelle figlio di Mitridate.

Poi s'imbarcò per Taranto, dove Cicerone e altri ex conservatori gli vennero incontro con la testa coperta di cenere. Con la consueta magnanimità, Cesare troncò loro in bocca le parole di contrizione e tese la mano. Tutti ne furono talmente felici, che non ebbero né il tempo né la voglia di scandalizzarsi per il fatto che il padrone tornasse in una Roma piena di stragi e di lutti, portandosi al seguito una donna vestita e truccata come una sciantosa che si spingeva avanti la carrozzella con dentro un marmocchio piagnucoloso.

Con questa vivente «preda bellica» egli si ripresentò all'Urbe e alla propria moglie Calpurnia, che non batté ciglio perché c'era abituata. Essa tuttavia fu l'unica, probabilmente, ad accorgersi che Cleopatra aveva il naso un po' lungo. E siamo sicuri che la cosa le fece molto piacere.

GL'IDI DI MARZO

La situazione a Roma non era allegra. Il grano non arrivava più dalla Spagna, dove il figlio di Pompeo aveva organizzato un altro esercito, né dall'Africa, dove Catone e Labieno erano ormai padroni del campo e avevano ai loro ordini forze uguali a quelle ch'erano state sconfitte a Farsalo. All'interno il caos dilagava. Il genero di Cicerone, Dolabella, si era coalizzato con Celio, il successore di Clodio e il capo degli estremisti. Insieme essi avevano ordinato la cancellazione di tutti i debiti, che voleva dire il marasma economico, e richiamato da Marsiglia Milone, il gran maestro della demagogia e del manganello. Marc'Antonio che, in rappresentanza di Cesare, doveva mantenere l'ordine e aveva la maniere spicce del soldataccio, aveva scatenato la truppa, un migliaio di romani erano stati sgozzati nel Foro, e Celio e Milone erano fuggiti per organizzare la rivolta in provincia, dove varie legioni si erano ribellate.

Cesare, abituato a battersi a destra, cioè contro i reazionari, detestava aver nemici a sinistra e non voleva far la fine di Mario, costretto, per rimettere ordine, a massacrare i suoi. Cominciò a dipanare la sua matassa politica dai soldati «perché» disse «essi dipendono dal denaro, che dipende dalla forza, che dipende da loro». Si presentò solo e disarmato alle legioni rivoltate, e disse con la sua abituale calma che riconosceva legittime le loro rivendicazioni e che le avrebbe soddisfatte al ritorno dall'Africa, dove andava a combattere «con altri soldati». A quelle parole, dice Svetonio, i veterani trasalirono di vergogna e di pentimento, gridarono che questo non poteva essere, che i soldati di Cesare erano loro e intendevano restarlo. Cesare finse qualche difficoltà, poi si arrese per il semplice motivo che di soldati non ne aveva altri. Quel gran generale era anche, come oggi si direbbe, un gran filone. Caricò sulle navi quella truppa che ribolliva di ardori di redenzione, sbarcò in Africa nell'aprile del 46, a Tapso, e trovò ad aspettarlo ottantamila uomini al comando di Catone, Metello Scipione, il suo ex luogotenente Labieno, e Giuba, re di Numidia.

Ancora una volta si trovò a lottare uno contro tre. Ancora una volta perse il primo scontro. Ancora una volta vinse la battaglia decisiva, che fu terribile. In quest'occasione i suoi soldati non rispettarono gli ordini di clemenza e massacrarono i prigionieri. Giuba si uccise sul campo. Scipione fu raggiunto sul mare e accoppato. Catone si rinchiuse a Utica con un piccolo distaccamento, consigliò a suo figlio di sottomettersi a Cesare, distribuì il denaro che aveva in cassa a quanti gliene chiesero per fuggire, offrì un pranzo ai suoi più intimi amici, li intrattenne su Socrate e Platone. Poi, ritiratosi nella sua stanza, s'immerse il pugnale nella pancia. I servi se ne accorsero e chiamarono un dottore che alla meglio rimise al loro posto gl'intestini traboccanti fuor della ferita e la bendò. Catone si finse in coma. Poi, quando fu lasciato solo, si tolse la fasciatura, e riaprì lo squarcio con le proprie mani.

Lo trovarono morto, con la testa reclinata sulle pagine del *Fedone* di Platone. Cesare, addolorato, disse che non poteva perdonargli di avergli tolto l'occasione di perdonarlo. Gli fece fare solenni funerali e riversò la sua clemenza sul figlio. Egli stesso sentiva forse che quell'uomo sgradevole e per molti rispetti antipatico si portava nella tomba le virtù della Roma repubblicana. Avrebbe volentieri barattato la vita di quel nemico con quella di molti amici: Cicerone, per esempio.

Dopo una breve sosta a Roma, andò a dare il colpo di grazia all'ultimo esercito pompeiano, quello di Spagna. Lo sbaragliò a Munda, e finalmente poté dedicarsi interamente all'opera di riorganizzazione dello stato. Ne aveva ormai i poteri perché il Senato gli aveva concesso il titolo di dittatore dapprima per dieci anni, poi a vita. Ma l'impresa era gigantesca, e avrebbe richiesto una classe dirigente che Cesare non aveva. Egli invitò i suoi antichi avversari aristocratici, ch'erano i più competenti, a collaborare con lui. Gli risposero con sarcasmi e complotti, ritirando fuori la vecchia favola del progettato matrimonio con Cleopatra e del trasferimento della capitale ad Alessandria. Cesare non poté contare che su un gruppo di pochi amici fidati, ma inesperti di amministrazione, con cui formò una specie di ministero: Balbo, Marc'Antonio, Dolabella, Oppio, eccetera. L'Assemblea era dalla parte sua. Il Senato lo ridusse a un corpo puramente consultivo, dopo averne portato i membri da sei a novecento con l'immissione di nuovi elementi scelti parte tra la borghesia di Roma, parte tra quella di provincia, parte tra i suoi vecchi ufficiali celti, molti dei quali erano figli di schiavi.

Questa manovra faceva parte di un più vasto progetto che Cesare aveva abbozzato quando aveva concesso la cittadinanza alla Gallia Cispadana. Il Senato non aveva mai convalidato quella misura; ma ora dovette accettare ch'essa venisse estesa a tutta l'Italia. Cesare aveva capito che non c'era più nulla da sperare dai romani di Roma, ormai ammolliti, imbastarditi e incapaci di fornire altro che degl'intrallazzatori e dei disertori. Egli sapeva che il buono era solo in provincia, dove la famiglia era rimasta salda, i costumi sani, l'educazione severa. E con questi provinciali di origine contadina o piccoloborghese intendeva riformare i quadri della burocrazia e dell'esercito.

La sua vera rivoluzione era questa, ed egli cercò di realizzarla attraverso la grande riforma agraria progettata dai Gracchi. Per riuscirvi, chiamò a collaborare l'alta borghesia industriale e mercantile, che finanziò l'operazione. Grandi capitalisti come Balbo e Attico diventarono i suoi banchieri e consiglieri. Cesare spiegò in questa bisogna la stessa energia che aveva spiegato come generale in battaglia. Voleva tutto vedere, tutto sapere, tutto decidere. Non ammetteva sprechi e incompetenze. E per escludere gli uni e le altre, il tempo non gli bastava mai. La politica del pieno impiego della manodopera si conciliava benissimo col «mal della pietra» che lo affliggeva. Cesare era un costruttore nato e trascorreva in letizia le sue indaffaratissime giornate. I pettegolezzi dei suoi nemici contro di lui, invece d'irritarlo, lo divertivano.

Se li faceva raccontare per poi riraccontarli egli stesso a Calpurnia, con la quale era tornato a vivere dopo la parentesi di Cleopatra. Era, a modo suo, un buon marito che ripagava la moglie di tutte le corna che le aveva messo, con mille attenzioni, una profonda stima e un affettuoso cameratismo. Aveva sempre qualcosa da raccontarle, quando tornava dall'ufficio, dove trattava collaboratori e sottoposti col signorile distacco che gli era abituale. Era accurato nel vestire, e delle facoltà insite nel suo titolo di dittatore approfittava solo di quella che gli consentiva di portare la corona di lauro sulla testa per nascondere la calvizie. Faceva tutto con eleganza: anche il regalo del perdono a chi gli aveva recato offesa. Anzi, le offese preferiva, se poteva, ignorarle. Per questo aveva bruciato, senza leggerla, la corrispondenza che Pompeo aveva lasciato nella sua tenda a Farsalo, e quella di Scipione a Tapso. Chissà quante porcherie, tradimenti, doppi giuochi ci avrebbe scoperto. Quando aveva saputo che Sesto si preparava a vendicare il padre in Spagna, gli aveva mandato i nipoti rimasti a Roma. E dei suoi due avversari Bruto e Cassio aveva fatto due governatori di provincia. Forse in questa magnanimità c'era anche un po' di disprezzo per gli uomini: un carattere che si accompagna quasi sempre alla grandezza. E forse in questo disprezzo sta anche la ragione della sua totale indifferenza ai pericoli che lo minacciavano. Egli non poteva ignorare che intorno a lui si complottava e che la generosità è uno stimolante, non un sedativo, dell'odio. Ma non riteneva i suoi nemici abbastanza coraggiosi per osare. E sognava nuove imprese: di vendicare Crasso contro i parti, di estendere l'impero sulla Germania e la Scizia, di rifondere definitivamente tutta la società italiana sul livello di una classe media provinciale e campagnola più vigorosa e aderente all'antico costume.

Nel febbraio di quell'anno 48 stava già redigendo i piani per quelle campagne, quando Cassio si mise alla testa della cospirazione e cercò di attirarvi Bruto, che Cesare seguitava ad amare come un suo figlio, forse sapendo che lo era. I romanzieri e i drammaturghi hanno poi fatto di questo giovanotto un eroe delle libertà repubblicane. Noi dubitiamo che lo fosse. Il complotto era ammantato di nobili ideali: diceva di voler la morte di un tiranno che aspirava alla corona di re per dividerla con Cleopatra, la meretrice forestiera, eppoi lasciarla al bastardo Cesarione dopo averne trasferito la capitale in Egitto. O non si era fatto innalzare una statua accanto a quella dei vecchi re? O non aveva fatto incidere il proprio volto sulle nuove monete? Il potere gli aveva dato alla testa, già turbata da un ritorno di attacchi epilettici. Meglio, anche per lui e per la sua memoria, sopprimerlo, prima che avesse il destro di distruggere in un colpo solo la libertà e la supremazia di Roma.

Furono questi probabilmente gli argomenti che il «pallido e magro» Cassio, come lo descrive Plutarco, usò per convincere suo cognato. Ma forse quelli che trionfarono furono altri, più personali e segreti. Bruto detestava Cesare non perché ignorava di esserne il figlio, ma perché sapeva di esserlo. Forse egli non aveva mai perdonato a sua madre di aver fatto di lui un bastardo. Ma sono supposizioni perché Bruto era taciturno e segreto. Una fonte molto dubbia ha riferito ch'egli scrisse in una lettera a un amico: «I nostri antichi ci hanno insegnato che non bisogna subire un tiranno, anche se è nostro padre». Ma è troppo facile attribuire simili pensieri a un uomo dopo che li ha messi in pratica.

Era un uomo colto, che sapeva di greco e filosofia. Aveva governato con onestà e competenza la Gallia Cisalpina datagli in appalto da Cesare. Aveva sposato sua cugina Porzia, la figlia di suo zio Catone, che certo non doveva disporlo favorevolmente verso il dittatore. Ma la cosa più preoccupante di lui era che scriveva saggi sulla Virtù. La Virtù è una di quelle signore perbene che si amano, quando si amano, senza parlarne.

Ai primi di marzo, dopo averlo ben bene «lavorato», Cassio venne a dirgli che ai prossimi idi, cioè il 15, Cesare avrebbe fatto il gran colpo. Il suo luogotenente Lucio Cotta avrebbe proposto all'Assemblea, già decisa ad approvare, di proclamare re il dittatore perché la Sibilla aveva predetto che solo da un re potevano essere battuti i parti, contro cui si stava preparando la spedizione. Sull'opposizione del Senato non c'era da sperare: la sua recente riforma aveva dato la maggioranza ai cesariani. Non restava quindi che il pugnale, prima che fosse troppo tardi. Questa conversazione si svolse alla presenza di Porzia che caldeggiò la tesi di Cassio e, per mostrare che avrebbe saputo tenere il segreto anche sotto la tortura, s'immerse il pugnale in una coscia. Bruto si arrese, anche per non mostrarsi da meno della moglie.

Cesare, quella sera, pranzava in casa con alcuni amici. Secondo il costume degli anfitrioni romani, propose un tema di conversazione: «Che morte preferireste?». Ognuno disse la sua. Cesare si pronunciò per una fine rapida e violenta. L'indomani mattina Calpurnia gli disse di averlo sognato coperto di sangue e lo pregò di non andare in Senato. Ma un amico che apparteneva alla congiura venne invece a sollecitarlo, e Cesare lo seguì mancandone di poco un altro a lui fedele che veniva a informarlo del complotto.

Per strada un chiromante gli gridò di guardarsi degl'idi di marzo. «Ci siamo già» rispose Cesare. «Ma non sono passati» ribatté l'altro. Nel momento di entrare in aula, qualcuno gli mise in mano un papiro arrotolato. Cesare credette che si trattasse di una delle solite suppliche e non lo svolse. Lo aveva ancora in pugno quando morì: era una circostanziata denuncia.

Era appena entrato nell'aula, che i congiurati gli furono tutti addosso col pugnale. L'unico che poteva difenderlo, Marc'Antonio, era stato trattenuto in anticamera da Trebonio. Cesare dapprima cercò di ripararsi col braccio, ma smise quando vide, fra gli assassini, anche Bruto. È molto probabile che abbia detto effettivamente: «Anche tu, figlio mio?», come ha raccontato Svetonio. È una frase che avrebbe pronunciato qualunque padre, in quelle condizioni.

Cadde trafitto di colpi ai piedi della statua di Pompeo, che aveva fatto egli stesso installare lì e cui usava inchinarsi quando vi passava davanti.

Il colpo lasciò sgomenti e incerti coloro stessi che lo avevano fatto. Agitando il pugnale insanguinato, Bruto lanciò un reboante evviva a Cicerone, chiamandolo «Padre della Patria» e invitandolo a tenere un discorso. Atterrito all'idea di venire mescolato in quella faccenda e avvertendo l'inopportunità di ogni retorica, il grande avvocato rimase, per la prima volta in vita sua, senza parola. Marc'Antonio rientrò, vide il cadavere steso per terra, e tutti si aspettarono da lui uno scoppio d'ira vendicatrice. Invece il «fedelissimo» tacque e silenziosamente uscì. Fuori, la folla si ammassava inquieta per la notizia che già aveva cominciato a circolare. Timorosamente, i congiurati si fecero sul portone, e qualcuno di loro cercò di spiegare l'accaduto giustificandolo come un trionfo della libertà. Ma la parola non aveva più alcun fascino per i romani che l'accolsero con minacciosi brontolii. I congiurati si ritirarono, barricandosi in Campidoglio e mettendovi a guardia i loro servi armati, e mandarono un messaggio a Marc'Antonio perché accorresse a trarli d'impaccio.

Il «fedelissimo» venne l'indomani, quando Bruto e Cassio avevano già inutilmente pronunciato un secondo discorso per calmare la folla, sempre più minacciosa. Vi riuscì alla meglio lui con un abile discorso, in cui chiese il mantenimento dell'ordine promettendo in cambio il castigo dei colpevoli. Poi andò da Calpurnia, annientata dal dolore, e si fece dare, sigillato in busta, il testamento di Cesare. Lo consegnò alle Vestali, com'era l'uso di Roma, senz'aprirlo, tanto era sicuro di esservi designato come erede. Mandò segretamente a chiamare le truppe accampate fuor di città; e, tornato in Senato, pronunciò un'allocuzione di cesareo equilibrio ch'era già un programma di governo e mirava alla distensione. Approvò la proposta di amnistia generale avanzata da Cicerone a patto che il Senato ratificasse tutti i progetti lasciati in sospeso da Cesare. Promise a Cassio e a Bruto un governatorato che gli consentisse di allontanarsi da Roma, e li trattenne quella sera a cena con sé.

Il 18 fu incaricato di pronunciare l'elogio di Cesare in occasione del suo funerale, che fu quanto di più solenne si fosse mai visto a Roma. La comunità israelitica, grata a Cesare dell'amichevole trattamento che ne aveva ricevuto, seguiva il feretro mescolata ai veterani cantando i suoi antichi e solenni inni. I soldati gettarono le loro armi sulla pira, gli attori e i gladiatori i loro costumi. Tutta la notte l'intera cittadinanza rimase raccolta intorno alla bara.

L'indomani Antonio si fece consegnare il testamento dalle Vestali, solennemente lo aprì dinanzi alle alte cariche dello stato, e ne diede pubblica lettura. Della sua privata fortuna che ammontava a circa cento milioni di sesterzi, Cesare ne lasciava a ogni cittadino romano; e al municipio, come pubblico parco, donava i suoi meravigliosi giardini. Il resto doveva essere diviso fra i tre suoi pronipoti, uno dei quali, Caio Ottavio, veniva adottato come figlio e designato erede.

Il «fedelissimo» che quarantott'ore dopo l'assassinio del suo capo aveva invitato a cena gli assassini, era ripagato della sua strana fedeltà.

ANTONIO E CLEOPATRA

Salvo i più intimi amici di casa, che ve lo avevano visto adolescente, nessuno a Roma conosceva questo Caio Ottavio, destinato a cambiare due volte di nome, e con l'ultimo, Augusto, a passare alla storia come il più grande uomo di stato di Roma. Sua nonna era stata Giulia, la sorella di Cesare, andata sposa a un provinciale di Velletri, cafone e quattrinaio. Suo padre aveva fatto una discreta carriera ed era finito governatore in Macedonia. Quanto a lui, il ragazzo, era cresciuto sotto una disciplina quasi spartana, aveva studiato con profitto, e lo zio Cesare che, rimasto senza figli legittimi nonostante tutte quelle mogli che aveva impalmato, se l'era preso in casa, ci s'era affezionato. Se l'era condotto dietro in Spagna, quando vi andò nel 45 a debellarvi gli ultimi pompeiani. E in quell'occasione aveva ammirato la forza di volontà di quel giovanottello imberbe e fragile nell'affrontare fatiche sproporzionate alla sua salute. Infatti soffriva di colite, di eczema e di bronchitelle: malanni che col tempo diventarono sempre più acuti e l'obbligarono a vivere come un pulcino nella stoppa, con pancere, scialli, berretti di lana, un armamentario di pillole, unguenti e sciroppi al seguito, e un medico a portata di mano, anche in battaglia. Non beveva, mangiava come un uccellino, aveva un sacrosanto terrore degli spifferi, ma affrontava il nemico col più freddo coraggio, e non compiva un gesto, anche il più ordinario, senz'averne prima soppesato accuratamente i pro e i contro.

Cesare, il brillante improvvisatore scavezzacollo e di manica larga, dalla generosità irriflessiva, dalla parola pronta e dal gesto vivace, dovette prenderlo in simpatia per amor di contrasto. Ne seguì gli studi, lo istradò verso quelli di strategia e di amministrazione, e appena diciassettenne gli affidò un piccolo comando in Illiria perché facesse pratica di milizia e di governo. Fu qui che un messo lo raggiunse sulla fine di marzo con la notizia della morte dello zio e del suo testamento. Accorse a Roma e, contro il parere di sua madre che diffidava di Marc'Antonio, andò a trovare costui che lo trattò con disprezzo chiamandolo «ragazzetto».

Il ragazzetto non se la prese. Ma chiese quietamente se il denaro che Cesare aveva lasciato ai cittadini e ai soldati era stato effettivamente distribuito. Antonio rispose che c'era qualcosa di più urgente a cui pensare. E Caio Ottavio che ora, per l'adozione, aveva preso il nome di Caio Giulio Cesare Ottaviano, si fece prestare i fondi dai ricchi amici del defunto e li distribuì come questi aveva ordinato. I veterani cominciarono a guardare con simpatia al «ragazzetto» che prometteva di saperci fare.

Irritato, Antonio dichiarò qualche giorno più tardi di essere stato vittima di un attentato e di aver saputo dall'attentatore ch'era stato Ottaviano a organizzare il colpo. Ottaviano chiese delle prove. E, siccome esse non vennero addotte, raggiunse le due legioni che frattanto aveva richiamato dall'Illiria, le unì a quelle dei due consoli in carica, Irzio e Pansa, e con essi marciò contro Antonio.

Non aveva che diciotto anni, in quel momento, e per questo il Senato fu dalla sua parte. Gli aristocratici erano allarmati dalle prepotenze di Antonio che, una volta vistosi defraudato dell'eredità di Cesare, cercava di accaparrarsela con la forza. In quei pochi giorni di potere, egli aveva saccheggiato il Tesoro, appropriandosi duecento miliardi, occupando arbitrariamente il palazzo di Pompeo e autonominandosi governatore della Gallia Cisalpina per avere il pretesto di tenere un esercito in Italia e diventarne così il padrone. Il Senato si accorse che, a lasciarlo fare, al Cesare morto se ne sarebbe sostituito un altro e peggiore. E per questo decise di favorire Ottaviano, un «ragazzetto» che avrebbe dato meno ombra. Cicerone prestò la sua oratoria a questa lotta contro Antonio in una serie di *Filippiche* che si appuntavano soprattutto sulla sua vita privata. Materia ce n'era. Antonio, che aveva allora trentott'anni, li aveva riempiti di prodezze militari, di soprusi, di generosità e di indecenza. Lo stesso Cesare, pur di manica larga com'era e volendogli bene, aveva dovuto scandalizzarsi per l'*harem* di ambo i sessi che il suo generale si portava dietro, anche in guerra. Antonio era un aristocratico ignorante e amorale, robusto, sanguigno e manesco. Cicerone, frugandone la condotta, vi trovò pretesto a tutte le accuse.

Lo scontro tra i due eserciti avvenne presso Modena. E la fortuna assisté così sfacciatamente Ottaviano da lasciarlo unico generale superstite: Irzio e Pansa erano caduti, e Antonio, battuto per la prima volta in vita sua, era fuggito. Così il «ragazzetto» rientrò a Roma alla testa di tutte le truppe acquartierate in Italia, andò in Senato, impose la propria nomina a console, l'annullamento dell'amnistia ai cospiratori degl'idi di marzo e la loro condanna a morte. Il Senato, che aveva contato di usarlo come suo strumento, s'indignò e resisté. Ottaviano convocò un altro luogotenente di Cesare, Lepido, lo mandò come ambasciatore di pace ad Antonio, e stabilì con loro due il secondo triumvirato, mostrando anche così di aver messo a profitto la lezione dello zio. Il Senato chinò la testa ed ebbe agio di riflettere che il successore d'un dittatore fa sempre rimpiangere il predecessore.

Pattuglie di soldati furono dislocate a tutte le porte della città, e la gran vendetta ebbe inizio. Trecento senatori e duemila funzionari furono incolpati dell'assassinio, processati e uccisi, dopo il sequestro di tutti i loro beni. Venticinquemila dracme, circa centotrenta milioni di lire, era la taglia posta sulla testa di chi fuggiva. Ma i più preferirono uccidersi, e nel gesto ritrovarono lo stile dei grandi romani antichi. Il tribuno Salvio diede un banchetto, bevve il veleno, e la sua ultima volontà fu che il pranzo continuasse, presente il proprio cadavere. Lo accontentarono. Fulvia, la moglie di Antonio, fece impiccare sulla porta di casa l'innocente Rufo, solo perché costui non aveva voluto vendergliela. Suo marito non poté impedirglielo perché in quel momento era a letto con la moglie di Coponio, il quale in tal modo ebbe salva la vita.

Ma la preda più ghiotta, per Antonio, fu Cicerone, non solo perché aveva ancora nel gozzo le *Filippiche* del grande avvocato, ma anche perché doveva vendicare Clodio, di cui aveva sposato la vedova, e Lentulo, che Cicerone aveva fatto trucidare in galera al tempo di Catilina, e di cui Antonio era il figliastro. Il «Padre della Patria» aveva cercato di fuggire imbarcandosi ad Anzio. Ahimè, soffriva il mal di mare che gli parve peggiore della morte e lo costrinse a sbarcare a Formia. Le pattuglie di Antonio gli piombarono addosso. Cicerone vietò ai suoi servitori di tentare la resistenza, e offrì docilmente il collo. La sua testa decapitata fu portata insieme con la mano destra ai triumviri. Antonio ne tripudiò di gioia. Ottaviano s'indignò, o finse d'indignarsi. Non aveva mai avuto simpatia per Cicerone, che si era mostrato ambiguo verso lo zio, con gli assassini del quale aveva fatto lega dopo averlo esaltato da vivo. Quanto a lui, Ottaviano, lo aveva definito *laudandum adolescentem, ornandum, tollendum*. Sembravano elogi. Ma *tollendum* voleva dire non soltanto «da esaltare», ma anche «da uccidere». E nella bocca di Cicerone questi doppi sensi si sapeva benissimo come dovevano essere interpretati.

Così finì, vittima della propria oratoria, il più grande oratore di Roma.

Ora restavano da castigare i due principali colpevoli, Bruto e Cassio che, andati governatori rispettivamente di Macedonia e di Siria, avevano unito le loro forze e formato con esse l'ultimo esercito della Roma repubblicana, che non era destinato a lasciare un gran ricordo in quelle province. La Palestina, la Cilicia, la Tracia furono letteralmente spogliate. Intere popolazioni, specialmente ebree, che non avevano di che pagare i contributi, furono ridotte in schiavitù e vendute. La Virtù non impedì a Bruto di assediare, affamare e ridurre al suicidio in massa gli abitanti di Xanto. Le armate di Antonio e Ottaviano, quando giunsero, furono accolte come «liberatrici».

Lo scontro avvenne a Filippi nel settembre del 42. Bruto ruppe lo schieramento d'Ottaviano, ma Antonio sfondò quello di Cassio che si fece uccidere da un attendente. Ottaviano era a letto, dentro la tenda, con una delle sue solite influenze. Antonio aspettò che guarisse per gettarsi con lui all'inseguimento di Bruto. Questi, vedendo i suoi uomini sbandarsi, si avventò sulla spada di un amico restandovi infilzato. Antonio ne ricercò il cadavere, lo coprì pietosamente con la sua tunica di porpora. Si ricordava che Bruto aveva posto una sola condizione alla sua partecipazione al complotto contro Cesare: che Antonio venisse risparmiato.

A Filippi caddero, con la repubblica, i più bei nomi dell'aristocrazia che ne costituiva il puntello. Coloro che non vi trovarono la morte sul campo, la cercarono nel suicidio, come fecero il figlio di Ortensio e quello di Catone. Erano quanto restava di meglio dell'antico patriziato romano: per lo meno, si mostrarono sino all'ultimo soldati coraggiosi. A casa erano rimasti gl'imboscati e gl'intrallazzatori, gente disposta, pur di non faticare e rischiare, ad accettare tutto, anche la spartizione che i vincitori fecero del grande Impero. A Ottaviano toccò la fetta europea; a Lepido quella africana; Antonio scelse l'Egitto, la Grecia e il Medio Oriente. Ognuno di questi tre uomini sapeva che l'accomodamento era provvisorio; ognuno di essi, meno Lepido che si contentava, sperava di far fuori, prima o poi, gli altri due. Il più sicuro di riuscirci era Antonio, che credeva solo nella forza militare e sapeva di essere, come generale, superiore agli altri.

Egli mandò, come prima cosa, un messaggio a Cleopatra, ingiungendole di raggiungerlo a Tarso per rispondere alle accuse, che qualcuno le muoveva, di aver aiutato e finanziato Cassio. Cleopatra obbedì. Il giorno fissato per la sua comparsa, Antonio si dispose a riceverla dall'alto d'un maestoso trono in mezzo al Foro, dinanzi alla popolazione eccitata dall'imminente processo. Cleopatra giunse su una nave con le vele rosse, il rostro dorato, la chiglia laminata d'argento. La ciurma era composta dalle sue cameriere vestite da ninfe che facevano corona a una canopia di *lamé* sotto la quale essa stessa giaceva in un provocante costume da Venere, intenta alle arie che intorno le suonavano con pifferi e flauti.

Quando la notizia di questa straordinaria apparizione sulle acque del fiume Cidno si sparse in città, tutti accorsero al porto, per vederla, come oggi accorrono per vedere Sofia Loren, lasciando Antonio solo e fuori dei gangheri. La mandò a chiamare. Essa gli fece rispondere che lo aspettava a bordo per pranzo. Furioso, Antonio andò, sempre considerando se stesso il giudice e lei l'accusata. Ma, vedendola, rimase di stucco. L'aveva conosciuta bimbetta ad Alessandria, poi non l'aveva più rivista, e ora se la ritrovava di fronte, donna fatta, e fatta in un certo modo che spiegava benissimo come mai perfino Cesare c'era rimasto impigliato. I suoi generali erano già tutti rimbambolati ai piedi di lei. All'aperitivo, egli cominciò ad accusarla burbanzosamente. Alla frutta, le aveva regalato la Fenicia, Cipro e grossi bocconi dell'Arabia e della Palestina. Essa lo ricompensò quella notte stessa, e i generali dovettero contentarsi delle ninfe. Poi se lo rimorchiò ad Alessandria, dov'egli sembrò aver del tutto dimenticato la provvisorietà della sua condizione. Cleopatra invece se ne rendeva conto benissimo. Essa sapeva che l'Impero non tollerava tre padroni. Non amava

257

Antonio, forse non aveva mai amato nessuno. Ma pensò di farne lo strumento del colpo che non le era riuscito con Cesare.

Mentre questo avveniva ad Alessandria, Ottaviano, a Roma, gettava le basi della riunificazione. Il compito non era facile. Sesto Pompeo, in Spagna, aveva ricominciato ad agitarsi e bloccava i rifornimenti, la disoccupazione dilagava, l'inflazione minacciava, il Senato faceva la fronda e bisognava comprarlo volta per volta. Per di più la moglie di Antonio, Fulvia, forse per sottrarre il marito alle stregonerie di Cleopatra richiamandolo a Roma, organizzò un complotto col fratello di lui, Lucio. Essi arruolarono un esercito e lanciarono un appello di rivolta agl'italiani. Dovette intervenire Marco Agrippa, il più fidato luogotenente di Ottaviano, per soffocare il tentativo. Lucio si arrese a Perugia. Fulvia morì di rabbia, di delusione e di gelosia.

Cleopatra vide in questo avvenimento il pretesto per spingere Antonio a giocare la gran carta. Egli adunò l'esercito, lo imbarcò sulla flotta. E, sbarcato a Brindisi, vi assediò la guarnigione di Ottaviano. Ma i soldati si rifiutarono di battersi dall'una e dall'altra parte, obbligando i loro generali a far pace. Essa fu saldata con un matrimonio: quello di Antonio con la sorella di Ottaviano, Ottavia, una donna perbene, da cui era pazzia sperare che quello scavezzacollo si lasciasse imbrigliare.

La storia non ha registrato le reazioni di Cleopatra a questo episodio che mandava in fumo tutti i suoi piani. Antonio, lontano da lei, sembrò aver ritrovato un po' di ragionevolezza. Condusse la sposa ad Atene, dove essa, donna istruita, lo portò a visitare i musei e ad ascoltare le lezioni dei filosofi, nella speranza di fargli prendere gusto alla cultura. Antonio fingeva di guardare e di ascoltare. In realtà pensava a Cleopatra e alla guerra, le uniche due cose al mondo che gli piacessero veramente. Forse rifletté che, delle due, la guerra era meno pericolosa. E, stanco di perbenismo e di virtù casalinghe, rimandò Ottavia a Roma e si avviò col suo esercito contro la Persia dove Labieno, figlio del generale traditore di Cesare, stava organizzando un'armata al servizio di quel re ribelle. Cleopatra raggiunse Antonio ad Antiochia, disapprovò l'impresa, si rifiutò di finanziarla, ma vi seguì l'amante. Questi corse inutilmente dietro al nemico per cinquecento chilometri, perse buona parte dei suoi centomila uomini, impose un teorico vassallaggio sull'Armenia, si proclamò vincitore, offrì a se stesso un solenne trionfo ad Alessandria scandalizzando Roma che si riteneva unica depositaria di quelle cerimonie, mandò un'intimazione di divorzio a Ottavia rompendo così l'unico vincolo che tuttora lo legava a Ottaviano, sposò Cleopatra, dando in dote tutto il Medio Oriente ai due figli che aveva avuto da lei, e nominò Cesarione principe ereditario di Egitto e Cipro.

Così egli stesso rese inevitabile il conflitto con Ottaviano che lo andava preparando con la sua abituale e cauta tenacia. Anche lui aveva avuto le sue complicazioni sentimentali. Si era innamorato, figuratevi, di una donna incinta di cinque mesi, Livia, la moglie di Tiberio Claudio Nerone. Si era già sposato due volte, prima di allora, sebbene fosse sotto i trenta: prima con Claudia, poi con Scribonia che gli aveva dato una figlia: Giulia. Ora divorziò anche da questa seconda sposa e persuase amichevolmente Tiberio Claudio Nerone a fare altrettanto con Livia, per prendersela lui, con due figli: Tiberio, già grandicello, e Druso che stava per nascere. Li adottò come fossero stati suoi.

Ma, liquidate queste pendenze coniugali, si era messo di buzzo buono al lavoro di ricostruzione. Il blocco di Sesto fu eliminato con la distruzione della sua flotta, l'ordine fu ristabilito, una rinata fiducia disgelò i capitali imboscati. Marco Agrippa, oltre che un buon generale, si rivelò un ministro della Guerra incomparabile. Egli fu il vero riorganizzatore del grande esercito che doveva riportare l'unità di comando nell'Impero romano.

AUGUSTO

Nella primavera dell'anno 32 avanti Cristo giunse a Roma un messo di Antonio con una lettera al Senato in cui il triumviro proponeva ai suoi due colleghi di deporre tutti insieme il potere e le armi e di ritirarsi a vita privata dopo aver restaurato le istituzioni repubblicane. Ci pare impossibile che uno scervellato di quella fatta abbia potuto concepire una mossa così accorta. Ci doveva essere lo zampino di Cleopatra.

Ottaviano si trovò nei pasticci. Per superarli, egli tirò fuori il testamento di Antonio, dicendo di averlo avuto dalle Vestali che lo tenevano in custodia. Esso designava suoi soli eredi i figli avuti da Cleopatra e costei reggente. Abbiamo molti dubbi sull'autenticità di quel documento. Ma esso servì a confermare i sospetti che tutta Roma nutriva per quell'intrigante e permise a Ottaviano di bandire una guerra d'«indipendenza», che con molta perspicacia egli non dichiarò ad Antonio, ma a Cleopatra.

Fu una guerra di mare. Le due flotte si scontrarono ad Azio. E quella di Ottaviano, comandata da Agrippa, sebbene inferiore come unità, mise in rotta quella avversaria che ripiegò in disordine su Alessandria. Ottaviano non la inseguì. Sapeva che il tempo lavorava per lui e che più Antonio restava in Egitto, e più vi si logorava in orge e mollezze. Sbarcò ad Atene per rimettere ordine nelle cose di Grecia. Tornò in Italia a sedarvi una rivolta. Poi la prese larga, dall'Asia, per distruggere le alleanze che vi aveva lasciato Antonio, isolandolo. Alla fine mosse verso Alessandria, e per strada ricevette tre lettere: una di Cleopatra unita a uno scettro e a una corona, pegni di sottomissione; e due di Antonio che impetrava pace. A lui non rispose. A lei replicò che le avrebbe lasciato il trono se uccideva il suo amante. Dato il tipo, stupiamo ch'essa non lo abbia fatto.

Col coraggio della disperazione, Antonio lanciò un attacco e ottenne una parziale vittoria, che non impedì a Ottaviano di chiudere la città in una morsa. Ma il giorno dopo i mercenari di Cleopatra si arresero e ad Antonio giunse notizia che la regina era morta. Cercò di uccidersi con un colpo di pugnale. E quando, agonizzante, seppe ch'essa era invece ancora viva, si fece trasportare nella torre dove si era barricata con le sue ancelle, e fra le sue braccia spirò. Cleopatra chiese a Ottaviano il permesso di seppellire il cadavere e di accordarle un'udienza. Ottaviano glielo concesse. Essa si presentò a lui come si era presentata ad Antonio: profumata, bistrata e ammantata solo di regali veli. Ahimè, sotto quei veli c'era ora una donna di quarant'anni, non più di ventinove, e si vedevano tutti. Il suo naso aveva smesso di trovar compensi nella freschezza delle carni e nella luminosità del sorriso. Augusto non ebbe bisogno di ricorrere a una gran forza di carattere per trattarla con freddezza e annunziarle che l'avrebbe condotta a Roma come ornamento del suo carro di trionfatore. Forse, più che come regina, Cleopatra si sentì perduta come donna: e fu questo che la spinse al suicidio. S'incollò un'aspide al seno e se ne lasciò avvelenare, imitata dalle sue ancelle.

Ottaviano liquidò l'eredità sua e di Antonio con un «tatto» da cui si può ricostruire tutto il suo carattere. Concesse che i due cadaveri venissero seppelliti l'uno accanto all'altro. Ammazzò il giovane Cesarione, mandò i figli dei due defunti ad Ottavia, che li allevò come se fossero stati suoi, dell'Egitto si proclamò re per non umiliarlo proclamandolo provincia romana, ne intascò l'immenso tesoro, vi lasciò un prefetto, tornò a casa; quietamente fece sopprimere anche il maggiore dei figli avuti da Antonio con Fulvia. E con la tranquilla coscienza di chi avesse compiuto con quegl'infanticidi il proprio dovere, si rimise al lavoro.

Aveva appena trentun anni in quel momento, e si ritrovava padrone assoluto di tutta l'eredità di Cesare. Il Senato non aveva più né la voglia né la forza di contestargliela, e solo per cautela egli non gli chiese l'investitura al trono. Gliel'avrebbero data. Ma Ottaviano conosceva il peso delle parole e sapeva che quella di re era sgradita. Perché risvegliare certi ùzzoli che ormai sonnecchiavano nelle coscienze intorpidite? I romani avevano smesso di credere alle istituzioni democratiche e repubblicane perché ne conoscevano la corruzione, ma tenevano alle forme. Essi domandavano ordine, pace, sicurezza, una buona amministrazione, una moneta sana e i risparmi garantiti. E Ottaviano si accinse a darglieli.

Con l'oro riportato d'Egitto liquidò l'esercito, che contava mezzo milione di uomini e costava troppo, trattenendone duecentomila in servizio, dei quali si proclamò *imperator*, titolo puramente militare, e accasando gli altri come contadini in terre comprate apposta; annullò i debiti dei privati verso lo stato; e diede l'avvio a grandi opere pubbliche. Ma questi furono soltanto i primi passi, e i più facili. Come Cesare, Ottaviano non mirava soltanto ad amministrare, ma voleva compiere una gigantesca riforma che rifondesse tutta la società sul modello disegnato dallo zio. Per far questo, gli occorreva una burocrazia, di cui egli fu il vero inventore. Intorno a sé, formò una specie di gabinetto ministeriale, composto di tecnici, nella cui scelta ebbe la mano felice. C'era un grande organizzatore come Agrippa, un gran finanziere come Mecenate, e vari generali, fra i quali fece presto spicco il figliastro Tiberio.

Poiché costoro appartenevano quasi tutti alla grande borghesia, e gli aristocratici si lamentavano d'esserne esclusi, Ottaviano scelse una ventina di loro, tutti senatori, e ne fece una specie di Consiglio della Corona, che piano piano diventò il portavoce del Senato e ne vincolò la decisioni. L'Assemblea o Parlamento continuò a riunirsi e a discutere, ma sempre con meno frequenza e senza mai un tentativo di bocciare qualche proposta di Ottaviano. Questi concorse regolarmente al consolato per tredici volte, e naturalmente altrettante volte vinse. Nel 27 d'improvviso rimise tutti i suoi poteri al Senato, proclamò la restaurazione della repubblica e annunciò che voleva ritirarsi a vita privata. Non aveva che trentacinque anni in quel momento e l'unico titolo che aveva accettato era quello, nuovo, di *principe*. Il Senato rispose abdicando a sua volta e rimettendo a lui tutti i suoi poteri, supplicandolo di assumerli e conferendogli quell'appellativo di *Augusto*, che voleva dire letteralmente «l'aumentatore» ed era un aggettivo, ma poi nell'uso diventò un sostantivo. E Ottaviano vi consentì con aria rassegnata. Fu una scena perfettamente recitata da ambedue le parti e dimostrò che ormai la fronda conservatrice e repubblicana era finita: anche gli orgogliosi senatori preferivano un padrone al caos.

Ma il padrone seguitò a mostrarsi discreto nell'uso dei suoi poteri. Abitava il palazzo di Ortensio, ch'era molto bello, ma non lo trasformò in una reggia, e come appartamento personale si riservò una piccola stanza al pianterreno con uno studio, monacalmente arredati. Anche quando, tanti anni dopo, l'edificio andò in rovina per un incendio ed egli ne costruì un altro uguale, tenne a che gli rifacessero identiche quelle due stanze. Perché era abitudinario, sobrio e ligio agli orari. Lavorava duro, considerandosi il primo servitore dello stato. E scriveva tutto: non solo i discorsi che doveva pronunciare in pubblico, ma anche quelli che teneva in casa, con la moglie e i familiari. Bisognerà aspettare Francesco Giuseppe d'Austria, cui in molte cose somiglia, per trovare nella storia un sovrano altrettanto ligio al dovere, rispettabile, prosaico, poco amabile e sfortunato negli affetti domestici.

Questi erano rappresentati da Giulia, la figlia avuta da Scribonia; da Livia, la sua terza moglie; e dai due figliastri che costei gli aveva portato in casa: Druso e Tiberio. Livia fu, come moglie, inappuntabile, anche se un po' noiosa col suo ostentato virtuismo. Educò bene i ragazzi, fece molta beneficenza, e portò con disinvoltura le corna che suo marito via via le faceva. Tutto lascia credere ch'essa teneva, più che all'amore, al potere di Augusto e alla carriera dei figli, che infatti la fecero alla svelta. Generali a vent'anni, furono mandati a soggiogare l'Illiria e la Pannonia. Augusto, che realizzò la *pax romana*, rinunziò presto alla guerra e a nuove annessioni. Ma voleva garantire i confini dell'Impero, continuamente minacciati. Druso, il suo preferito, li spostò dal Reno all'Elba per renderli più sicuri, battendo brillantemente i germani. Ma cadde da cavallo e si ferì gravemente. Tiberio, che lo adorava e si trovava in Gallia, galoppò quattrocento miglia per raggiungerlo e fece in tempo a chiudergli gli occhi. Augusto fu scosso dalla morte di quel ragazzo allegro, impetuoso ed espansivo, di cui pensava di fare il proprio successore. Ora sperò che Giulia gli desse un altro erede.

Era lei, quella ragazza vivace, sensuale e scorbellata, il suo occhio destro. A quattordici anni l'aveva sposata a Marcello, il figlio di sua sorella Ottavia, la vedova di Antonio. Ma Marcello era morto poco dopo, e Giulia era diventata la «vedova allegra» di Roma. Si divertiva non solo a farle, ma anche a raccontarle. E suo padre, che aveva cominciato a emanare leggi per il ristabilimento della morale, pensò di rimetterla sulla buona strada con un altro marito: quel Marco Agrippa, ministro della Guerra, che, dopo avergli dato la vittoria ad Azio, era diventato il suo più fidato e abile collaboratore. Gran gentiluomo, gran soldato, grande ingegnere, egli aveva pacificato la Spagna e la Gallia, riorganizzato i commerci, costruito strade, ed era l'unico pezzo grosso di cui non si mormorasse nemmeno che ci speculava sopra. Augusto, che aveva la stoffa del «pianificatore» e si riteneva in diritto di regolare anche la felicità altrui, non si curò del fatto ch'egli avesse quarantadue anni, mentre Giulia ne aveva diciotto, e fosse il marito di una moglie che lo rendeva felice. Gl'impose il divorzio e le nuove nozze.

La coppia non poteva essere peggio assortita, sebbene mettesse al mondo cinque figli, che stranamente somigliavano ad Agrippa. Quando sfrontatamente ne chiesero la spiegazione a Giulia, questa rispose altrettanto sfrontatamente: «Io non faccio salire nuovi marinai sulla nave che quando è già carica». Otto anni dopo Agrippa morì, e Giulia ridiventò la «vedova allegra» di Roma. Di nuovo Augusto volle porvi rimedio e le impose un terzo matrimonio: con Tiberio stavolta, in cui vedeva ora, o in cui Livia gli faceva vedere, un possibile reggente dell'Impero fin quando non fossero stati maggiorenni i figli di Giulia, Gaio e Lucio. Anche Tiberio era già sposato, e precisamente con la figlia di Agrippa, Vipsania, che lo rendeva felice. Ma questa felicità non coincideva con quella pianificata da Augusto, che la distrusse per creare al suo posto un'infelicità. Divenuto il successore di Agrippa dopo esserne stato il genero, Tiberio subì da Giulia tutto quello che il più disgraziato dei mariti può subire dalla moglie. Quando non ne poté più, si ritirò a vita privata a Rodi, e ci visse sette anni, dedito solo agli studi, mentre Giulia offuscava coi suoi scandali il ricordo di Clodia. Gaio e Lucio erano morti, l'uno di tifo, l'altro in guerra. Augusto, ormai sessantenne, affranto da queste sciagure, roso dall'eczema e dai reumatismi e sempre più sotto la pantofola di Livia, alla fine bandì sua figlia per immoralità, facendola rinchiudere a Ventotene, richiamò Tiberio e lo adottò come figlio ed erede, sempre continuando a disamarlo.

Forse credeva in quel momento di essere sull'orlo della morte. La colite e le influenze non gli davano tregua, e non faceva un passo senza il suo medico personale, Antonio Musa. Era diventato puntiglioso, sospettoso e crudele. Per una indiscrezione, fece rompere le gambe al suo segretario Tallo. E per proteggersi da inesistenti complotti, inventò la polizia, cioè quei *pretoriani* o guardie del corpo, che dovevano svolgere una così nefasta parte sotto i suoi successori. Fatto più scettico e amaro dalle sofferenze, egli vedeva con chiarezza il fallimento della sua opera di ricostruzione. Sì, c'era la *pax augusta*, e i marinai orientali venivano a rendergli grazie per la sicurezza con cui ora navigavano. Ma sull'Elba, Varo era stato massacrato con tre legioni da Arminio, il confine aveva dovuto esser ritirato sul Reno, e Augusto intuiva che al di là di esso, nel buio delle loro foreste, le tribù germaniche erano in ebollizione. Sì, i commerci riorganizzati da Agrippa rifiorivano, e la moneta, risanata da Mecenate, era sicura. La burocrazia funzionava. L'esercito era forte. Ma la grande riforma del costume era fallita. Divorzi e malthusianismo avevano ucciso la famiglia e il ceppo romano si era quasi estinto. L'ultimo censimento rivelava che i tre quarti della cittadinanza erano liberti o figli di liberti forestieri. Si erano costruiti centinaia di nuovi templi, ma dentro non c'erano dèi perché nessuno credeva che ci fossero. Una morale non si rifà senza una base religiosa. Augusto aveva cercato di rianimare l'antica fede, senza condividerla, e il popolo gli rispose facendo finta di adorare lui come dio.

Giulia, che morì in esilio, aveva lasciato ad Augusto una nipotina, che si chiamava Giulia come lei, e purtroppo dimostrò subito di voler imitare sua madre non solo nel nome. Anch'essa il nonno dovette confinare per immoralità. Distrutto da questo nuovo dolore, pensò di lasciarsi morire per fame. Poi i doveri d'ufficio, cui era restato attaccatissimo, e la certezza di non averne più per molto, ebbero la meglio. Invece, come tutti coloro che reggono l'anima coi denti, egli resse la sua molto a lungo, per quei tempi.

Aveva settantasei anni quando, in convalescenza a Nola dopo la bronchite, lo sorprese la fine. Quella mattina aveva lavorato come al solito, dalle otto a mezzogiorno, firmando tutti i decreti, rispondendo a tutte le lettere, da quel perfetto funzionario che era. Fece chiamare Livia, con cui stava per celebrare le nozze d'oro, e la salutò affettuosamente. Poi, da vero grande romano, si rivolse agli astanti e disse: «Ho recitato bene la mia parte. Congedatemi dunque dalla scena, amici, coi vostri applausi».

I senatori portarono la bara sulle loro spalle per tutta Roma, prima di cremare il cadavere nel Campo Marzio. Forse sarebbero stati contenti della sua morte, se non avessero saputo che a succedergli era già designato Tiberio.

ORAZIO E LIVIO

Anni prima, quand'era tornato vittorioso dalla campagna contro Antonio, Augusto aveva trovato, ad aspettarlo a Brindisi, Mecenate con un giovane poeta mantovano, Virgilio. Era il figlio di un impiegato di stato di sangue celtico, cui i legionari avevano sequestrato la piccola fattoria in cui aveva investito i suoi risparmi. Il ragazzo era venuto a Roma, vi aveva pubblicato un libro di poesie, *Le ecloghe*, che avevano avuto un bel successo, Mecenate lo proteggeva e ora voleva farne uno strumento della propaganda di Augusto, cui era venuto a presentarlo.

Augusto si fece leggere dall'autore il manoscritto delle *Georgiche*, ancora inedite, e lo prese in simpatia per due ragioni che con l'arte, di cui s'infischiava, avevano poco a che fare: prima di tutto perché Virgilio era malaticcio e scassato come lui e quindi poteva discorrerci a suo piacere di bronchiti, di tonsilliti e di coliti; eppoi perché quelle poesie celebravano i piaceri della vita rustica e frugale, cui Augusto voleva che tutti i romani tornassero. In realtà, come disse poi Seneca, Virgilio descriveva la campagna col tono e il gusto di chi vive in città, cioè su una nota falsa. Ma Augusto non aveva orecchio per avvertirlo. Quel che gl'importava era che la poesia di Virgilio avesse delle qualità didattiche. Ne ricompensò l'autore facendogli restituire la fattoria che avevano requisito a suo padre. Virgilio non vi tornò perché preferiva scrivere di campi standosene a Roma, ma rimase grato a Augusto e in suo onore compose l'*Eneide*, destinata a celebrarne le vittorie. Scriveva lentamente, con molta diligenza e scrupolo di stile, dedicando al lavoro la maggior parte della giornata perché con le rendite della fattoria e le liberalità di Mecenate non aveva bisogno di lavorare per vivere e altre distrazioni non conosceva. Non si era sposato per ragioni di salute, e i suoi amici a Napoli, dove ogni tanto andava a svernare, lo chiamavano «la verginella». Augusto era ansioso di vedere il lavoro finito. Virgilio gliene leggeva ogni tanto un pezzo, ma non arrivava mai alla conclusione. Nel 19 interruppe la stesura per raggiungere l'imperatore ad Atene, si buscò un'insolazione, e sul punto di morire a Brindisi, dove lo avevano trasportato, raccomandò di bruciare il manoscritto del poema. Forse si era reso conto che l'epica non era nelle sue corde, e preferiva affidare il proprio ricordo ad altri scritti, frammentari ed elegiaci. Augusto proibì che la volontà del morto fosse eseguita. Volendo serbare a propria gloria quell'incompiuto monumento, salvò alla poesia un autentico capolavoro di artificio.

Le sollecitudini di Augusto per la letteratura non si fermarono a Virgilio, ma si estesero anche a molti altri scrittori, fra cui Orazio e Properzio. Glieli presentava Mecenate, ch'era il loro impresario e dette il nome alla categoria dei protettori delle arti, facendosi perdonare con ciò i cattivi versi ch'egli stesso si piccava di comporre. Ma questo atteggiamento era diffuso ormai fra tutti i romani ricchi, diventati sensibili alla «cultura» anche quando non ne avevano. Dopo la prima casa editrice di Attico, ne erano nate molte altre, che avevano dato l'avvio a un fiorente commercio. Edizioni di cinque o diecimila copie, tutte scritte a mano dagli schiavi, venivano esaurite in pochi mesi, a quindici, a trentamila lire l'esemplare. Il libro era diventato guarnitura d'obbligo in ogni casa che si rispettasse, anche se poi non lo si leggeva, e dalla provincia piovevano gli ordinativi.

Questa moda ebbe un grande effetto sulla società che, da guerriera e incolta, si fece sempre più salottiera e letteraria. E appunto per questo, Augusto ci vide uno strumento di riforma morale. Fin quando la vecchiaia e i dolori non l'ebbero reso suscettibile e permaloso, egli si mostrò molto tollerante anche per gli epigrammi e le satire che lo colpivano personalmente. Fece costruire pubbliche biblioteche, raccomandò sempre a Tiberio di astenersi dai castighi e di guardarsi dalla censura, e una volta compose egli stesso qualche verso per mandarlo a un greco che ogni giorno lo aspettava all'uscita del palazzo per leggergli i suoi. Il greco lo ricompensò con una mancia di pochi denari e una cortese lettera in cui si scusava, data la sua povertà, di non poter pagare meglio. Augusto si divertì assai a quella replica spiritosa e gli fece rimettere centomila sesterzi.

Gli scrittori e i poeti però delusero le speranze dell'imperatore dando alla propaganda di stato il peggio della loro produzione, e secondando col meglio le deplorevoli tendenze di una società che si faceva sempre più libertina e scanzonata e rifiutava i grandi temi della gloria, della religione, della natura, ad essi preferendo quelli dell'amore e della galanteria. Il bardo di questi nuovi motivi fu Ovidio, un avvocato abruzzese che aveva amareggiato suo padre rifiutandosi di fare una carriera politica e si proclamò designato personalmente da Venere a parlare di Eros. Egli sposò tre donne, ne amò molte altre, e di tutte scrisse con gran spregiudicatezza, dichiarando che s'infischiava di tutti i catoncelli che lo criticavano. Il successo che ottenne coi suoi versi dolci e lascivi gli fece credere a tal punto di essere un grande poeta, che le ultime parole delle sue *Metamorfosi* furono modestamente: «Vivrò nei secoli».

Le aveva appena tracciate, che un ordine di Augusto lo raggiunse, intimandogli il confino a Costanza sul mar Nero. Non si è mai saputo con precisione di cosa l'imperatore volesse castigarlo. Dicono di una sua relazione con la nipotina Giulia, che infatti era stata bandita negli stessi giorni. Ovidio, come tutti gli uomini dal successo facile, non aveva la stoffa per sopportare la disgrazia. I suoi lamenti da quel luogo di confino, *Ex Ponto* e *Tristia*, vanno più a lode della sua vena elegiaca che del suo carattere. Tornò a Roma da morto, dopo aver inutilmente chiesto in mille lettere pietà all'imperatore e aiuto agli amici.

In genere, sebbene la si sia chiamata Periodo Aureo, l'epoca di Augusto non vide una fioritura letteraria e artistica da confrontarsi con quella della Grecia di Pericle o dell'Italia del Rinascimento. Sotto quell'imperatore borghese, si sviluppò un gusto altrettanto borghese che prediligeva ciò che è medio, e ciò che è medio spesso è mediocre. La moderazione e la misura, condite di un certo bonario e casalingo scetticismo, erano le qualità più apprezzate. E infatti lo scrittore vero di questo tempo è colui che meglio le rappresentò: Orazio.

Era il figlio di un agente delle tasse pugliese, che voleva fare di quel suo rampollo un avvocato e un uomo politico e, a prezzo di chissà quali sacrifici, lo mandò a studiare prima a Roma, poi a Atene. Qui Orazio conobbe Bruto, il quale si preparava alla battaglia di Filippi, prese in simpatia quel giovanotto e lo nominò su due piedi comandante di una legione, il che ci aiuta a comprendere come mai il suo esercito fu battuto. Orazio, nel bel mezzo dello scontro, buttò via elmo, scudo e sciabola, e tornò a Atene per scrivervi una poesia su come sia dolce e nobile morire per la patria.

Rimpatriato senza un quattrino, s'impiegò presso un questore e si mise a scrivere versi sulle cortigiane che frequentava, perché nei salotti non era invitato, e signore perbene non ne conosceva. Un giorno Virgilio lesse un suo libro e ne parlò con entusiasmo a Mecenate che lo pregò di condurgli l'autore. Prese subito in simpatia quel provinciale un po' cafoncello, tracagnotto, orgoglioso e timido, e lo propose come segretario ad Augusto, che consentì. Ma Orazio rifiutò quella che a chiunque altro sarebbe parsa la manna del cielo: un po' perché il temperamento lo portava più alla contemplazione che all'azione, un po' perché non era né ambizioso né avido, e molto, crediamo, perché non si fidava

271

di legar la sua sorte a quella di un uomo politico che domani poteva essere accoppato e trascinare anche lui alla medesima fine. Mecenate, per dargli modo di dedicarsi con più agio alla letteratura, gli regalò una villa in Sabinia con buone terre. Essa è stata disseppellita nel 1932, e ci ha dato la misura della generosità di quel riccone. Aveva ventiquattro stanze, un gran portico, tre bagni, un bel giardino e cinque poderi.

Ora ch'era un agiato possidente, Orazio poté abbandonarsi in pieno alla sua vera vena ch'era quella del moralista. Le sue *Satire* sono un prezioso campionario dei più comuni personaggi romani di quel tempo. Egli li prese dalla strada, non dalla storia e dai palazzi, e li rappresentò con scanzonato distacco, di ognuno facendo un «carattere». Ogni tanto, per mettersi al sicuro col governo, scriveva qualche verso di lode retorica e insincera a Augusto, che ne fu molto lusingato e gli ordinò di completare le *Odi* con un *Carme secolare* in cui fossero celebrate le sue imprese e quelle di Druso e di Tiberio. Orazio vi si accinse sospirando e senza punta ispirazione. Doveva vedersela con la Gloria, il Fato e gli Immancabili Destini: tutte cose più grandi di lui e per le quali non aveva simpatia. Finì quel brutto poema spossato e annoiato, dopo averlo interrotto mille volte per scrivere quelle *Epistole* agli amici, soprattutto a Mecenate, che rimangono, con le *Satire*, il suo capolavoro.

Si faceva sempre più sedentario anche per via della salute che l'obbligava a molti riguardi e a una rigida dieta. Invano Mecenate lo invitava a viaggi turistici. Orazio preferiva restare a Roma, e più ancora nella sua villa, a mangiarvi due spaghettini fatti in casa, un filino di lesso e una mela cotta. Salvo poi a vendicarsi decantando nelle sue poesie l'amicizia conviviale, i banchetti succulenti, le gran bevute e gli amori con Glicera, Neera, Pirra, Lidia, Lalage, e infinite altre donne mai esistite o appena conosciute. Aveva per la virtù un rispetto da stoico, per il piacere una simpatia da epicureo, ma non poté praticare né quella né questo per i bruciori di stomaco, i reumatismi e l'insufficienza epatica.

Non s'ingannava sulla decadenza della società e l'attribuiva giustamente a quella della religione. Ma non aveva la forza di puntellarla anche perché non credeva a nulla egli stesso.

L'angoscia della morte annuvolò i suoi ultimi anni, durante i quali non volle più venire neanche a Roma. Le sue lettere ne sono gonfie. «Hai fatto, mangiato, bevuto abbastanza, ora è tempo di andare» ripeteva a se stesso. Ma non era vero. Avrebbe voluto fare, mangiare, bere ancora un po', e senza mal di stomaco.

Morì a cinquantasett'anni, lasciando la sua proprietà all'imperatore e pregandolo di farlo seppellire accanto a Mecenate, ch'era scomparso pochi mesi prima. E fu contentato.

Quello che l'età augustea non seppe dare alle arti e alla filosofia, lo diede invece alla storia attraverso Tito Livio, altro celtico come Virgilio, e nato a Padova. Anche lui, secondo le intenzioni della famiglia, avrebbe dovuto essere un avvocato, ma preferì darsi allo studio della Roma antica per il disgusto che gl'ispirava quella contemporanea. Purtroppo, egli non ha lasciato scritto nulla delle sue personali vicende; era troppo indaffarato a raccontarci quelle degli Orazi e degli Scipioni, che riempivano, *ab urbe condita*, cioè dalla fondazione della città, centoquarantadue libri, di cui soltanto una quarantina son giunti a noi. Era un lavoro immenso, a farlo come lo faceva lui, cioè senza risparmio, alla Bacchelli. E si capisce come, arrivato alle guerre puniche, non avesse più fiato e volesse smettere. Fu Augusto a spingerlo avanti.

C'è un po' da stupirne visto che l'opera di Livio è tutta a esaltazione della grande aristocrazia, repubblicana e conservatrice, e come tale avversa a Cesare e al cesarismo. Ma è anche un inno agli antichi austeri costumi, cioè al «carattere» romano, ed era questo che piaceva all'imperatore. Sul-

273

l'esattezza di quel che Livio riferisce facciamo le nostre riserve, specie là dov'egli mette in bocca ai suoi personaggi interi discorsi che somigliano più a Livio che a loro. La sua è una storia di eroi, un immenso affresco a episodi, e serve più a esaltare il lettore che a informarlo. Roma, a dargli retta, sarebbe stata popolata soltanto, come l'Italia di Mussolini, da guerrieri e navigatori assolutamente disinteressati, che conquistarono il mondo per migliorarlo e moralizzarlo. Gli uomini, secondo lui, sono divisi in buoni e cattivi. A Roma c'erano solamente i buoni, e fuori di Roma solamente i cattivi. Anche un grande generale come Annibale diventa, sotto la sua penna, un comune mariuolo.

Ciò non toglie che la storia di Livio, costata cinquant'anni di fatiche a un autore che si dedicò soltanto ad essa, resti un gran monumento letterario. Forse il più grande fra quelli, piuttosto mediocri, eretti sotto il segno di Augusto.

TIBERIO E CALIGOLA

L'unica cosa sicura che si può dire di Tiberio è ch'egli era nato sotto una cattiva stella. Giudicatene voi stessi.

Quando sua madre lo portò, ragazzo, in casa d'Augusto, l'imperatore non ebbe occhi che per suo fratello Druso, chiassone, simpatico, prepotente, impulsivo, quanto lui era timido, riservato, riflessivo e sensibile. Tiberio avrebbe potuto derivarne qualche sentimento di rancore e d'invidia. E invece ammirò affettuosamente Druso, rischiò la vita per tentare di salvarlo quando era ferito in Germania, e la sua morte fu per lui un'autentica tragedia. Ne scortò il feretro a cavallo, dall'Elba a Roma, e gli occorsero anni per guarire da quel dolore.

Aveva studiato intensamente e con profitto; appena gli diedero un esercito lo condusse di vittoria in vittoria contro nemici agguerriti e insidiosi come gl'illiri e i pannoni; quando gli diedero delle province da amministrare, le rimise in ordine con competenza e integrità. A vent'anni, già lo chiamavano «il vecchietto» per la sua serietà. Dedicava le poche ore di ozio che gli avanzavano dal lavoro per rinfrescare il greco, che sapeva benissimo, e per darsi a studi di astrologia che gli valsero la riputazione di «eretico». Non frequentava né i salotti né il Circo. E forse la prima donna che conobbe fu sua moglie Vipsania, la figlia di Agrippa, che era signora di grandi virtù e di abitudini casalinghe come le sue.

Avesse potuto restare con lei, forse il suo carattere si sarebbe serbato qual era in gioventù: quello di uno stoico sereno nella sua semplicità, generoso verso gli amici, più intransigente verso se stesso che verso gli altri. Il fatto che i

275

soldati lo adorassero mentre a Roma lo detestavano come il modello di una virtù che costituiva un rimprovero per tutti, lo dimostra. Ma Augusto lo fece divorziare per dargli in sposa sua figlia Giulia, una sciaguratella simpaticona, ma la meno adatta a far compagnia a un uomo come quello. Perché Tiberio accettò? C'era in giuoco l'eredità, è vero. Ma egli non aveva mai mostrato di aspirarvi troppo. Era stato uno zelante collaboratore del suo patrigno, ma non gli aveva fatto mai molto la corte, e aveva preferito esserne stimato che amato. Certamente nella sua acquiescenza ci fu lo zampino di Livia, esemplare moglie di Augusto, ma terribile madre per Tiberio, di cui volle la gloria anche a costo della felicità.

Tiberio portò le sue disgrazie coniugali con grandissimo decoro. E non è vero che si rifiutasse di denunziare Giulia per adulterio, come la legge gliene dava diritto, anzi gliene imponeva il dovere, per non perdere i favori di Augusto. Tant'è vero che piantò baracca e burattini per ritirarsi da privato cittadino a Rodi, dove visse forse il periodo più tranquillo. Poi l'imperatore, mandata al confino Giulia e persi i figli di costei Gaio e Lucio, lo richiamò. E anche in questo riconosciamo lo zampino di Livia. Tiberio riprese il suo lavoro a fianco del patrigno fattosi ancora più insopportabile e malinconico, ne subì l'antipatia. E aveva già cinquantacinque anni, quando gli toccò di succedergli. Lo fece presentandosi al Senato e chiedendogli di esonerarlo dalla carica per restaurare la repubblica. Il Senato la ritenne una commedia come forse era, lo supplicò di restare detestandolo e gli chiese il permesso di dare il suo nome a un mese dell'anno, come si era fatto con Augusto. «E che farete» rispose Tiberio «dal tredicesimo successore in poi?».

Con questo sarcastico atteggiamento verso ogni forma di adulazione, il taciturno e casto Tiberio si mise a governare, lo fece con molta equità e accortezza, lasciando alla sua morte uno stato più florido e ricco di quello che aveva trovato. Ma cadde sotto la penna di Tacito e di Svetonio, due storici repubblicani, che fecero di lui il capro espiatorio di tutti i vizi del tempo.

La colpa più grave che gli si addebita è quella di aver fatto sopprimere suo nipote Germanico, dopo averlo adottato come figlio e designato come erede. Germanico era figlio di Druso e nipote di Antonio: un bel ragazzo intelligente, vivace, coraggioso, che piaceva a tutta Roma. Tiberio lo mandò a fare il governatore in Oriente per impratichirsi, e la gente mormorò che lo aveva esiliato per gelosia. Laggiù morì, e la gente disse ch'era stato Pisone ad assassinarlo su ordine dell'imperatore. Pisone si uccise per sottrarsi al processo, e la vedova di Germanico, Agrippina, fu tra le più spietate accusatrici di Tiberio, mentre la madre, Antonia, gli rimase fedelissima. E noi, fra una moglie e una madre, crediamo più alla madre.

Un'altra accusa che gli si muove è quella di crudeltà verso Livia. A Livia, certo, egli doveva il trono. Ma non doveva essere facile vivere con lei, che pretendeva di controfirmare i rescritti imperiali, ad ogni passo gli ricordava che, senza il suo aiuto, egli sarebbe rimasto un privato cittadino emigrato a Rodi, e soprattutto in casa si considerava la padrona rifiutandosi di dargliene le chiavi quando usciva. Alla fine Tiberio andò a vivere per conto suo, in un appartamento modesto e malinconico, dove nessuno gli rompesse le scatole. Ma ebbe da vedersela con Agrippina, che vantava anch'essa un credito verso di lui: la vita di Germanico.

Oltre che nipote per il matrimonio col figlio di suo fratello Druso, questa Agrippina era anche sua propria figliastra, perché gliel'aveva portata in dote Giulia dal matrimonio che l'aveva unita a Agrippa: una donna querula e avida con tutti i vizi della madre e senza nessuna delle sue qualità: la simpatia, lo spirito, la generosità. Essa aveva avuto da Germanico un figlio: un certo Nerone che, secondo lei, ora doveva essere designato erede al posto del defunto padre. Tibe-

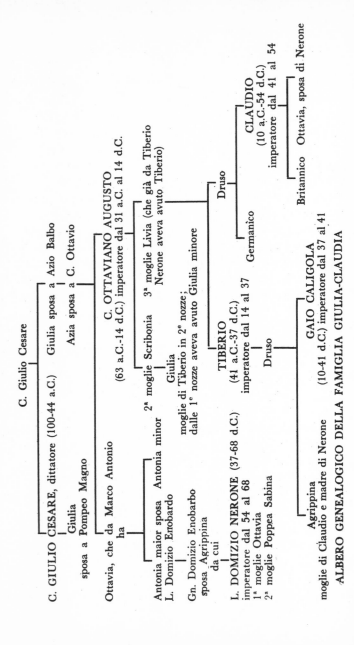

ALBERO GENEALOGICO DELLA FAMIGLIA GIULIA-CLAUDIA

rio subiva i suoi assalti con rassegnata pazienza. «Ti senti proprio defraudata dal fatto di non essere imperatrice?» le diceva. Anche lui aveva un figlio, Druso, datogli dalla virtuosa e cara Vipsania. Ma era un buono a nulla, pieno di vizi, e lo aveva rinnegato. Cercava effettivamente un successore, ma nemmeno di Nerone era persuaso.

Una serie di complotti fu organizzata contro di lui. Gliene portò le prove Seiano, il comandante dei pretoriani del palazzo. Chissà se erano vere. Ma a poco a poco Tiberio cominciò a fidarsi solo di lui e gli permise di aumentare la guardia fino a nove coorti, senza rendersi conto del terribile precedente che stava per creare. E si ritirò a Capri.

Non si può dire che di laggiù smettesse di governare. Ma gli ordini li trasmetteva attraverso Seiano, che li modificava a suo piacere e in grazia di essi diventò il vero padrone della città. Egli scoprì un ennesimo complotto fomentato da Poppeo Sabino, Agrippina e Nerone, facendosi autorizzare a punirli. Il primo fu soppresso, la seconda esiliata a Pantelleria, il terzo si uccise. Anche Druso era morto, e anche Livia, la «Madre della Patria», come veniva chiamata per dileggio.

Un giorno sua cognata Antonia, la madre di Germanico, gli mandò segretamente, a rischio della vita, un biglietto per avvertirlo che Seiano stava a sua volta complottando per assassinare l'imperatore e sostituirlo. Tiberio impartì per lettera l'ordine di arrestare il traditore e lo consegnò per il processo al Senato, che da anni viveva nel terrore di quel satrapo. Non solo lui, ma tutti i suoi amici e parenti vennero uccisi. La figlia giovinetta, poiché la legge vietava la soppressione delle vergini, fu deflorata prima del processo. La moglie si uccise, ma non senz'avere scritto una lettera a Tiberio per denunziare Livilla, figlia di Antonia, come complice di Seiano. Tiberio la fece arrestare. Essa si uccise in carcere rifiutandosi di mangiare. Anche Agrippina si uccise. E il Tiberio che emerse da questa ecatombe familiare, da questo inferno di sangue e di tradimento, è naturale che non fosse più l'uomo di una volta. Sopravvisse sei anni, e pare che la sua mente fosse in disordine. Nel 37 si decise a lasciar Capri, e mentre risaliva la Campania una malattia lo colse, forse un infarto cardiaco. Quando videro che si riprendeva, i cortigiani lo seppellirono sotto un cuscino e lo soffocarono.

Tiberio aveva mantenuto la pace, migliorato l'amministrazione, arricchito il Tesoro. L'Impero sembrava intatto, ma la sua capitale marciva sempre di più. Per mettere una diga al disfacimento, ci sarebbe voluta la mano dura d'un grande riformatore. E forse Tiberio credette di ravvisarne la stoffa nel secondo figlio di Agrippina e Germanico, Gaio, che i soldati fra i quali era cresciuto in Germania chiamavano Caligola, o «Stivalino», dalle calzature che portava, di tipo militare.

E infatti sul principio parve una buona scelta. Caligola si mostrò generoso coi poveri, ridiede una parvenza di democrazia restituendo all'Assemblea i suoi poteri, era già conosciuto come un soldato valoroso e coscienzioso. La sua improvvisa e rapida trasformazione non è spiegabile che con l'ipotesi di qualche malanno, che gli sconvolse il cervello: un caso tipico di schizofrenia, o dissociazione della personalità. Cominciò ad avvertire crisi notturne di terrore, specie se c'era il temporale, e ad aggirarsi nel palazzo chiedendo aiuto. Grande e grosso com'era, atletico, sportivo, passava ore davanti allo specchio a farsi smorfie, che gli riuscivano benissimo per via degli occhi scoppiati e di una macchia di calvizie che gli faceva una chierica in testa. A un certo punto, s'innamorò della civiltà egiziana e pensò d'introdurne i costumi a Roma. Pretese dai senatori che gli baciassero i piedi, che duellassero nel Circo coi gladiatori facendosene regolarmente accoppare, e che eleggessero console il suo cavallo, Incitato, cui fece costruire una stalla di marmo e una greppia d'avorio. Sempre per imitar l'Egitto, si prese come amanti le sue sorelle. Anzi, una, Drusilla, la sposò addirittura nominandola erede al trono, eppoi ripudiandola per impalmare Orestilla il giorno in cui essa stava andando a nozze con Gaio Pisone. Si fermò alla quarta moglie, Cesonia, ch'era incinta quando la conobbe, e piuttosto bruttina. A lei fu, chissà perché, devoto e fedele.

Può darsi che Dione Cassio e Svetonio, nel loro odio per la monarchia, abbiano un po' calcato la mano. Ma matto, Caligola doveva esserlo davvero. Una bella mattina si svegliò con l'allergia per i calvi, e tutti coloro che lo erano li fece dare in pasto alle belve del Circo, affamate dalla carestia. Poi prese in uggia i filosofi, e li condannò tutti alla morte o alla deportazione. Si salvarono solo suo zio Claudio perché era ritenuto idiota, e il giovane Seneca perché si fece credere malatissimo. Non sapendo più chi perseguitare, obbligò al suicidio la nonna Antonia solo perché un giorno, guardandola, trovò che la sua testa era bella, ma stava male sulle spalle. Alla fine, se la riprese anche con Giove. Disse ch'era un pallone gonfiato che usurpava il posto di re degli dèi, fece mozzar la testa a tutte le sue statue e la rimpiazzò con la propria.

Peccato, perché nei rari momenti di lucidità era simpatico, cordiale, spiritoso, aveva il sarcasmo facile e la risposta pronta. A un calzolaio gallo che gli diede del «gigione» in faccia, rispose: «È vero, ma credi che i miei sudditi valgano più di me?». Infatti, se avessero valso qualcosa di più, in un modo o nell'altro se ne sarebbero sbarazzati. Invece lo applaudivano e gli baciavano i piedi, senatori in testa.

Ci volle la risolutezza del comandante dei pretoriani, Cassio Cherea, per liberare Roma da quel flagello. Caligola si divertiva a dargli, come parole d'ordine, osceni insulti. Cassio era permaloso e una sera, mentre accompagnava l'imperatore in un corridoio di teatro, lo pugnalò. La città stentò a crederci. Temeva che si trattasse di un trucco di Caligola per vedere chi gioiva della sua morte e punirlo in conseguenza. Per mostrare a tutti ch'era vero, i pretoriani accopparono anche la moglie Cesonia, e fracassarono la testa contro la parete alla figlia bambina.

Era una conclusione intonata ai personaggi e al fosco clima di terrore e di demenza in cui avevano vissuto. Ma ormai questa era Roma: la capitale di un Impero dove allo sfrenato satrapismo non c'era altra alternativa che il regicidio, e per il regicidio ci volevano i mercenari. I romani non sapevano più neanche ammazzare i loro tiranni.

CLAUDIO E SENECA

I pretoriani che, avendo ucciso Caligola, erano padroni della situazione e volevano restarlo, si guardarono intorno alla ricerca d'un successore di cui poter disporre a piacimento. E parve loro che il personaggio più indicato fosse lo zio del defunto, quel povero Claudio già cinquantenne, con le gambe inceppate dalla paralisi infantile e la lingua dalla balbuzie, e con l'aria stordita, che la notte dell'assassinio fu trovato nascosto dietro una colonna, a tremar di paura.

Era figlio di Antonia e di Druso, figlio a sua volta di Druso Nerone. Ed era passato in mezzo alle tragedie della casa Claudia, protetto da una ben accreditata fama di mentecatto. Se era stata una commedia, la sua, bisogna dire ch'egli l'aveva recitata molto bene, sin da piccino, perché perfino sua madre lo chiamava un «aborto» e quando voleva dir male di qualcuno, lo definiva «più cretino del mio povero Claudio!».

È difficile dire sino a che punto questo personaggio, rivelatosi poi un eccellente imperatore, fosse un idiota, o lo facesse per non pagare il dazio. Certo che, in questo modo, fu l'unico della famiglia a salvarsi. Trascinando le gambette sinistrate, sputacchiando, quando parlava, in faccia a tutti, alto, appesantito dalla trippa e col naso rosso di vino, aveva vissuto sino a quell'età senza dar ombra a nessuno, studiando e componendo storie, fra cui la sua autobiografia. Parlava il greco, la sapeva lunga di geometria e di medicina. E quando si presentò al Senato per farsi proclamare imperatore, disse: «Lo so che mi considerate un povero scemo. Ma non lo sono. Ho finto di esserlo. E per questo oggi son qui». Dopodiché però sciupò tutto, tenendo una conferenza sul modo di curare i morsi delle vipere.

Claudio debuttò con una buona mancia ai pretoriani che lo avevano eletto, ma in cambio si fece consegnare da loro gli assassini di Caligola e li soppresse per instaurare, disse, il principio che gl'imperatori non si ammazzano. Poi cancellò con un colpo di penna tutte le leggi del suo predecessore e si diede a riordinare l'amministrazione, spiegandovi un senno e un equilibrio che nessuno sospettava in lui. Convinto che fra i senatori non ci fosse più nulla di buono, formò un ministero di tecnici, scegliendoli nella categoria dei liberti. E si diede a studiare e realizzare con loro opere pubbliche di grossa portata, divertendosi a fare di persona calcoli e progetti. Quello che più l'occupò fu il prosciugamento del lago Fucino. Impiegò trentamila sterratori e undici anni per scavare un canale e far defluire le acque. Quando tutto fu pronto, offrì ai romani, come ultimo spettacolo, prima del disseccamento, una battaglia navale fra due flotte di ventimila condannati a morte, che gli rivolsero il famoso grido: «Ave Cesare! I morituri ti salutano!», si colarono a picco gli uni contro gli altri, e affogarono. Il pubblico, che tappezzava le colline intorno, si divertì moltissimo.

Tutti si misero a ridere quando nel 43 questo imperatore sbevazzone e dall'aria scimunita e gioconda partì alla testa del suo esercito per conquistare la Britannia. Non aveva mai fatto il soldato anche perché lo avrebbero riformato alla leva, e Roma era convinta che sarebbe scappato al primo scontro. Ma quando si sparse la notizia ch'egli era morto, il cordoglio fu grande e generale: i romani si erano sinceramente affezionati a quel loro imperatore che, con tutte le sue stravaganze, si era mostrato il migliore, o almeno il più umano, fra quelli succeduti ad Augusto.

Invece Claudio non solo non era morto, ma aveva conquistato davvero la Britannia, e ora tornava portandosene dietro il re, Caractaco, che fu il primo, dei re vinti da Roma, ad essere graziato. Il merito di questa vittoria, certo, sarà stato, più che di Claudio, dei suoi generali. Ma i generali era lui che li nominava, e in queste scelte non prendeva granchi. Fu sotto di lui che si formò anche Vespasiano.

Purtroppo questo brav'uomo aveva un debole: le donne. Era un pomicione incorreggibile. Aveva già avuto, e tradito, tre mogli, quando, quasi cinquantenne, sposò la quarta, Messalina, che aveva sedici anni. Messalina è passata alla storia come la più infame di tutte le regine, e forse non è vero. Forse fu soltanto la più scostumata. Siccome non era bella, quando qualche giovanotto le resisteva, gli faceva impartire da Claudio l'ordine di cedere, trasformando così l'amore in un gesto di patriottismo. Claudio si prestava purché Messalina gli lasciasse mano libera con le cameriere. Erano, in fondo, una coppia bene assortita, ma il guaio era che Claudio si era messo in testa di riformare il costume romano su basi di austerità, e una moglie di quella fatta non costituiva il migliore esempio. Un giorno, mentre egli era assente, essa sposò addirittura il suo amante di turno, Silio. I ministri ne informarono l'imperatore dicendogli che Silio voleva sostituirlo sul trono. Claudio tornò, lo fece uccidere, eppoi mandò due pretoriani a chiamare Messalina che si era nascosta nella casa materna. Timorosi di una vendetta, i pretoriani la pugnalarono nelle braccia di sua madre. Claudio ordinò loro di uccidere anche lui, se avesse accennato a risposarsi.

Si risposò l'anno dopo, e la quinta moglie virtuosa fece rimpiangere la quarta svergognata. Agrippina, figlia di Agrippina e di Germanico, era sua nipote, aveva già avuto due mariti, e il primo di essi le aveva lasciato un figlioletto di nome Nerone, la cui carriera fu la sua unica passione. In lei riviveva Livia peggiorata. Coi suoi trent'anni, le fu facile mettere sotto la pantofola quel marito quasi sessantenne, infiacchito dagli strapazzi con le cameriere. Essa lo isolò dai suoi collaboratori, mise il suo amico Burro alla testa dei pretoriani, e instaurò un nuovo regno di terrore, di cui senatori e cavalieri fecero le spese. Le condanne capitali portavano una firma di Claudio che, dopo la morte di costui, si rivelò falsificata. Il pover'uomo, sebbene rimbambito, parve accorgersi a un certo punto di quel che succedeva e voler porvi rimedio. Agrippina lo prevenne propinandogli un piatto di funghi avvelenati. Nerone, che aveva a modo suo un certo spiritaccio, disse più tardi che i funghi dovevano essere una pietanza da dèi, visto che erano riusciti a trasformare in dio un povero ometto come Claudio.

Nerone, in dialetto sabino, voleva dire «forte», e nei primi cinque anni di regno il figlio di Agrippina tenne fede al suo nome, mostrandosi un imperatore magnanimo e assennato. Ma il merito non fu suo; fu di Seneca, che in suo nome governò.

Seneca era uno spagnolo di Cordova, milionario di famiglia e filosofo di professione, che già aveva fatto parlare di sé, prima che Agrippina lo arruolasse come precettore di suo figlio. Caligola lo aveva condannato a morte per «impertinenza»; poi lo aveva graziato perché malatissimo di asma. Claudio lo aveva mandato al confino in Corsica per una tresca con sua zia Giulia, la figlia di Germanico. Seneca era rimasto laggiù otto lunghi anni scrivendo eccellenti saggi e alcune brutte tragedie. Non sappiamo chi fu a proporlo ad Agrippina come l'uomo più adatto ad allevare Nerone secondo i dettami dello stoicismo, di cui era considerato l'incontestabile maestro. Comunque, nello spazio di pochi giorni, egli passò dallo stato di recluso a quello di padrone del futuro padrone dell'Impero.

Era uno strano uomo. Usò la sua posizione, senza troppi scrupoli, per moltiplicare il patrimonio, ma non usò il patrimonio per menar vita da signore. Mangiava pochissimo, beveva solo acqua, dormiva sul tavolaccio, scialava solo in libri e opere d'arte, dal giorno che sposò fu fedele solo a sua moglie, e a chi gli rimproverava di amare troppo il potere e i quattrini, rispondeva: «Ma io non lodo la vita che faccio. Lodo quella che dovrei fare, e di cui a distanza imito, arrancando, il modello». Mentre era all'apice della sua fortuna, un libellista lo accusò pubblicamente di aver rubato allo stato trecento milioni di sesterzi, di averli moltiplicati con l'usura, e di essersi liberato dei rivali e dei nemici con la denunzia. Seneca, che in quel momento poteva far sopprimere chi voleva, rispose astenendosi dal denunziare il suo denunziatore. Però l'usura continuò ad esercitarla, a quanto dice Dione Cassio.

Quando il suo pupillo salì al trono, Seneca gli diede da leggere in Senato un bel discorso, in cui il nuovo imperatore s'impegnava a esercitare solo il potere di comandante supremo dell'esercito. Nessuno ci credette, probabilmente, ma la promessa fu mantenuta per cinque anni, durante i quali tutti gli altri poteri furono esercitati da Agrippina e da Seneca. E le cose procedettero abbastanza bene finché costoro furono d'accordo. Nerone, con quei due suggeritori alle spalle, prese alcune risoluzioni giudiziose: respinse la proposta del Senato di elevargli statue d'oro, si rifiutò di firmare condanne a morte, e quando per una dovette fare eccezione esclamò brandendo la penna: «Potessi non aver mai imparato a scrivere!». Sembrava davvero un bravo ragazzo, interessato quasi esclusivamente alla poesia e alla musica, e nessuno pensava che queste buone disposizioni potessero rivelarsi un giorno pericolose.

Poi Agrippina volle strafare, cioè fare tutto da sola. Seneca e Burro se ne allarmarono e, per neutralizzarla, spinsero Nerone a far valere la sua autorità. Incollerita, Agrippina minacciò di disfare la sua opera, mettendo sul trono Britannico, figlio di Claudio. E Nerone rispose facendo sopprimere costui e confinando la madre in una villa, dove essa rese alla storia, crediamo, un brutto servizio, scrivendo un libro di *Memorie* su Tiberio, Claudio e Nerone, cui Svetonio e Tacito attinsero a piene mani e che, ispirato com'era dalla vendetta, temiamo che non fosse molto attendibile.

Che parte abbia avuto Seneca nell'uccisione di Britannico, ce lo domandiamo. Come autore di un saggio intitolato *Della clemenza*, ci auguriamo che non ne abbia avuta punta. Ma, dati i precedenti, non oseremmo giurarlo.

Finché Nerone seguitò a razzolare come Seneca predicava, Roma e l'Impero furono tranquilli, le frontiere sicure, prosperi i commerci e in ascesa le industrie. Ma a un certo punto il pupillo, che aveva appena vent'anni, cominciò a volgersi verso un altro maestro, che soddisfaceva di più le sue tendenze di esteta: Caio Petronio, l'arbitro di tutte le eleganze romane, il fondatore di una categoria umana abbastanza diffusa: quella dei *dandies*.

Noi troviamo una certa difficoltà a identificare questo ricco aristocratico che Tacito descrive raffinato nei suoi appetiti, delicatamente voluttuoso, d'ironica ed elegantissima conversazione, nel Caio Petronio autore del *Satyricon*, libello di rime volgari fino all'oscenità con personaggi banali e situazioni trite. Se è vero che si tratta della stessa persona, vuol dire che fra il modo di vivere e di essere e quello di scrivere e di apparire c'è di mezzo non il mare, ma l'oceano. Comunque Nerone, incantato dal Petronio che conobbe in società, raffinato, colto, seduttore di uomini e di donne, intenditore infallibile del Bello, trovò più facile imitare il cattivo poeta e praticarne gl'insegnamenti letterari. Si prese per compagni gli eroi del *Satyricon* e con essi si diede all'orgia nei quartieri più malfamati di Roma.

Il casto Seneca, sul momento, non trovò nulla da obbiettare, anzi, è probabile che abbia spinto su questa via il suo allievo per distrarlo sempre più dai problemi di governo, che preferiva risolvere da solo o con Burro. In tal modo, per alcuni anni, sotto un imperatore che sempre più si degradava, l'Impero seguitò a prosperare. Traiano, più tardi, definì il primo lustro di Nerone «il miglior periodo di Roma». Ma a un certo punto il giovane sovrano incappò in Poppea, un'Agrippina nel pieno rigoglio della sua bellezza, che voleva far l'imperatrice, e per riuscirci spinse Nerone a far l'imperatore. Quando la conobbe, Nerone aveva ventun anni, una moglie perbene, Ottavia, che portava con molta dignità le sue disgrazie coniugali, e un'amante, Acte, perbene anch'essa, e innamorata di lui. Ma a Nerone le donne oneste non piacevano, e le tradì ambedue per la scostumata, sensuale e calcolatrice Poppea. È a questo punto che incominciano la sua storia e le tribolazioni di Roma.

NERONE

Agrippina era stata certamente una donna nefasta. Ma gli ultimi episodi della sua vita sono da vera matrona dell'antica Roma. Essa non esitò a mettersi risolutamente contro suo figlio, quando costui venne a chiederle il consenso al divorzio da Ottavia. Tacito dice ch'essa giunse perfino ad offrirglisi.

Nerone, sebbene l'avesse confinata in una villa, aveva ancora paura di lei. Ma altrettanta paura aveva di Poppea, che gli si rifiutava schernendolo per questo suo timor filiale. Alla fine essa riuscì a fargli credere che Agrippina congiurava contro di lui, che, non osando ucciderla, tentò di farla morire, una volta avvelenandola, e un'altra facendola cadere nel fiume. Agrippina se l'aspettava. Forse da qualche suo servitore di fiducia lasciato a palazzo era informata di ciò che le preparavano, e cercò di salvarsi la prima volta con una medicina che risolse l'avvelenamento in una colica, la seconda nuotando. Le guardie di Nerone dovettero fare altrettanto per inseguirla sull'altra sponda. E ci domandiamo quali dovettero essere i sentimenti e i pensieri di questa donna nel vedersi incalzata dai sicari di un figlio, cui aveva sacrificato tutta la sua vita. Ma non li mostrò, quando fu da essi raggiunta. Disse semplicemente: «Colpite qui», e indicò il grembo da cui Nerone era nato. Costui, quando gli portarono il corpo nudo di sua madre morta, osservò soltanto: «Toh, non mi ero mai accorto di aver avuto una mamma così bella». E forse l'unica cosa che rimpianse fu di non essersela presa quando lei gli si era offerta.

Come già per Caligola, non abbiamo altra ipotesi che la

follia per spiegare simili reazioni. Forse nel sangue dei Claudi c'era un male ereditario, che dava al cervello.

La storia assicura che Seneca in questo orrendo delitto non ebbe parte. Ma essa ci obbliga a costatare anche ch'egli lo accettò, rimanendo al fianco dell'imperatore. Sperava forse di trattenerlo sulla china della perdizione? Quella speranza, se la covò, fu presto delusa. Nerone respinse i suoi consigli quando egli cercò di fargli capire che a un imperatore non si addiceva giostrare nel Circo come auriga ed esibirsi in teatro come tenore. Anzi, per mostrare quanto poco ormai teneva in considerazione il suo maestro, ordinò ai senatori di misurarsi con lui in quelle prove ginnastiche e musicali, dicendo che questa era la tradizione greca e che la tradizione greca era migliore di quella romana.

I senatori, nel loro insieme, forse non meritavano miglior trattamento; ma in qualcuno di essi brillava ancora un barlume di dignità. Trasea Pèto e Elvidio Prisco parlarono apertamente contro l'imperatore, le cui spie li accusarono di complotto. Nerone, che dopo il matricidio aveva mostrato una certa clemenza, si abbandonò a un'orgia di sangue e siccome il Tesoro, che Claudio aveva lasciato florido, sotto le sue sregolatezze si era esaurito, impose ai condannati di lasciargli le loro sostanze. Seneca criticò queste misure. Ma la vera ragione per cui perse il posto fu che criticò anche le poesie del suo padrone. Forse con un respiro di sollievo si ritirò nella sua villa in Campania, e qui si diede alacremente a cercare, come scrittore, una rivincita al suo fallimento di precettore. Burro era morto pochi mesi prima, e lo aveva rimpiazzato lo scellerato Tigellino.

Senza più freni, Nerone precipitava. Il ritratto fisico che ci hanno lasciato di lui ce lo mostra, a venticinque anni, coi capelli gialli annodati in treccine, l'occhio smorto e una pancia adiposa su due gambette rachitiche. Poppea, ormai sua moglie, ne faceva quel che voleva. Non contenta di avergli imposto il divorzio da Ottavia, lo spinse a mandarla al confino. E siccome i romani disapprovarono e coprirono di fiori le sue statue, lo persuase a farla assassinare. Ottavia morì male, impaurita e chiedendo pietà: aveva vent'anni appena ed era nata per fare la buona moglie di un buon marito, non l'eroina di una tragedia.

Neanche stavolta Nerone ebbe rimorsi perché nel frattempo si era fatto consacrare dio, e gli dèi non sono obbligati a esami di coscienza. Ora voleva soltanto costruire per sé un nuovo palazzo d'oro, che diventasse il proprio tempio e, siccome lo progettava di dimensioni gigantesche, non trovava, nell'affollato centro di Roma, un'area fabbricabile. Da qualche tempo andava brontolando che la città era costruita male, e che si sarebbe dovuto rifarla tutta secondo un più razionale piano urbanistico, quando, nel luglio del 64, vi scoppiò il famoso incendio.

Era stato veramente lui a farlo appiccare? Forse no. Egli si trovava ad Anzio in quel momento, accorse subito, e spiegò un'energia che nessuno gli sospettava nell'opera di soccorso. Ma il fatto che subito la voce del popolo lo accusò dimostra che, anche se non lo aveva fatto, la gente lo considerava capace di farlo. Stranamente assai, egli non reagì stavolta alle accuse, non perseguitò nemmeno gli autori dei volantini e dei libelli che lo additavano alla furia popolare. Ma, da vero capo di un regime totalitario, pensò che, dato il disastro, prima ancora che a ripararlo, bisognava pensare a trovar qualcuno cui addebitarlo. E fu così, dice Tacito, ch'egli ricorse a una setta religiosa formatasi in quei tempi a Roma e che aveva derivato il suo nome da quello di un certo Cristo, un ebreo condannato a morte da Ponzio Pilato in Palestina al tempo di Tiberio.

Nerone non sapeva altro di loro, quando ne fece arrestare tutti quelli che gli capitarono a tiro e condannare, dopo un processo sommario, alla tortura. Alcuni furon dati alle belve, altri crocifissi, altri spalmati di resina e adibiti a torce. Roma non si era molto accorta di loro. Ma dopo questo martirio in massa cominciò a guardarli con una certa curiosità. Ora l'imperatore poteva finalmente costruire una capitale come piaceva a lui. E in questa bisogna, che lo assorbì completamente, mostrò una certa competenza. Ma mentre la nuova Roma cresceva più bella di quella distrutta, Poppea morì di un aborto. Le male lingue dissero subito ch'era stato il marito a darle un calcio nella pancia durante un litigio. Può darsi. Comunque il colpo fu terribile per lui, che vi perse insieme una moglie amata e l'erede che aspettava. Errando nel dolore per le strade, vi trovò un giovanotto, un certo Sporo, il cui volto stranamente somigliava a quello della defunta. Lo portò a palazzo, lo fece castrare e lo sposò. I romani commentarono: «Ah, se suo padre avesse fatto altrettanto!...».

Soprintendeva ai lavori per l'erezione del suo grande palazzo, quando le sue spie scoprirono un complotto per installare sul trono Calpurnio Pisone. Ci furono i soliti arresti, le solite torture, le solite confessioni. In una di queste furon fatti i nomi di vari intellettuali, fra cui Seneca e Lucano.

Lucano era un altro spagnolo di Cordova, lontano cugino di Seneca, che, venuto a Roma per studiarvi legge, aveva commesso l'imperdonabile errore di vincere un premio di poesia a un concorso cui si era presentato anche Nerone, che perse. L'imperatore gli vietò di continuare a scrivere. Lucano disobbedì componendo un carme sulla battaglia di Farsalo, retorico e mediocre, ma d'intonazione chiaramente repubblicana. Non poté pubblicarlo, ma lo lesse nei salotti aristocratici dove ebbe naturalmente grande successo, fra quei signori che non avevano più la forza di opporsi alla tirannia, ma rimpiangevano la libertà. Partecipò egli veramente al complotto, o vi fu iscritto d'ufficio dagli sbirri che conoscevano l'antipatia di Nerone per quel suo rivale? Negl'interrogatori, egli ammise la propria colpa e denunziò gli altri complici, fra cui, pare, anche sua madre e il cugino

Seneca. Condannato, invitò gli amici a una gran festa, mangiò e trincò con loro, si aprì le vene, e morì recitando alcuni suoi versi contro il dispotismo. Aveva ventisei anni.

Seneca apprese forse di aver partecipato alla congiura di Pisone dai messi dell'imperatore che vennero in Campania a partecipargli la condanna. Stava scrivendo una lettera al suo amico Lucilio che terminava così: «Per quel che mi riguarda, ho vissuto abbastanza a lungo e mi par d'avere avuto tutto quel che mi spettava. Ora attendo la morte». Ma quando la morte si presentò nei panni di quell'ambasciatore, obbiettò che non c'era ragione d'infliggergliela, visto che da tempo non faceva più politica e badava a curarsi soltanto la salute, di cui lasciò prevedere imminente il collasso. Era la scusa che aveva invocato anche con Caligola e che gli aveva permesso di campare fin quasi a settant'anni. L'ambasciatore tornò a Roma, ma Nerone fu irremovibile. Allora Seneca con molta calma abbracciò la moglie Paolina, dettò una lettera di addio ai romani, bevve la cicuta, si aprì le vene, e morì secondo i precetti dello stoicismo meglio di quanto non avesse saputo vivere. Paolina tentò di imitarlo, ma l'imperatore le fece suturare le vene. I secoli hanno cancellato le contraddizioni dell'uomo Seneca e hanno conservato solo le opere dello scrittore, che una sua grandezza la raggiunse. Egli insegnò come si compone un «saggio» e come si concilia la predica della rinuncia con la pratica dei propri comodi. A un simile maestro, gli allievi non potevano mancare.

Fatto il vuoto intorno a sé, Nerone partì per una *tournée* in Grecia, dove la gente, disse, s'intendeva d'arte più che a Roma. Partecipò come fantino alle corse di Olimpia, cascò, arrivò ultimo, ma i greci lo proclamarono ugualmente vincitore, e Nerone li compensò esentandoli dal tributo a Roma. I greci capirono l'antifona, gli fecero vincere tutti gli altri tornei, organizzarono una clamorosa *claque* nei teatri in cui l'imperatore cantava (era fatto assoluto divieto di uscire durante lo spettacolo, e ci furono delle donne che vi partorirono), ed ebbero in cambio la piena cittadinanza.

Tornato a Roma, Nerone decretò a se stesso un trionfo in cui non potendo esibire le spoglie di nessun nemico, esibì le coppe che aveva guadagnato come tenore e come auriga. Era in buona fede, nel pretendere l'ammirazione dei suoi concittadini. Credeva che ne nutrissero davvero per lui, e quindi fu più stupito che preoccupato quando seppe che Giulio Vindice chiamava la Gallia alle armi contro di lui. La sua prima cura, nell'organizzare l'esercito da guidare contro il ribelle, fu di ordinare un gran numero di carri espressamente costruiti per il trasporto delle scene con cui montare un teatro. Perché, fra una battaglia e l'altra, intendeva continuare a recitare, a suonare e a cantare per farsi applaudire dai soldati. Ma durante questi preparativi, giunse la notizia che Galba, governatore della Spagna, si era unito a Vindice e che con lui marciava su Roma.

Il Senato, che da tempo spiava l'occasione, dopo essersi assicurata la benevola neutralità dei pretoriani, proclamò imperatore il ribelle proconsole, e Nerone si accorse improvvisamente d'essere solo. Un ufficiale della Guardia, cui chiese di accompagnarlo nella fuga, gli rispose con un verso di Virgilio: «È dunque così difficile morire?».

Sì, era molto difficile, per lui. Si procurò un po' di veleno, ma non ebbe il coraggio d'ingerirlo. Pensò di buttarsi nel Tevere, ma non ne trovò la forza. Si nascose nella villa di un amico sulla via Salaria, a dieci chilometri dalla città. Lì seppe che lo avevano condannato a morte «alla vecchia maniera» cioè per fustigazione. Atterrito, afferrò un pugnale per immergerselo nel petto, ma prima ne provò la punta e trovò che «faceva male». Si decise a tagliarsi la gola, quando udì uno zoccolìo di cavalli fuor della porta. Ma la mano gli tremò, e fu il suo segretario Epafrodito a guidargliela sulla carotide. «Ah, che artista muore con me!», sussurrò in un rantolo. Le guardie di Galba rispettarono il cadavere che

fu piamente sepolto dalla vecchia nutrice e dalla prima amante, Acte. Stranamante assai, la sua tomba rimase per molto
tempo coperta di fiori sempre freschi, e molti a Roma continuarono a credere ch'egli non fosse morto e stesse per tornare. In genere, sono idee che germogliano solo nei terricci
fecondati dai rimpianti e dalla speranza.

Che Nerone fosse, tutto sommato, migliore di come la
storia lo ha descritto?

POMPEI

La catastrofe tellurica che il 24 agosto del 79 fece la disgrazia di Pompei ha costituito la sua fortuna postuma. Era una delle più insignificanti città d'Italia. Contava poco più di quindicimila abitanti, viveva soprattutto di agricoltura, e al suo nome non era legato nessun grande evento storico. Ma quel giorno il Vesuvio s'incappucciò d'una nuvolaglia nera da cui piovve un torrente di lava che in poche ore sommerse Pompei ed Ercolano. Plinio il Vecchio, che comandava la flotta alla fonda nel porto di Pozzuoli e che aveva, fra l'altro, la passione della geologia, accorse con le sue navi per vedere di che si trattava, eppoi per salvare gli abitanti che fuggivano a perdifiato verso il mare. Ma, accecato dal fumo e travolto nella ressa, cadde, e fu raggiunto e seppellito dalla lava. Circa duemila persone persero la vita in quella sciagura. Ma sotto il sudario di morte, la città si serbò intatta. E quando, circa due secoli fa, gli archeologi la disseppellirono con le loro escavatrici, quello che piano piano tornò alla luce fu il documento più istruttivo non soltanto dell'architettura, ma anche della vita di un piccolo centro di provincia italiano nel secolo d'oro dell'Impero. Amedeo Maiuri, che vi ha dedicato la vita, ha tratto da Pompei insegnamenti preziosi.

Il centro del paese era il foro, cioè la piazza, che certamente in origine era stata il mercato dei cavoli per cui quella zona andava famosa, ma poi col tempo era diventata anche un teatro all'aperto sia per gli spettacoli drammatici che per i giuochi. Gli edifici che la circondavano erano quelli di pubblica utilità, a cominciare dai templi di Giove, di Apollo e di Venere, per finire al municipio e ai negozi.

È chiaro che la vita si svolgeva lì, il dedalo di viuzze che s'intrecciavano tutt'intorno costituendo una specie di retrobottega gremita di negozietti e di botteghe artigiane, sonanti di martelli, di scuri, di seghe, di pialle, di lime e del confuso assordante vocio di bambini, donne, gatti, cani, venditori ambulanti, che ancora costituisce una caratteristica del nostro bello, ma non silenzioso paese, specie nel Sud. E siccome quelli che si conservano meglio, del costume di un popolo, sono i vizi, a Pompei possiamo misurare quanto sia vecchio, in Italia, anche quello d'imbrattare i muri e di servirsene come strumenti di propaganda delle nostre idee, dei nostri amori e dei nostri odi. Oggi lo facciamo coi manifesti, il gesso e il carbone. Allora lo si faceva coi «graffiti», cioè incidendo la pietra. Ma la differenza è soltanto tecnica: quanto al contenuto, è chiaro che gl'italiani hanno sempre pensato e detto e urlato le stesse cose. Tizio prometteva a Cornelia un amore più lungo della sua stessa vita, Caio invitava Sempronio ad andare a morire ammazzato, Giulio garantiva pace e prosperità a tutti se lo eleggevano questore, e i «Viva Maio!» si sprecavano all'indirizzo di un edile che aveva scritturato a proprie spese il gladiatore Paride, come oggi si scritturano gli «oriundi» nelle squadre di calcio, per dare spettacolo nell'anfiteatro dov'erano disponibili ventimila posti, cinquemila più di quelli richiesti dall'intera cittadinanza, che dovevano essere riservati, evidentemente, alla gente del contado.

Le case erano comode e piuttosto lussuose. Non avevano quasi punte finestre e di rado il termosifone. Ma i soffitti sono di cemento, qualche volta a mosaico e i pavimenti di pietra. Solo i palazzi hanno la stanza da bagno, e qualcuno addirittura la piscina. Ma c'erano ben tre terme pubbliche con relativa palestra. Le cucine erano provviste di ogni sorta di utensili: padelle, pentole, girarrosti; e in una libreria privata furono rintracciati duemila volumi in greco e in la-

298

tino. Del mobilio si sa poco perché, essendo quasi tutto di legno, si è disfatto. Ma sono rimasti calamai, penne, lampade di bronzo, e statue, tutte di derivazione greca, ma di alto stile e raffinata fattura.

Tutto questo suggerisce l'idea d'una vita comoda e bene organizzata, quale dovette essere infatti quella delle città di provincia nei secoli felici dell'Impero. Certo, nessuna di esse poteva gareggiare con Roma, quanto a intensità, servizi pubblici, salotti e divertimenti. In compenso, chi vi abitava era sottratto ai pericoli delle persecuzioni, o per lo meno ne soffriva in misura molto minore, e il malcostume della decadenza vi giunse più tardi e attenuato dalla maggiore solidità delle buone tradizioni. Non per nulla Cesare, e più tardi Vespasiano, tentarono di colmare i vuoti dell'aristocrazia e del Senato romani elevandovi le famiglie di questa borghesia provinciale. E una delle ragioni per cui, caduta Roma, la civiltà romana resisté e corruppe i barbari assorbendoli è che non soltanto nell'Urbe, ma dovunque essi mettessero il piede nella penisola, vi trovarono città superiormente organizzate.

Di esse, non faremo l'inventario. Ci limiteremo soltanto a dire che, al contrario di ciò che accade oggi, quelle meridionali primeggiavano sulle settentrionali perché, ancora prima di quella romana, avevano risentito della civiltà greca. Napoli era la più rinomata per i suoi templi, per le sue statue, per il suo cielo, per il suo mare, per la sottile furberia dei suoi abitanti e, come oggi, per la loro pigrizia. Da Roma ci venivano a passare l'inverno, e i suoi dintorni, Sorrento, Pozzuoli, Cuma, brulicavano di ville. Capri era già stata scoperta da un pezzo e Tiberio la «lanciò» facendone la sua abituale residenza. E Pozzuoli fu la più rinomata stazione termale dell'antichità per le sue acque sulfuree.

Un'altra regione che brulicava di città già stagionate era la Toscana, dove le avevano costruite gli etruschi.

Le più importanti erano Chiusi, Arezzo, Volterra, Tarquinia e Perugia ch'era considerata parte di quella regione. Firenze che, appena neonata, si chiamava *Florentia*, era la meno cospicua e non prevedeva il suo destino.

Più su, al di là degli Appennini, cominciavano le città-fortino, costruite soprattutto per ragioni militari, come piazzeforti degli eserciti impegnati nella lotta contro le riottose popolazioni galle. Tali furono Mantova, Cremona, Ferrara, Piacenza. Ancora più a Nord c'era il grosso borgo mercantile di Como, che considerava *Mediolanum*, cioè Milano, il suo quartiere povero. Torino era stata fondata dai galli taurini, ma cominciò a diventare una città vera e propria solo quando Augusto la trasformò in una colonia romana. Venezia non era ancora nata, ma i veneti erano già arrivati dall'Illiria e avevano fondato Verona. Erodoto racconta che i capi delle tribù requisivano le ragazze, mettevano all'asta le più belle, col ricavato facevano la dote alle più sgraziate, e così riuscivano ad accasarle tutte. Ecco qualcosa a cui i socialisti d'oggigiorno non hanno ancora pensato.

Questo non è un catalogo; è soltanto una esemplificazione. All'ingrosso si può dire che l'Italia già da allora era gremita di città, perché quasi tutte quelle che oggi vi si contano nacquero a quei tempi. E le libertà democratiche vi resisterono più a lungo che a Roma, anche se a esercitare il potere era un autogoverno di tipo piuttosto paternalistico. Esso costituiva il monopolio di una Curia, ch'era un Senato in miniatura, il quale, come a Roma, esercitava il controllo sui magistrati liberamente eletti dalla cittadinanza. La rosa dei candidati però era ristretta ai ricchi perché non solo essi non ricevevano stipendio, ma anzi dovevano colmare i vuoti del bilancio municipale.

Intanto, l'elezione veniva celebrata con un gigantesco banchetto cui tutti erano invitati e che si ripeteva il giorno del compleanno, quello del matrimonio della figlia eccetera. Eppoi, il successo nella carica e la possibilità di ripresentarvisi o di concorrere a una più alta erano misurati dalle opere pubbliche e dagli spettacoli che il gerarca aveva finanziato di tasca sua. Lapidi con iscrizioni trovate un po' dovunque documentano la prodigalità (e vanità) di questi dirigenti che spesso rovinavano addirittura la propria famiglia per guadagnarsi la stima e i voti dei concittadini. A Tarquinia, Desumio Tullo per battere il suo rivale promise di costruire delle terme e ci spese cinque milioni di sesterzi, sordo alle proteste dei suoi figlioli che gli gridavano: «Babbo, ci rovini!...». A Cassino, una ricca vedova regalò un tempio e un anfiteatro. A Ostia, Lucilio Gemala pavimentò le strade. E tutti, quando c'era carestia, compravano grano e lo distribuivano gratis ai poveri. Non sempre costoro glien'erano grati. Ci sono dei graffiti, a Pompei, in cui si accusano i candidati di aver regalato alla popolazione soltanto la metà di ciò ch'essi avevano rubato con le loro malversazioni quando erano in carica.

Le interferenze del governo centrale romano nella vita municipale delle città di provincia fino a Marc'Aurelio furono scarse e quasi sempre volte più a favorirne che ad impedirne lo sviluppo. Gl'imperatori, quasi tutti rapaci per quanto riguardava l'amministrazione delle province straniere, per l'Italia avevano un debole, sia pure interessato. Era qui che reclutavano i loro soldati e sostenitori. La repubblica aveva trattato duramente la penisola perché aveva dovuto combatterla e sottometterla, e spesso n'era stata tradita. Ma per il Principato ormai essa era lo *Hinterland* di Roma. Gli imperatori venivano spesso a visitarne le città, e per ogni visita erano doni, sussidi e franchigie in risposta alle entusiastiche accoglienze che regolarmente vi ricevevano, ogni sovrano cercando di superare in munificenza il suo predecessore.

Per la provincia italiana, insomma, l'Impero fu una manna di Dio. Essa ne risentì soltanto i benefici: l'ordine, le strade ben tenute, i commerci vivaci, la moneta sana, gli scambi facili e frequenti, la sicurezza dalle invasioni. Le lotte di palazzo, le persecuzioni poliziesche, i processi e le carneficine non la toccarono.

GESÙ

Fra i cristiani che Nerone fece massacrare nell'anno 64, come responsabili dell'incendio di Roma, c'era anche il loro capo: un certo Pietro, che, condannato alla crocefissione dopo aver visto sua moglie avviarsi alla tortura, chiese di essere appeso con la testa in giù perché non si sentiva di morire nella stessa posizione in cui era morto il suo Signore, Gesù Cristo. Il supplizio si svolse là dove ora sorge il gran tempio che porta il nome del suppliziato. E i carnefici non furono nemmeno sfiorati dal dubbio che la tomba della loro vittima avrebbe fatto da fondamento a un altro Impero, spirituale, destinato a sotterrare quello, secolare e pagano, che aveva pronunciato il verdetto.

Pietro era ebreo e veniva dalla Giudea, una delle province più tartassate dal malgoverno imperiale. Due secoli e mezzo prima era riuscita, con miracoli di coraggio e diplomazia, a liberarsi dal dominio persiano e aveva ritrovato, per una settantina d'anni, la sua indipendenza, sotto la guida dei suoi re-sacerdoti da Simone Maccabeo in giù. La loro reggia era il Tempio di Gerusalemme. E qui gli ebrei si asserragliarono per resistere all'invasione di Pompeo, che voleva estendere anche su questa terra il dominio di Roma. Combatterono con la forza della disperazione, ma non vollero rinunziare alla pausa del sabato, che la religione imponeva. Pompeo se ne accorse, e proprio di sabato li attaccò. Dodicimila persone furono massacrate. Il Tempio non venne saccheggiato. Ma la Giudea diventò una provincia romana. Si ribellò pochi anni dopo, pagò il tentativo con la libertà di trentamila cittadini venduti come schiavi, e ritrovò uno sprazzo d'indipendenza sotto un re straniero, Erode, che tentò d'introdurvi la civiltà greca e la sua pagana architettura. Fu a suo modo un grande re, intelligente, crudele e pittoresco, che seppe fare il protetto di Roma senza diventarne il servo e regalò ai suoi sudditi un tempio ancora più bello, ma decorato di quelle immagini che l'austera fede ebraica respinge severamente come peccaminose e contrarie alla Legge.

Sotto il suo successore Archelao di nuovo gli ebrei si ribellarono, i romani rimisero a sacco Gerusalemme, ne vendettero come schiavi altri trentamila cittadini; e Augusto, per tagliar corto, fece della Giudea una provincia di seconda classe sotto il governatorato della Siria. Ma poco prima che questa nuova sistemazione fosse decisa, era avvenuto nel paese un piccolo fatto di cui nessuno, lì per lì, si accorse, ma che col tempo doveva rivelarsi di una qualche importanza per le sorti dell'intera umanità: a Betlemme, vicino a Nazareth, era nato Gesù Cristo.

Per un paio di secoli l'autenticità di questo episodio è stata revocata in dubbio da una «scuola critica» che voleva negare l'esistenza di Gesù. Ora i dubbi sono caduti. Ne resta, caso mai, uno solo, di secondaria importanza: quello sulla data esatta di questa nascita. Matteo e Luca, per esempio, dicono ch'essa avvenne sotto il regno di Erode, che, secondo il nostro modo di contare, sarebbe morto tre anni prima di Cristo. Altri dice ch'era un giorno di aprile, altri di maggio. La data del 25 dicembre del 753 *ab urbe condita* fu fissata d'autorità trecentocinquantaquattro anni dopo l'avvenimento, e diventò definitiva.

La storia ci serve poco, a rintracciare la giovinezza di Gesù. Essa ci fornisce testimonianze contraddittorie, date incerte, episodi discutibili, e ha ben poco da opporre alla versione che ce ne dànno poeticamente i Vangeli: l'Annunciazione a Maria, la vergine sposa di Giuseppe il falegname, la nascita nella stalla, l'adorazione delle pecore e dei re Magi,

303

la strage degl'Innocenti, la fuga in Egitto. La storia ci aiuta soltanto a farci un'idea delle condizioni di quel paese, quando Gesù vi nacque, e delle ispirazioni che vi trovò. Sono gli unici elementi di cui si ci può fidare.

La Giudea o Palestina era tutto un fremito patriottico e religioso. Ci vivevano circa due milioni e mezzo di persone, di cui centomila erano addensate in Gerusalemme. Non c'era unità razziale e confessionale. In alcune città anzi la maggioranza era dei *gentili*, cioè dei non ebrei, specie greci e siriani. La campagna invece era interamente ebraica, composta di contadini e piccoli artigiani poveri, parsimoniosi, industriosi, austeri e pii. Passavano la vita a lavorare, a pregare, a digiunare e ad aspettare il ritorno di Jeovah, il loro Dio che, secondo le Sacre Scritture, le quali costituivano anche la Legge, doveva tornare a salvare il suo popolo e a stabilire sulla terra il Regno del Cielo. Commerciavano poco. Anzi, sembra che fossero del tutto sprovvisti di quel genio speculativo, per cui in seguito diventarono così celebri (e temuti).

Il limitato autogoverno che Roma concedeva era esercitato dal Sinedrio, o Consiglio degli Anziani, composto di settantun membri sotto la presidenza di un alto sacerdote, e diviso in due fazioni: quella conservatrice e nazionalista dei sadducèi, che tiravano più alle cose di questa terra che a quelle del cielo; e quella bigotta dei farisei, dei teologi che passavano il loro tempo a interpretare i sacri testi. Poi c'era anche una terza setta, estremista, quella degli esseni, che vivevano in un regime comunista, mettevano insieme i profitti del loro lavoro, si servivano di oggetti fatti con le loro mani, mangiavano a una stessa tavola, tacendo, e così poco, che campavano in genere oltre i cento anni, e il sabato non evacuavano nemmeno perché lo consideravano contrario alla Legge. Gli scribi invece, cui Gesù tanto spesso allude, non erano una setta; erano una professione e appartenevano per la maggior parte ai farisei. Rappresentavano un po' i notai, i cancellieri, gl'interpreti delle Sacre Scritture, da cui ricavavano i precetti per regolare la vita della società.

Non solo tutta la politica, ma anche tutta la letteratura e tutta la filosofia ebraiche erano d'intonazione profondamente religiosa (e lo sono rimaste). Il loro motivo dominante è l'attesa del Redentore che sarebbe venuto un giorno a riscattare il popolo dal Male, rappresentato nella fattispecie da Roma. E i più, seguendo Isaia, erano convinti che il Messia di questa Redenzione sarebbe stato un Figlio di Uomo, discendente dalla famiglia di David, il mitico re degli ebrei, che avrebbe scacciato il Male e instaurato il Bene: l'amore, la pace, la ricchezza.

Questa speranza cominciava ad essere condivisa allora anche dai popoli pagani soggetti a Roma che, avendo perso ogni fede nel loro destino nazionale, la stavano trasferendo sul piano spirituale. Ma in nessun paese l'attesa era così vibrante e spasmodica come in Palestina, dove i presagi e gli oracoli davano per imminente la grande apparizione. C'era gente che passava la giornata nello spiazzo di fronte al Tempio, pregando e digiunando. Tutti sentivano che ormai il Messia non poteva più tardare.

Pure, Gesù trovò qualche difficoltà a farsi riconoscere come l'atteso Figlio dell'Uomo. E pare ch'Egli stesso acquistasse la coscienza di esserlo solo dopo aver ascoltato le prediche di Giovanni il Battista, ch'era Suo lontano parente perché figlio di una cugina di Maria. In genere, noi ci rappresentiamo Giovanni, per la sua qualità di precursore, come molto più anziano di Gesù. Invece sembra che fosse quasi Suo coetaneo. Viveva sulle rive del Giordano, vestito solo dei suoi lunghi capelli, si nutriva di erbe, di miele e di locuste, chiamava la gente a purificarsi col rito del Battesimo, da cui gli derivò il soprannome, e prometteva l'avvento del Messia come corrispettivo di un sincero pentimento.

Gesù venne a trovarlo «nel quindicesimo anno di Tiberio», cioè quando Egli stesso doveva averne ventotto o ventinove. E sostanzialmente ne accettò la dottrina e la riprese per conto Suo, ma astenendosi dal battezzare gli altri di persona, e portando la predicazione in mezzo alla società. Poco dopo Giovanni venne arrestato dalle guardie del tetrarca di Gerusalemme, Erode Antipa. Luca e Matteo raccontano che l'arresto fu dovuto alle critiche di Giovanni al matrimonio di Erode con Erodiade, moglie di suo fratello Filippo. La figlia Salomè danzò talmente bene di fronte al tetrarca che questi si offrì di contentare qualunque suo desiderio. Su suggerimento della madre, Salomè chiese la testa decapitata di Giovanni, e fu accontentata.

Fu dopo questo avvenimento che la missione di Gesù entrò nel suo pieno. Egli cominciò a predicare nelle sinagoghe, e dalle concordi testimonianze che ci restano si direbbe che qualcosa di soprannaturale attirasse subito le folle verso di Lui. Egli accompagnava le prediche, di quando in quando, coi miracoli; ma li faceva con riluttanza, proibiva ai Suoi seguaci di sfruttarli a scopi pubblicitari e si rifiutava di considerarli «prove» della Sua onnipotenza.

Intorno a Lui si era formata una cerchia di stretti collaboratori, i dodici Apostoli. Il primo fu Andrea, un pescatore ch'era stato seguace di Giovanni. Egli condusse con sé Pietro, pescatore anche lui, impulsivo, generoso, talvolta timido fino alla viltà. Anche Giacomo e Giovanni, i figli di Zebedeo, erano pescatori. Matteo invece era «pubblicano» (oggi si direbbe «statale») cioè un collaboratore dell'odiato governo romano. Giuda Iscariota era l'amministratore dei fondi che gli Apostoli mettevano in comune.

Sotto di loro c'erano settantadue Discepoli, che precedevano scalzi Gesù nelle città ch'Egli intendeva visitare per prepararvi la gente alle Sue prediche. Eppoi tutto un codazzo di fedeli, uomini e donne, che Lo seguivano, vivendo fraternamente tra loro secondo la regola degli esseni.

Dapprima il Sinedrio non si preoccupò molto di Gesù.

Per due ragioni: prima di tutto, perché i Suoi seguaci erano ancora scarsi; eppoi perché le idee che predicava non erano, nel loro complesso, incompatibili con la Legge e coi suoi dogmi. L'avvento del Redentore e del Regno del Cielo faceva parte della dottrina ebraica e del suo messianismo, come i precetti morali che Gesù propagandava. «Ama il prossimo tuo come te stesso», «Offri l'altra guancia a chi ti ha schiaffeggiato», eccetera erano già nel galateo di quel popolo. Gesù diceva: «Io non sono venuto a distruggere la Legge di Mosè, ma ad applicarla».

La rottura con le autorità avvenne quando Gesù annunziò di esser Lui il Figlio dell'Uomo, il Messia che tutti aspettavano, e la folla di Gerusalemme, dov'era tornato dopo la predicazione in provincia e nel contado, Lo salutò come tale. Il Sinedrio ne fu preoccupato soprattutto per ragioni politiche: temeva che Gesù approfittasse del Suo credito di Messia per provocare una sollevazione contro Roma, sollevazione che sarebbe finita in un nuovo massacro.

La sera del 3 aprile dell'anno 30, Egli fu informato che il Sinedrio aveva deciso il Suo arresto su denunzia di uno degli Apostoli. Pranzò ugualmente con essi in casa di un amico e in quell'ultima cena annunziò che uno fra loro Lo stava tradendo, e li avvertì che ormai Gli restava poco tempo da trascorrere con loro. I gendarmi Lo catturarono quella notte stessa nel giardino di Getsemani. E quando al Sinedrio che Gli chiedeva se era Lui il Messia, rispose: «Sì, sono io», fu deferito al procuratore romano, Ponzio Pilato, per empietà.

Ponzio Pilato era un funzionario, che più tardi finì la sua carriera piuttosto ingloriosamente: lo silurarono per malversazioni e crudeltà. Tuttavia nel caso di Gesù non si comportò molto male, dal punto di vista burocratico. Gli chiese se manteneva la Sua pretesa di essere il re degli ebrei, ma in tono di scherzo e forse sperando che l'accusato gli rispondesse di no. Gesù gli rispose invece di sì, e gli spiegò che

Regno intendeva instaurare. Pietro dice ch'Egli aveva deciso di morire per espiare le colpe di tutti gli uomini.

Pilato impartì con riluttanza la condanna a morte che quella confessione imponeva: cioè a mezzo di crocefissione. Fu inchiodato alle nove del mattino, fra due ladroni, sotto la tortura per un attimo vacillò e mormorò: «Mio Dio, mio Dio, perché mi hai abbandonato?». Alle tre del pomeriggio spirò.

Due influenti membri del Sinedrio chiesero e ottennero da Pilato il permesso di seppellire il cadavere. Due giorni dopo, Maria Maddalena, una delle più ardenti seguaci di Gesù, andata a visitarne la tomba, la trovò vuota. La notizia volò di bocca in bocca e fu confermata dalle apparizioni che Cristo fece ancora sulla terra, presentandosi in carne ed ossa ai Discepoli.

Quaranta giorni dopo il Suo decesso ufficiale, Egli ascese al Cielo, com'era del resto nella tradizione ebraica, da Mosé a Elia a Isaia. E i Suoi seguaci si sparpagliarono nel mondo ad annunziare la grande novella della Sua resurrezione e del prossimo ritorno.

CAPITOLO TRENTASEIESIMO
GLI APOSTOLI

Quest'opera missionaria dapprima si sviluppò soltanto in Palestina e nelle contrade vicine, dove vivevano colonie ebree. Perché, in un primo momento, tra gli Apostoli fu tacitamente convenuto che Gesù era il Redentore non di tutti gli uomini, ma soltanto del popolo ebraico. Fu dopo la missione di Paolo ad Antiochia e il successo che egli raccolse fra i gentili di questa città, che si pose e fu risolto il problema dell'universalità del Cristianesimo.

Paolo fu per la «ideologia», come oggi si direbbe, della nuova fede quel che Pietro fu per la sua organizzazione. Era un ebreo di Tarso, figlio di un fariseo benestante, e quindi d'origine borghese, che gli trasmise il più prezioso di tutt'i beni, a quei tempi: la cittadinanza romana. Aveva studiato il greco e seguito le lezioni di Gamaliel, il presidente del Sinedrio. Aveva un'intelligenza acuta, tipicamente ebraica nello spaccare il capello, e un carattere difficile: imperioso, impaziente, e spesso ingiusto. La sua prima reazione verso Cristo, che non conobbe di persona, e i cristiani, fu di violenta antipatia. Li considerava eretici, e quando gliene capitò sotto mano uno, Stefano, condannato per infrazione alla Legge, collaborò con entusiasmo alla sua lapidazione. Un giorno sentì che i cristiani guadagnavano proseliti a Damasco. Chiese al Sinedrio di lasciarvelo andare per arrestarli, e durante il viaggio fu folgorato da uno squarcio di luce e udì una voce che diceva: «Paolo, Paolo, perché mi perseguiti?». «Chi sei?» chiese sbigottito. «Sono Gesù.» Rimase cieco per tre giorni, poi andò a farsi battezzare, e diventò il più abile propagandista della nuova Fede.

309

Per tre anni predicò in Arabia, poi tornò a Gerusalemme, si fece perdonare da Pietro il suo passato di persecutore, e con Barnaba andò a dirigere l'opera di proselitismo fra i greci di Antiochia. Quando seppero che i due missionari non richiedevano la circoncisione per accettare conversi, come Mosè prescriveva, cioè li reclutavano anche fra i gentili, gli Apostoli li mandarono a chiamare per avere spiegazioni. Con l'appoggio di Pietro, la battaglia fu vinta da Paolo, ma riprese subito dopo la sua seconda *tournée* in Grecia. La maggioranza degli Apostoli era ancora fedele alla Legge, frequentava il Tempio, non voleva rompere col suo popolo e con la sua tradizione. Paolo sentì che, a lasciarli fare, costoro avrebbero fatto del Cristianesimo soltanto una eresia ebraica, sostenne le sue tesi in pubbliche prediche e andò a rischio di essere linciato dalla folla. Volevano processarlo per empietà. Ma lo salvò la cittadinanza romana che gli dava il diritto di appello all'imperatore. Così lo imbarcarono per Roma, dove giunse dopo un viaggio avventurosissimo.

Nell'Urbe lo ascoltarono con pazienza, non capirono un'acca della questione ch'egli esponeva, compresero soltanto che la politica non c'entrava e, in attesa che arrivassero gli accusatori, lo trattarono bene, limitandosi a mettergli un soldato di guardia alla porta della casa che gli avevano lasciato scegliere. Paolo vi invitò gli esponenti della colonia ebraica, ma non riuscì a persuaderli. Anche i pochi fra loro ch'erano già cristiani respinsero con orrore l'idea che il battesimo fosse più importante della circoncisione, e a lui preferirono Pietro, che giunse poco dopo e trovò un'accoglienza molto più calda.

Paolo riuscì a convertire qualche gentile; ma in sostanza rimase solo e, animato com'era da implacabile zelo missionario, lo sfogò nelle famose *Lettere* che scrisse un po' a tutti i vecchi amici, di Corinto, di Salonicco, di Efeso, e che costituiscono ancor oggi la base della teologia cristiana. Secondo qualche storico, egli fu assolto, tornò a predicare in Asia e in Spagna, fu di nuovo arrestato e condotto a Roma. Ma pare che non sia vero. Paolo non fu mai liberato, nell'amarezza di quel solitario esilio perse a poco a poco la fede nell'imminente ritorno di Cristo sulla terra, o per meglio dire la tradusse in quella nell'aldilà, sigillando così la vera essenza della nuova religione.

Non sappiamo come, quando e perché lo processarono di nuovo. Sappiamo soltanto che l'accusa fu: «Disobbedienza agli ordini dell'imperatore e pretesa che il vero re sia un tale chiamato Gesù». Può darsi infatti che non ci fosse nient'altro a suo carico. I poliziotti vanno per le spicce e, sentendo Paolo dare del re a Gesù, quando sul trono c'era Nerone, lo arrestarono e condannarono. Una leggenda vuole ch'egli sia stato soppresso lo stesso giorno dell'anno 64 in cui Pietro fu crocefisso e che i due grandi rivali, incontrandosi sulla via del supplizio, si abbracciassero in segno di pace. La cosa è poco credibile. Pietro si trovò mescolato con gli altri cristiani, uccisi in massa come responsabili dell'incendio di Roma. Paolo era un «cittadino», e come tale aveva diritto a qualche riguardo. Infatti si limitarono a decapitarlo. E là dove si ritiene ch'egli sia seppellito, la Chiesa, due secoli dopo, fondò la basilica che ne porta il nome: San Paolo fuori le Mura.

Quante reclute aveva fatto il cristianesimo a Roma, nel momento in cui scomparvero i due grandi Apostoli?

Le cifre sono impossibili da precisare, ma non crediamo che superassero qualche centinaio, al massimo qualche migliaio. Il fatto stesso che le autorità vi prestassero poca attenzione, lo dimostra. L'accusa dell'incendio non faceva parte di una politica persecutoria; fu uno stratagemma estemporaneo per fuorviare i sospetti contro Nerone. Il massacro, sul momento, parve aver distrutto per sempre la setta. Poi, come tutti i massacri, si rivelò un fertilizzante. Ma questo fu dovuto all'organizzazione che Pietro le aveva dato.

I cristiani si riunivano in *ecclesiae*, cioè in chiese o congregazioni, che in quei primi tempi non ebbero nulla di segreto e di cospiratorio. I paragoni che oggi si fanno con l'organizzazione cellulare comunista sono assolutamente ridicoli e privi di fondamento. Non solo perché nelle *ecclesiae* si predicava l'amore invece dell'odio; non solo perché non vi si svolgeva nessun proselitismo politico. Ma soprattutto perché non c'era ombra di segretezza, e chiunque si presentasse veniva accolto senza sospetti né diffidenze. Un'altra falsa credenza di oggi è che gli adepti fossero soltanto proletari, «la feccia», come l'avrebbe chiamata più tardi Celso. Niente di più inesatto. C'era di tutto. E in genere si trattava di gente industriosa e pacifica, di piccoli e medi risparmiatori, che finanziavano le comunità cristiane più povere. Luciano il miscredente li definiva: «Degl'imbecilli che mettono insieme tutto quello che possiedono». Tertulliano il convertito precisava: «Che mettono insieme ciò che gli altri tengono separato e tengono separata la sola cosa che gli altri mettono insieme: la moglie».

Una discriminazione, imposta dalle circostanze, ci fu soltanto fra la popolazione di città e quella di campagna. I primi proseliti li diede la prima, per ovvie ragioni: perché solo in città c'è modo di riunirsi assiduamente, perché le scontentezze vi sono più acute e le menti più aperte alla critica, perché in campagna le tradizioni e i costumi si conservano di più e una maggiore forza morale li sorregge. Ed ecco perché i cristiani cominciarono a chiamare i miscredenti *pagani*, cioè contadini, da *pagus* che vuol dire «villaggio».

La prima cosa cui mirarono questi precursori fu l'instaurazione di un modello di vita sano e decente, di cui comprendiamo il prestigio e il fascino ch'era destinato ad esercitare in una capitale che si faceva sempre più malsana e svergognata. L'origine ebraica della nuova fede e di coloro che vi si convertirono per primi era comprovata dall'austerità che imponeva. Le donne partecipavano alle funzioni del culto, che ancora si esaurivano nella preghiera, ma velate, perché i capelli potevano distrarre gli angeli, come dice san Gerolamo che voleva farli tagliare a tutte. E un regime di vita ordinato e casalingo era la regola fondamentale. La festa del sabato, anch'essa di origine ebraica, era osservata, e la si celebrava con una cena collettiva, che cominciava e finiva con le preghiere e con la lettura delle Sacre Scritture. Il prete benediceva il pane e il vino, che simboleggiavano rispettivamente il corpo e il sangue di Gesù, e la cerimonia finiva col bacio d'amore che tutti si scambiavano, ma che dovette dare origine a qualche diversivo in contrasto con la teologia perché di lì a poco si prese a praticarlo solo da uomo a uomo e da donna a donna, e con la raccomandazione di tener chiusa la bocca e di non ripeterlo se dava piacere.

L'aborto e l'infanticidio furono aboliti ed esecrati dai cristiani in mezzo a una società che sempre più li praticava e ne stava morendo. Anzi, ai fedeli fu fatto obbligo di raccogliere i trovatelli, adottarli e educarli nella nuova religione. L'omosessualità era bandita; il divorzio era ammesso solo su richiesta della moglie, se costei era pagana. Meno successo ebbe la proibizione di frequentare il teatro. Ma, tutto sommato, la regola rimase severa specie finché fu praticata quasi esclusivamente dagli ebrei. Poi, a poco a poco, col crescere di numero e d'importanza dei gentili, essa si fece più accomodante. E la festa austera del sabato diventò piano piano quella più allegra della domenica.

In questo «giorno del Signore» ci si riuniva intorno al prete che leggeva un brano delle Scritture, dava l'avvio alle preghiere, eppoi teneva un sermone. Questa fu la prima rudimentale Messa, che poi si sviluppò secondo un più preciso e complicato rituale. In quei primi anni gli ascoltatori ne erano anche i protagonisti, perché ad essi veniva concesso di «profetizzare», cioè di esprimere in stato di estasi dei concetti, che poi il sacerdote doveva interpretare. Quest'uso fi-

313

nì perché minacciava di provocare il caos proprio là dove la Chiesa si stava sforzando di mettere ordine: nelle questioni teologiche.

Soltanto due dei sette Sacramenti erano allora praticati: il Battesimo non si distingueva dalla Cresima perché veniva imposto a persone già adulte, quali furono i primi conversi. Poi, piano piano, si cominciò anche a nascere cristiani, e allora i due Sacramenti furono separati, il secondo costituendo la «conferma» del primo. Il matrimonio era soltanto civile; il prete si limitava a benedirlo. Invece grandi cure si aveva del funerale, perché, dal momento che un uomo era morto, esso diventava esclusiva pertinenza della Chiesa e tutto doveva essere predisposto per la sua resurrezione. Il cadavere doveva avere la sua propria tomba, e il prete officiava durante il seppellimento. Le tombe erano costruite secondo il costume siriano ed etrusco: in cripte scavate nelle pareti di lunghe gallerie sottoterra: le catacombe.

Questo uso durò fino al nono secolo, poi decadde. Le catacombe diventarono mèta di pellegrinaggio, la terra le ricoperse e furono dimenticate. Vennero riscoperte nel 1578 per un semplice caso. Il fatto che le loro ramificazioni fossero complicate e ritorte ha fatto pensare che le si fosse costruite come nascondigli per la «cospirazione». E su questa ipotesi si sono imperniati molti romanzi.

Così equipaggiata, nacque la vera religione; quella non più limitata a un popolo e a una razza, come il giudaismo, o a una classe sociale, come il paganesimo di Grecia e di Roma, che la considerava monopolio dei suoi «cittadini». Il suo livello morale, la grande Speranza che apriva nel cuore degli uomini e l'impeto missionario di cui li accendeva facevano dire orgogliosamente a Tertulliano: «Siamo soltanto di ieri. E già riempiamo il mondo».

I FLAVI

A dare involontariamente una mano ai cristiani fu un imperatore che aveva in uggia gli ebrei e commise l'imperdonabile errore di perseguitarli aiutando, con la loro dispersione nel mondo, la diffusione della nuova fede.

Vespasiano salì al trono l'anno 70, dopo lo spaventoso interregno seguito alla morte di Nerone, con cui terminò la dinastia dei Giulio-Claudi. A succedergli era stato il generale ribelle Galba, un aristocratico non peggiore di tanti altri, calvo, grasso, con le giunture inceppate dall'artrite e la mania del risparmio. Il suo primo gesto, appena proclamato imperatore, fu di ordinare a quanti avevano ricevuto doni da Nerone di restituirli allo stato. E gli costò il trono e la vita perché fra i beneficiati c'erano anche i pretoriani che, incontrandolo, tre mesi dopo la sua proclamazione, nel Foro, dove egli si faceva portare con una lettiga, gli tagliarono la testa, le braccia e le labbra, e proclamarono suo successore Otone, un banchiere che aveva fatto bancarotta fraudolenta e prometteva di amministrare le finanze pubbliche con la stessa spensieratezza con cui aveva amministrato quelle sue private.

A quella notizia, l'esercito dislocato in Germania sotto il comando di Aulo Vitellio e quello dislocato in Egitto sotto Vespasiano si ribellarono e marciarono su Roma. Prima vi giunse Vitellio che seppellì Otone già uccisosi, si proclamò imperatore, si abbandonò alla sua passione preferita, quella dei pranzi luculliani, e per seguitare ad abboffarsi di abbacchio trascurò di farsi incontro alle forze di Vespasiano che frattanto erano sbarcate. La sanguinosa battaglia di

315

Cremona decise le sorti di quella guerra di successione. Vitellio fu battuto, e i romani si divertirono un mondo al massacro che seguì nella loro stessa città. Tacito racconta che la gente gremiva le finestre e i tetti per assistere a quel macello, tifando per i contendenti come se si fosse trattato di una partita di calcio. Fra un accoppamento e l'altro, i combattenti entravano nei negozi, li saccheggiavano e vi appiccavano fuoco; oppure sparivano nei portoni, adescati da qualche prostituta, e mentre giacevano con lei venivano pugnalati da un nuovo cliente della parte avversa. Vitellio, quando fu catturato nel suo nascondiglio, dove, tanto per cambiare, banchettava, fu trascinato nudo per la città con un laccio al collo, bersagliato di escrementi, torturato con ponderata lentezza, e alla fine gettato nel Tevere.

Questa città che si divertiva al fratricidio, questi eserciti che si ribellavano, questi imperatori che venivano subissati di sterco pochi giorni dopo essere stati coperti di osanna: ecco cos'era diventata la capitale dell'Impero.

Tito Flavio Vespasiano ci aveva vissuto poco. Era nato in provincia, a Rieti, eppoi aveva abbracciato la carriera militare che lo aveva condotto un po' dovunque. Non era nobile. Veniva dalla media borghesia campagnola, i gradi e lo stipendio se li era guadagnati con mille sacrifici, e onorava soprattutto due virtù: la disciplina e il risparmio. Aveva sessant'anni quando salì al trono, ma li portava bene. Il suo cranio era completamente calvo, il volto aperto, rozzo e franco, incorniciato da due orecchi immensi e pelosi come quelli di Ante Pavelic. Detestava gli aristocratici, li considerava dei bighelloni, non subì mai la tentazione snobistica di farsi passare per uno di loro, e quando un araldista, appunto per nobilitarlo, venne ad annunziargli che aveva rintracciato la sua origine e scoperto ch'essa risaliva a Ercole, scoppiò in una risata da buttar giù i muri e da farci sospettare che in quella piaggeria ci fosse un po' di verità. Quando riceveva qualche dignitario gli palpava la tonaca per vedere s'era di stoffa troppo fine e lo annusava per sentire se odorava di acqua di colonia. Non sopportava queste sofisticherie.

La sua prima cura fu quella di riordinare l'esercito e le finanze. Il primo lo diede in appalto a ufficiali di carriera, quasi tutti provinciali come lui. Per le seconde, scelse la via più spicciola: quella di vendere, a prezzi salatissimi, le alte cariche pubbliche. «Tanto» diceva «sono tutti ladri, in qualunque modo li promuoviamo. Meglio che vadano avanti restituendo allo stato un po' di refurtiva.» Lo stesso metodo seguì per riorganizzare il fisco. Lo affidò a funzionari scelti fra i più rapaci e dissanguatori, e li sguinzagliò con pieni poteri in tutte le province dell'Impero. Figuratevi che pacchia per le povere popolazioni. Mai la tributaria di Roma aveva funzionato con sì spietata puntualità. Ma quando la rapina fu consumata, Vespasiano ne richiamò a Roma gli esecutori, li elogiò, e confiscò tutti i loro personali guadagni, con cui, pareggiato il bilancio, risarcì le vittime. Il figlio Tito, ch'era un puritano pieno di scrupoli, venne a protestare contro questi sistemi repugnanti al suo bigotto e candido virtuismo. «Io faccio il sacerdote nel tempio» rispose il padre. «Coi briganti, faccio il brigante.» E per aumentare gli introiti, inventò quei piccoli monumenti che oramai portano il nome appunto di vespasiani, stabilendo una tassa per chi li usava e una contravvenzione per chi non li usava. Non c'era scelta. Chi la faceva fuori pagava più di chi la faceva dentro. Anche per questa misura, Tito venne a protestare. Suo padre gli mise sotto il naso un sesterzio e gli chiese: «Puzza di qualcosa?».

Questo figliolo delicato e perbene, che amava teneramente, era la più grossa preoccupazione di quel sovrano scettico, che non pretendeva riformare l'umanità e abolirne i vizi, ma soltanto mantenerli nella loro sede. Per fargli fare pratica di uomini, lo mandò a rimettere ordine in Palestina, dov'era scoppiata l'ultima e più terribile rivoluzione.

Gli ebrei difesero Gerusalemme con un eroismo senza precedenti. Secondo un loro storico, ne morirono due milioni; secondo Tacito, seicentomila. Per venire a capo della resistenza, Tito diede la città alle fiamme che distrussero anche il Tempio. Dei sopravvissuti, alcuni si uccisero, altri furono venduti come schiavi, altri fuggirono. La loro dispersione, cominciata sei secoli prima, diventò la vera e propria «diaspora». E come nello zaino dei soldati di Napoleone c'erano i *Diritti dell'uomo*, nel sacco di molti fra questi poveri emigranti c'era il Verbo di Cristo.

Vespasiano, inorgoglito, tributò a Tito un trionfo un po' sproporzionato al valore militare di quell'impresa, e in suo onore fece costruire il famoso arco che ne porta il nome. Ma con suo grande sgomento vide suo figlio passarci sotto portandosi appresso come preda bellica una graziosa principessa ebrea, Berenice. Non aveva nulla in contrario che se la tenesse come amante; ma il guaio è che Tito voleva sposarla, sostenendo di averla «compromessa». Vespasiano non capiva perché mai quel ragazzo volesse confondere l'amore, passeggero e volubile capriccio, con la famiglia, istituzione seria e permanente. Dacché era rimasto vedovo, anche lui si era preso una concubina, ma non l'aveva sposata. Perché Tito non faceva altrettanto, tenendosi come concubina Berenice? Sembra di sentir parlare il babbo nostro, quando gli s'andava a chiedere il permesso di sposare la sciantosa. E, come noi, alla fine anche Tito alla sciantosa rinunziò.

Di lì a poco, toccò a lui far l'imperatore. Dopo dieci anni di saggio regno, il più saggio di cui Roma abbia goduto dopo Augusto, Vespasiano un giorno tornò a Rieti in vacanza. Ci andava spesso per ritrovare i suoi amici di gioventù, fare con loro una battuta alla lepre, quattro chiacchiere, una mangiata di fagioli con le cotiche e una partitella a scopone, ch'erano i suoi passatempi favoriti. Gli venne la cattiva idea di sciacquarsi i reni con l'acqua di Fonte Cottorella.

O che la cura non fosse adatta, o che ne sbagliasse le dosi, fatto sta che fu colto da una colica, e subito s'avvide che non c'era rimedio. «*Vae!*» disse strizzando l'occhio, senza rinunziare nemmeno in quel momento al suo abituale e grezzo buonumore, «*puto deus fio.*» (Ahi ahi, mi sa che sto diventando un dio.) Perché in quella Roma di piaggiatori ormai c'era l'uso di divinizzare tutti gl'imperatori, quando morivano. Dopo tre giorni e tre notti di dissenteria, trovò ancora la forza di alzarsi, giallo come un limone e con la fronte imperlata di sudore, guardò gli astanti che a loro volta lo guardavano sbigottiti e, ridacchiando per far vedere che si rendeva conto della gigioneria, barbugliò: «Eh lo so, lo so... Ma che volete farci? Un imperatore ha da morire in piedi!».

E in piedi morì, nell'anno 79, questo borghese nato per morire, come tutti i borghesi, in fondo a un letto: da attore coscienzioso, costretto a recitare una parte non sua.

Tito, che gli successe, fu il più fortunato dei sovrani perché non ebbe il tempo di commettere errori, come certo gli sarebbe capitato in grazia non dei suoi difetti, ma delle sue virtù: il galantomismo, il candore e la generosità. Non firmò una condanna a morte. Quando seppe di un complotto, mandò un messaggio di ammonimento ai congiurati e un altro di rassicurazione alle loro madri. Nei suoi due anni di regno, Roma subì un terribile incendio, Pompei fu sotterrata dal Vesuvio e l'Italia devastata da una tremenda epidemia. Per riparare i danni, Tito esaurì il Tesoro. Per assistere di persona i malati, si contagiò e perse egli stesso la vita, a quarantadue anni, rimpianto da tutti, meno che da suo fratello, Domiziano, che gli successe al trono.

Non sappiamo che giudizio complessivo dare di quest'ultimo rappresentante della dinastia dei Flavi. Fra gli scrittori che vissero sotto di lui, Tacito e Plinio ne hanno lasciato il ritratto più nero; Stazio e Marziale il più roseo. Non sono d'accordo neanche sul suo aspetto fisico: i primi lo descrivono calvo e panzone su gambe di rachitico, i secondi bello come un arcangelo, timido e dolce. Doveva aver molto sofferto della preferenza che Vespasiano aveva sempre avuto per Tito, questo sì. E quando il padre scomparve, avanzò la pretesa a una metà del potere. Tito gliela offrì. Domiziano rifiutò e si mise a complottare. Dione Cassio sostiene che quando suo fratello cadde malato, ne affrettò la morte coprendolo di neve.

Il suo regno è un po' come quello di Tiberio, cui abbiamo l'impressione ch'egli stesso, come uomo, somigliasse. Identico ne fu l'inizio: saggio e oculato, con qualche venatura di austerità puritana. Domiziano era soprattutto un moralista e un ingegnere. La carica cui più tenne fu quella di censore, che gli dava il modo di controllare i costumi, e i ministri di cui si circondò erano dei tecnici particolarmente qualificati a ricostruire la città devastata dall'incendio. Non volle guerre. E quando Agricola, governatore in Britannia, tentò di portare i confini dell'Impero fino alla Scozia, lo silurò. Forse fu questo il suo più grave errore, perché Agricola era suocero di Tacito che lo adorava e che si assunse l'incarico di giudicare gli uomini del suo tempo. È naturale che abbia conciato così male questo povero sovrano.

Purtroppo la pace, per ottenerla, bisogna essere in due a volerla. E Domiziano ebbe a che fare coi daci che non la volevano. Essi attraversarono il Danubio, batterono i generali romani, e obbligarono l'imperatore a prendere in mano le redini dell'esercito. Lo stava conducendo molto bene, quando Antonio Saturnino, governatore della Germania, si ribellò con alcune legioni, obbligandolo a una pace prematura e sfavorevole coi daci e mettendogli in corpo l'ossessione delle congiure. Colui che sino a quel momento aveva governato piuttosto come un Cromwell, diventò uno Stalin, e per salvare la propria «personalità» ne instaurò il «culto» più smodato. S'installò su un trono vero, volle essere chiamato «signore e dio nostro», e pretese che i visitatori gli baciassero i piedi. Anche lui espulse dall'Italia i filosofi perché contestavano il suo assolutismo, tagliò la testa ai cristiani perché rifiutavano la sua divinità, e diede la precedenza ai delatori perché credeva che lo proteggessero dai nemici. I senatori lo odiavano, lo incensavano, e ne avallavano le sentenze di morte. E fra questi senatori c'era anche Tacito, il suo futuro spietato giudice.

In un accesso di mania di persecuzione si ricordò che il proprio segretario Epafrodito era quegli stesso che un quarto di secolo prima aveva aiutato Nerone a tagliarsi la carotide. E, temendo che ne avesse preso il vizio, lo condannò a morte. Allora tutti gli altri funzionari di palazzo si sentirono minacciati, organizzarono una congiura e chiamarono a parteciparvi anche l'imperatrice Domizia. Lo pugnalarono di notte. Domiziano si difese fino all'ultimo, selvaggiamente. Aveva cinquantacinque anni, e per quindici aveva regnato prima come il più saggio, poi come il più nefasto dei sovrani.

Così finì, nel buio da cui era sorta, anche la seconda dinastia dei successori di Augusto. Di dieci imperatori avvicendatisi nello spazio di centoventisei anni (dal 30 avanti Cristo al 96 dopo Cristo) sette erano morti ammazzati. C'era qualcosa nel sistema che non andava, che tramutava in sanguinari tiranni anche uomini disposti al bene; qualcosa di più decisivo dello stesso ereditario malanno che forse imputridiva il sangue dei Giulio-Claudi.

E questo qualcosa va ricercato nella società romana, com'era venuta trasformandosi negli ultimi tre secoli.

ROMA EPICUREA

La Roma di questo periodo, che si suol chiamare epicureo, aveva una popolazione che qualcuno valutava a un milione, altri a un milione e mezzo. Essa era divisa nei soliti ordini e classi, l'aristocrazia era ancora numerosa; ma, a parte quello dei Corneli, i memorialisti del tempo non citano più i grandi nomi di una volta: i Fabi, gli Emili, i Valeri eccetera. Decimate prima dalle guerre cui davano un alto contributo di cadaveri, poi dalle persecuzioni e infine dalle pratiche malthusiane, queste illustri famiglie si erano estinte ed erano state rimpiazzate da altre, con meno antenati e più quattrini, che venivano dalla borghesia industriale e mercantile di provincia.

«Oggi, nell'alta società,» diceva Giovenale «l'unico buon affare è una moglie sterile. Tutti ti saranno amici sperando nel testamento. Quella che ti fa un figlio, chi ti dice che non metta alla luce un negro?»

Giovenale calcava un po' la mano, ma il malanno che denunziava era autentico. Il matrimonio, che nell'età stoica era stato un sacramento e lo ridiventerà in quella cristiana, era ora una passeggera avventura; e l'allevamento dei figli, considerato un tempo un dovere verso lo stato e verso gli dèi che promettevano una vita ultraterrena solo a chi lasciava qualcuno a prendersi cura della sua tomba, ora era considerato una noia, un imbarazzo da evitare. L'infanticidio non era più consentito, ma l'aborto era una pratica comune, e se non riusciva si ricorreva all'abbandono del neonato ai piedi di una *colonna lattaria*, così chiamata perché ci stavano di fazione delle nutrici stipendiate apposta dallo stato per allattare i trovatelli.

Sotto l'influsso di questi costumi, la stessa struttura biologica e razziale di Roma era cambiata. Quale cittadino non aveva nelle sue vene qualche goccia di sangue straniero? Le minoranze greche, siriane, israelite facevano, messe insieme, maggioranza. Gli ebrei erano già così forti, soprattutto in grazia della loro unione, al tempo di Cesare, che costituirono uno dei principali puntelli del suo regime. C'erano pochi ricchi, tra di loro. Ma nell'insieme costituivano una comunità disciplinata, laboriosissima, di sani costumi. Non altrettanto poteva dirsi degli egiziani, dei siriani e di altri orientali, gran maestri soprattutto di borsa nera.

La mamma romana che si decideva a mettere al mondo un figlio, se non era proprio povera in canna, se ne sbarazzava subito affidandolo prima a una balia per l'allattamento, poi a una istitutrice greca, che teneva il posto oggi occupato da quelle tedesche o inglesi, e infine a un *pedagogo*, in genere greco anch'esso, per la sua istruzione. Altrimenti lo mandava a qualcuna delle scuole che ormai erano nate un po' dovunque, ma erano private, non statali, promiscue e dirette da *magistri*. Gli allievi frequentavano le *elementari* fin verso i dodici o tredici anni. Poi i sessi venivano separati. Le femmine completavano la loro istruzione in appositi collegi dove s'insegnava soprattutto musica e danza. I maschi intraprendevano le *secondarie*, tenute da *grammatici* che, essendo anch'essi per la maggior parte greci, insistevano soprattutto sulla lingua, letteratura e filosofia greche, che finirono infatti per sommergere la cultura romana. L'università era rappresentata dai corsi dei retori, che non avevano nulla di organico. Non c'erano esami, non c'era tesi di laurea, non c'era dottorato. C'erano soltanto delle conferenze, seguite da discussioni. I corsi costavano fino a duemila sesterzi, fra i due e i tre milioni e mezzo di lire, l'anno. E Petronio lamentava che non vi s'insegnassero che astrazioni di nessuna utilità per la vita pratica. Ma essi sollecitavano il gusto, tipicamente romano, per la controversia, la sottigliezza e il cavillo: un vizio ch'è poi trasmigrato nel corpo degl'italiani.

Le famiglie più facoltose mandavano i loro ragazzi a perfezionarsi all'estero: a Atene per la filosofia, a Alessandria per la medicina, a Rodi per l'eloquenza. E spendevano tanti quattrini per mantenerveli, che Vespasiano il parsimonioso, per impedire questa emorragia di valuta, preferì reclutare i più illustri docenti di quelle città e trapiantarli a Roma in istituti statali che pagavan loro stipendi di centomila sesterzi l'anno, cioè sessantacinque milioni di lire.

La moralità di questi giovani, per i maschi, non era stata mai granché, neanche ai tempi stoici. Dai sedici anni in su, era sottinteso che il ragazzo frequentasse i lupanari e non si badava molto nemmeno al fatto che corresse qualche avventura non solo con le donne, ma anche con gli uomini. Ma allora tutto questo era allo stato grezzo, i bordelli erano ignobili, e la stagione delle scostumatezze finiva col richiamo alle armi eppoi col matrimonio che inauguravano quella dell'austerità. Ora, dal servizio militare i ragazzi si facevano esentare, i bordelli erano diventati di lusso, le meretrici si sentivano in dovere d'intrattenere i clienti non soltanto con le loro grazie, ma anche con la conversazione, con la musica, con la danza, un po' come facevano le *geishe* in Giappone, e i clienti seguitavano a frequentarle anche dopo il matrimonio.

Più severi si era con le ragazze, finché restavano ragazze. Ma esse si sposavano in genere prima dei vent'anni perché dopo questo traguardo erano considerate zitelle, e il matrimonio procurava loro le stesse libertà dei maschi, o poco meno. Seneca considerava fortunato il marito la cui moglie si contentava di due amanti soli. E un epitaffio iscritto su una tomba suona così: «Rimase per quarantun anni fedele alla stessa moglie». Giovenale, Marziale, Stazio ci parlano di donne della borghesia che giostrano nel Circo, girano per le strade di Roma guidando di persona i loro calessini, si fermano a far conversazione sotto i portici e «offrono al passante» dice Ovidio «il delizioso spettacolo delle loro spalle nude».

Le «intellettuali» fiorivano. Teofila, l'amica di Marziale, avrebbe vinto di sicuro i tanti milioni a «Lascia o raddoppia?» in fatto di filosofia stoica; Sulpicia scriveva versi, naturalmente d'amore. E c'erano anche le *soroptimists* che avevano organizzato dei *clubs* femminili, i cosiddetti collegi delle donne, dove si tenevano conferenze sui doveri verso la società, come avviene in tutte le società dove i doveri non sono più osservati.

S'ingrassava. La statuaria di questo periodo, a confrontarla con quella della Roma stoica, tutta di figure secche e angolose, ci mostra un'umanità allentata e arrotondita dall'ozio e dalle indulgenze dietetiche. La barba è scomparsa, i *tonsores* si sono moltiplicati, la prima rasatura è una festa inaugurale nella vita dell'uomo. I capelli, la maggioranza li taglia ancora a zero; ma ci sono degli elegantoni che invece li lasciano crescere e poi li annodano in treccine. La toga porporina è diventata monopolio esclusivo dell'imperatore. Tutti gli altri ora portano una tunica o blusa bianca, e sandali di cuoio «alla caprese», cioè col laccio infilato fra i diti.

La moda femminile invece si è complicata. La signora di qualche riguardo non impiega la mattina meno di tre ore e di una mezza dozzina di schiave per acconciarsi. Buona parte della letteratura è dedicata a illustrare quest'arte, e le stanze da bagno sono ingombre di rasoi, forbici, spazzole, spazzolini, creme, ciprie, cosmetici, oli, saponi. Poppea aveva inventato una maschera notturna intrisa di latte per rinfrescare la pelle del viso, ch'era diventata d'uso comune. E il bagno nel latte era normale, sicché le riccone viaggiavano seguite da mandrie di mucche per averne sempre di fresco a disposizione. Specialisti alla Hauser predicavano diete, ginnastica, bagni di sole, massaggi contro la cellulite. E ci furono dei *tonsores* che fecero la loro fortuna inventando qualche originale pettinatura diversa da quella usuale: capelli all'indietro, annodati sulla nuca o graziosamente sostenuti da una rete o da un nastro.

La biancheria era di seta o di lino. E cominciava a far la sua comparsa il reggipetto. Le calze non si usavano. Ma le scarpe erano complicate, di cuoio morbido e leggero, col tacco alto per rimediare al difetto delle donne romane, che è anche quello delle italiane: il sedere basso; e con ricami di filigrana d'oro.

D'inverno usavano le pellicce, ch'erano il regalo dei mariti o degli amanti dislocati nelle province settentrionali, specie la Gallia e la Germania. E in tutte le stagioni si faceva gran scialo di gioielli, ch'erano la gran passione di queste signore. Lollia Paolina andava in giro con quaranta milioni di sesterzi, cioè venticinque miliardi di lire, sparpagliati addosso sotto forma di pietre preziose, di cui Plinio annovera più di cento specie. C'erano anche delle «imitazioni» che pare fossero capolavori. Un senatore fu proscritto da Vespasiano perché portava al dito un anello con un opale di due miliardi di lire. Il severo Tiberio tentò di mettere un freno a questi esibizionismi, ma dovette arrendersi: ad abolire le industrie del lusso, si rischiava di precipitare Roma in una crisi economica.

L'arredamento della casa era in tono con questi sfarzi e forse li superava. Un palazzo degno di questo nome doveva avere un giardino, un porticato di marmo, non meno di quaranta stanze, fra cui qualche salone con colonne di onice o di alabastro, piancito e soffito a mosaico, pareti intarsiate di pietre costose, tavoli di cedro su gambe d'avorio, broccati orientali (Nerone ne aveva comprati per quattro miliardi di lire), vasi di Corinto, letti di ferro battuto con zanzariera, e qualche centinaio di servi: due dietro la sedia di ogni ospite per servigli il pranzo, due per togliergli simultaneamente le scarpe quando si coricava, eccetera.

Il gran signore romano di questi tempi si alzava al mattino verso le sette e come prima cosa riceveva per un paio d'ore i suoi clienti, offrendo la guancia al bacio di ognuno di essi. Poi faceva la prima colazione, molto sobria. E infine riceveva le visite degli amici e le restituiva. Questo era uno degli obblighi più rigidamente osservati dalla *social life* romana. Rifiutarsi di assistere un amico mentre stendeva il testamento, o di partecipare alle nozze di suo figlio, o di leggere le sue poesie, o di sostenerne la candidatura, o di avallarne le cambiali, era un'offesa e procurava discredito. Solo dopo il pagamento di questi debiti, si poteva pensare ai propri affari personali.

Questa regola valeva anche per la gente di condizione più modesta, della media borghesia. Costoro lavoravano sino a mezzogiorno, prendevano un pasto leggero, all'americana, tornavano al lavoro. Ma tutti, chi prima, chi dopo, secondo il mestiere e l'orario, finivano poi per trovarsi alle terme per il bagno. Nessun popolo è mai stato tanto pulito come quello romano. Ogni palazzo aveva la sua piscina privata. Ma ce n'erano oltre mille di pubbliche, a disposizione della gente comune, con una capienza media di mille utenti alla volta. Esse erano aperte dall'alba all'una per le donne, dalle due al crepuscolo per gli uomini finché diventarono promiscue, e l'ingresso costava centotrenta lire, servizio compreso. Ci si spogliava in cabine, si andava a fare in palestra esercizio di pugilato, giavellotto, pallacanestro, salto, lancio del disco; poi si entrava nella sala di massaggio. E alla fine si cominciava il bagno vero e proprio, che seguiva una stretta regola liturgica. Prima ci s'immergeva nel *tepidarium* ad aria tepida, poi nel *calidarium* ad aria calda, poi nel *laconicum* a vapore bollente, dove si faceva uso di una novità importata da poco dalla Gallia, il sapone. E infine, per provocare una sana reazione del sangue, ci si buttava a nuoto nell'acqua ghiaccia della piscina.

Dopo tutto questo, ci si asciugava, ci si spalmava d'olio,

ci si rivestiva e si passava nella sala da giuoco per una partita a scacchi o a dadi, o in quella di conversazione per una buona chiacchierata con gli amici che si sapeva con certezza di trovarvi, o nel *restaurant*, per una buona cenetta che, anche quando era sobria, consisteva di almeno sei portate, di cui due di carne di porco. La si consumava giacendo sui *triclini*, specie di divani a tre posti, col corpo disteso per riposarlo dagli esercizi fatti poco prima, il braccio sinistro appoggiato sul cuscino per sostenere la testa, il destro allungato a prendere le vivande dal tavolo. La cucina era greve, con molte salse di grasso animale. Ma i romani avevano uno stomaco solido, e lo dimostravano in occasione dei veri e propri banchetti che con molta frequenza celebravano.

Questi avevano inizio alle quattro del pomeriggio, e duravano sino a notte avanzata, se non fino all'indomani. Le tavole erano cosparse di fiori e l'aria di profumi. I servitori, in ricche divise, dovevano essere almeno, come numero, il doppio degli invitati. Non si ammettevano che pietanze rare ed esotiche. «Per i pesci» diceva Giovenale «ci vogliono quelli che costano più dei pescatori.» L'aragosta rossa faceva premio, le pagavano anche ottocentomila lire l'una, e Vedio Pollione fu il primo a tentarne l'allevamento. Le ostriche e i petti di tordo erano d'obbligo. E Apicio si fece una posizione in società inventando un piatto nuovo: il *paté de foie gras*, ingrassando le oche a furia di fichi. Era un curioso uomo, questo Apicio: si mangiò in pranzi un patrimonio colossale, e quando lo vide ridotto a una decina di miliardi solo si uccise ritenendosi caduto in miseria.

In queste occasioni il banchetto si trasformava in orgia, l'anfitrione offriva in dono agli ospiti oggetti preziosi, e i servi passavano fra i tavoli distribuendo degli emetici che provocavano il vomito e consentivano di ricominciare a mangiare.

Il rutto era consentito. Anzi, era un segno di apprezzamento della bontà dei cibi.

IL SUO CAPITALISMO

Roma non era una città industriale. Di grossi stabilimenti c'erano soltanto una cartiera e una fabbrica di coloranti. Sin da quegli antichi tempi, la sua industria vera era la politica che offre, ai guadagni, scorciatoie molto più rapide che non il lavoro vero. E questa vocazione non è cambiata nemmeno ai giorni nostri.

La fonte principale di ricchezza dei signori romani erano l'intrallazzo nei corridoi dei Ministeri e il saccheggio delle province. Essi spendevano molti soldi per far carriera. Ma, una volta arrivati a qualche alto grado amministrativo, si rifacevano con larghi interessi, e i guadagni li investivano nell'agricoltura. Giunio Columella e Plinio ci hanno lasciato il ritratto di questa società latifondista e dei criteri che seguiva per lo sfruttamento delle fattorie.

La piccola proprietà che i Gracchi, Cesare e Augusto avevano voluto ripristinare con le loro Leggi Agrarie non aveva retto alla concorrenza del latifondo: una guerra o un anno di siccità bastavano a distruggerla a profitto dei grandi feudi che avevano possibilità di resistere. Ce n'erano di vasti come reami, dice Seneca, accuditi da schiavi che non costavano nulla ma trattavano la terra senza nessun criterio, e specializzati nell'allevamento del bestiame, che rendeva più dell'aratura dei campi. Pascoli di dieci o ventimila ettari con dieci o ventimila capi non erano una rarità.

Ma fra Claudio e Domiziano cominciò una lenta trasformazione. Il lungo periodo di pace e l'estensione della piena cittadinanza ai provinciali interruppero il rifornimento di schiavi che cominciarono a farsi rari e quindi più costosi:

e il miglioramento degl'incroci condusse a una crisi di sovrapproduzione del bestiame che si procurava con difficoltà i mangimi e scadde di prezzo. Molti allevatori trovarono più conveniente tornare all'agricoltura, divisero le fattorie in poderi e li diedero in sfruttamento a degli affittuari, o coloni, che furono gli antenati dei contadini d'oggidì e molto, se è vero quel che Plinio racconta di essi, gli somigliano: tenaci, solidi, avari, diffidenti e conservatori.

Costoro di terra se n'intendevano e avevano interesse a farla rendere. Di colpo cominciò l'uso dei concimi, la rotazione delle colture e la selezione delle sementi. I frutticoltori importarono e trapiantarono dopo razionali esperimenti l'uva, la pesca, l'albicocca, la ciliegia. Plinio enumera ventinove qualità di fichi. E il vino fu prodotto in tale quantità che Domiziano, per impedire una crisi, proibì l'impianto di nuovi vigneti.

Le industrie nacquero, su base artigianale e familiare, intorno a questi microcosmi agricoli per completarne l'autarchia. Una fattoria tanto più era considerata ricca quanto più bastava ai propri bisogni. Lì c'era il macello, dove venivano uccise le bestie e insaccate le loro carni. Lì c'era la fornace per cuocere i mattoni. Lì si conciavano le pelli e si confezionavano le scarpe. Lì si tesseva la lana e si tagliavano i vestiti. Non c'era ombra di quella «specializzazione» che oggigiorno rende il lavoro insopportabile e trasforma in un automa chi lo fa. L'industrioso contadino di quei tempi, staccate le bestie dall'aratro, diventava falegname o si metteva a battere il ferro per ricavare ganci o pentole. La vita di questi agricoltori artigiani era piena e varia molto più che ai tempi nostri.

Le uniche industrie condotte con criteri moderni erano quelle estrattive. Proprietario del sottosuolo, teoricamente, era lo stato, che però ne affidava lo sfruttamento, dietro modesti canoni di affitto, ai privati. L'interesse guidò costoro a scoprire lo zolfo in Sicilia, il carbone in Lombardia, il ferro all'Elba, il marmo in Lunigiana, e il loro impiego. I costi di produzione erano minimi perché il lavoro nei pozzi era affidato esclusivamente a schiavi e a forzati ai quali non si doveva pagare nessun corrispettivo e che non era necessario assicurare contro nessun infortunio. Date le condizioni delle miniere, di Marcinelle ce ne dovevano essere ogni settimana, con migliaia di morti. Gli storici romani hanno trascurato di dircelo perché per loro questi episodi non «facevano notizia» come si dice in gergo giornalistico. Un'altra grande industia era quella edile, coi suoi specialisti, dai boscaioli ai trombai ai vetrai. Ma un vero e proprio capitalismo industriale non poté svilupparsi soprattutto per la concorrenza che il lavoro servile faceva al macchinario. Cento schiavi costavano meno di quanto sarebbe costata una turbina, e la meccanizzazione avrebbe creato un insolubile problema di disoccupazione.

Eppure, molti servizi pubblici furono meglio organizzati allora che nell'Europa, poniamo, del Settecento. L'Impero aveva centomila chilometri di autostrade, l'Italia sola possedeva circa quattrocento grandi arterie, sulle quali si svolgeva un traffico intenso e ordinato. La loro pavimentazione aveva consentito a Cesare di percorrere millecinquecento chilometri in otto giorni, il messaggero che il Senato mandò a Galba per annunziargli la morte di Nerone impiegò trentasei ore a battere cinquecento chilometri. La posta non era pubblica, sebbene si chiamasse *cursus publicus*. Modellata da Augusto secondo il sistema persiano, essa doveva servire soltanto come valigia diplomatica, cioè per la corrispondenza di stato, e i privati potevano approfittarne solo su speciale permesso. Il telegrafo era sostituito da segnalazioni luminose attraverso fari postati sulle alture, ed è rimasto sostanzialmente identico fino ai tempi di Napoleone. La posta privata era gestita da compagnie private, oppure affidata ad amici e a gente di passaggio. Ma i gran signori come Lepido, Apicio, Pollione avevano un servizio per conto loro e ne erano fierissimi.

Raccordi e posteggi erano magnificamente congegnati. Ogni chilometro c'era un capitello che indicava la distanza dalla città più vicina. Ogni dieci chilometri c'era una *stazione* con trattoria, camere da letto, stalla, cavalli freschi da affittare. Ogni trenta, c'era una *mansione* cui a quanto sopra, più spazioso e meglio organizzato, si aggiungeva anche un bordello. Gli itinerari erano sorvegliati da pattuglie di polizia, che però non riuscirono mai a renderli del tutto sicuri. I gran signori li percorrevano seguiti da interi treni di carri, dentro i quali essi dormivano sotto la guardia dei loro servi armati.

Il turismo fioriva, quasi quanto ai nostri tempi. Plutarco ironizza sui *globe-trotters* che infestavano la città. Come quella dei giovani inglesi del secolo scorso, l'educazione del giovane romano non era completa prima del *grand tour*. Lo facevano soprattutto in Grecia, via mare, imbarcandosi a Ostia o a Pozzuoli, ch'erano i due grandi porti del tempo. I più poveri prendevano uno dei tanti carghi che andavano a incettare in Oriente; per i più ricchi c'erano veri e propri transatlantici, che navigavano a vela, ma stazzavano fino a mille tonnellate, erano lunghi centocinquanta metri e possedevano cabine di lusso. La pirateria era scomparsa quasi completamente sotto Augusto che, per debellarla, aveva istituito due grosse *home fleets* permanenti in Mediterraneo. Sicché ora le navi viaggiavano anche di notte ma quasi sempre costeggiando per paura delle tempeste. Orari non ce n'erano perché tutto dipendeva dai venti. Normalmente si andava sui cinque o sei nodi all'ora, e da Ostia ad Alessandria ci volevano circa dieci giorni. Ma anche il biglietto costava poco; su un cargo, il tragitto sino a Atene non superava le mille lire. Le ciurme erano allenate e somigliavano a quelle d'oggi: gente spregiudicata e manesca, con spiccate tendenze alla bettola e al bordello. I comandanti erano degli specialisti, che piano piano trasformarono il mestiere della navigazione in una scienza vera e propria. Ippalo scoprì la periodicità dei monsoni; e i viaggi dall'Egitto all'India, che prima richiedevano sei mesi, ora si cominciarono a fare in uno. Nacquero le prime carte, furono installati i primi fari.

Tutto questo avvenne rapidamente perché i romani covavano in corpo, oltre alla passione delle armi e delle leggi, quella dell'ingegneria. Essi non portarono mai gli studi matematici alle altezze speculative dei greci, ma li applicarono con molta più praticità. Il prosciugamento del Fucino fu un autentico capolavoro, e le strade che essi costruirono rimangono ancor oggi dei modelli. Furono gli egiziani a scoprire i princìpi dell'idraulica, ma furono i romani a concretarli in acquedotti e fognature di colossali proporzioni. A loro si deve lo zampillìo di fontane della Roma di oggi. E Frontino, che ne organizzò il sistema, lo ha anche descritto in un manuale di alto valore scientifico. Egli giustamente raffronta queste opere di pubblica utilità alla totale inutilità delle Piramidi e di tante costruzioni greche. E nelle sue parole risplende il genio romano, pratico, positivo, al servizio della società e non a rimorchio dei capricci estetici individuali.

È difficile dire fino a che punto lo sviluppo economico di Roma e del suo Impero fu dovuto all'iniziativa privata e fino a che punto allo stato. Quest'ultimo era proprietario del sottosuolo, di un largo demanio e probabilmente anche di alcune industrie di guerra. Garantiva il prezzo del grano col sistema degli ammassi e intraprendeva direttamente i grandi lavori pubblici per rimediare alla disoccupazione. Esso usava anche il Tesoro come banca prestando ai privati, su solide garanzie, ad alto interesse. Ma non era molto ricco. I suoi introiti, sotto Vespasiano che li aumentò e li amministrò con rigore, non superavano i mille miliardi di lire, ricavati soprattutto dalle tasse.

All'ingrosso si può dire che era uno stato più liberale che socialista, il quale lasciava persino all'iniziativa dei suoi generali il diritto di batter moneta nelle province da essi governate. Il complesso sistema monetario che ne derivò fu la pacchia dei banchieri che vi basarono sopra tutte le loro diavolerie: i libretti di risparmio, le cambiali, gli assegni, gli ordini di pagamento. Essi fondarono istituti appositi con succursali e corrispondenti in tutto il mondo, e questo complesso sistema rese inevitabile i *booms* e le crisi come succede anche oggi.

La depressione di Wall Street nel 1929 ebbe il suo precedente a Roma quando Augusto, tornando dall'Egitto con l'immenso tesoro di quel paese in tasca, lo mise in circolazione per rianimare i traffici che languivano. Questa politica inflazionistica li stimolò, ma stimolò anche i prezzi che salirono alle stelle fin quando Tiberio non interruppe bruscamente questa spirale risucchiando il circolante. Chi si era indebitato contando sul proseguimento dell'inflazione, si trovò a corto di liquido e corse a ritirarlo dalla casse di risparmio. Quella di Balbo e di Ollio si trovò in un solo giorno a far fronte a trecento milioni di obbligazioni, e dovette chiudere gli sportelli. Le industrie e le botteghe che vi attingevano non poterono pagare i fornitori e dovettero chiudere anch'esse. Il panico dilagò. Tutti corsero a ritirare i loro depositi dalle banche. Anche quella di Massimo e di Vibone, ch'era la più forte, non poté soddisfare tutte le domande, e chiese aiuto a quella di Pettio. La notizia si sparse come un baleno, e allora furono i clienti di Pettio che si precipitarono da lui coi loro libretti impedendogli il salvataggio dei suoi due colleghi. L'interdipendenza delle varie economie provinciali e nazionali nel seno del vasto Impero fu provata dal contemporaneo assalto alle banche di Lione, di Alessandria, di Cartagine, di Bisanzio. Era chiaro che un'ondata di sfiducia a Roma si riverberava immediatamente in periferia. Anche allora ci furono fallimenti a catena e suicidi. Molte piccole proprietà, sotterrate dai debiti, non poterono aspettare il nuovo raccolto per pagarli, e dovettero essere vendute, o meglio svendute a profitto dei latifondi

334

ch'erano in condizione di resistere. Rifiorirono gli usurai che il diffondersi delle banche aveva diradato. I prezzi crollarono paurosamente. E Tiberio dovette alla fine arrendersi all'idea che la deflazione non è più sana dell'inflazione. Con molti sospiri distribuì duecentocinquanta miliardi alle banche perché li rimettessero in circolazione con l'ordine di imprestarli per tre anni senza interesse.

Il fatto che questa misura bastò a rianimare l'economia, a scongelare il credito e a ridare la fiducia, ci dimostra quanto le banche contassero, cioè quanto fosse sostanzialmente capitalista il regime imperiale romano.

I SUOI DIVERTIMENTI

Quando Augusto assunse il potere, il calendario romano conosceva settantasei giorni di festa, press'a poco come oggi; quando il suo ultimo successore ne decadde, ce n'erano centosettantacinque, cioè era festa un giorno sì e uno no. Esse venivano celebrate coi *ludi scenici* e coi *giuochi atletici*.

I ludi scenici non erano più il classico dramma, pomposo e solenne, estintosi, dopo una breve stagione, molto più rapidamente di quanto non fosse nato. C'è qualcosa nell'aria non solo di Roma, ma di tutta Italia, che le rende piuttosto allergiche al teatro. Drammi si continuò a scriverne anche in questo primo secolo d'Impero ma come esercitazioni poetiche che trovavano qualche ascoltatore nei salotti in cui l'autore le leggeva, non spettatori nei teatri e attori per interpretarle. Un pubblico rozzo, composto in buona parte di stranieri che conoscevano soltanto un latino elementare, preferiva la pantomima in cui la trama è resa evidente non dalla parola, ma dal gesto e dalla danza. Si formò allora quella tradizione del «gigione», grossolano, volgare, che arrota gli occhi, che smorfieggia, gesticoloso, cui ancora oggi i nostri attori si ispirano. Roma ebbe i suoi Totò e Macario in Esopo e Roscio, le *vedettes* di quel tempo, che commettevano stravaganze per farsi pubblicità, mandavano in delirio le platee coi loro *sketches* scollacciati e pieni di doppi sensi, diventarono i «cocchi nostri» dei salotti aristocratici, si prendevano per amanti le gentildonne più in vista, guadagnavano fior di milioni e lasciavano in eredità dei miliardi. Essi avevano ora nelle loro compagnie anche delle donne, le *girls* del tempo, che venendo a causa di questa professione ufficialmente equiparate alle prostitute, non avevano più nulla da perdere in fatto di pudore e contribuivano senza ritegno alla oscenità degli spettacoli.

La libidine dell'applauso spesso portava questi interpreti a rappresentare scene colme di allusioni politiche in barba alla censura, come sempre càpita nei regimi di tirannia, quando nessuno osa dir qualcosa, ma tutti vanno in visibilio per chi lo fa. La sera dei funerali di Vespasiano, un attore ne parodiò il cadavere drizzandosi nella bara e chiedendo ai beccamorti: «Quanto costa questo trasporto?». «Dieci milioni di sesterzi.» «Be', datemene centomila» rispose il cadavere «e buttatemi nel Tevere.» Che era, bisogna riconoscerlo, un'uscita in tono col carattere del defunto. All'empio andò bene, perché il successore era Tito. Ma pochi anni prima Caligola aveva fatto bruciar vivo l'autore d'un'allusione molto più timorata.

Mentre il teatro scadeva così nella rivista di varietà, sempre più cresceva la fortuna del Circo. Cartelli murali come quelli che oggi annunziano i film, annunziavano gli spettacoli atletici. Essi costituivano l'argomento del giorno, se ne discuteva appassionatamente in famiglia, a scuola, nel Foro, alle Terme, in Senato, e perfino il giornale, *Acta diurna*, ne faceva la presentazione e la recensione. Il giorno delle gare, folle di centocinquanta o duecentomila persone si avviavano al Circo Massimo, come oggi allo stadio, recando fazzoletti coi colori della squadra del cuore, e i maschi facendo sosta, prima di entrare, nei bordelli che si allineavano ai lati degl'ingressi. I dignitari avevano palchi a parte con sedili di marmo ornato di bronzo. Gli altri si sistemavano su panche di legno, dopo essere andati a frugare negli escrementi dei cavalli per assicurarsi ch'erano stati nutriti a dovere, aver impegnato fin la camicia nelle scommesse ed essersi procurati un panino e un cuscino perché lo spettacolo durava tutta la giornata. L'imperatore aveva addirittura, per sé e la famiglia, un appartamento con camere da letto per schiacciarvi un pisolino fra una gara e l'altra, e l'immancabile bagno per le abluzioni e altre comodità.

Come oggi, cavalli e fantini appartenevano a scuderie private, ciascuna con la propria casacca di cui le più famose erano le rosse e le verdi. Le corse al galoppo si alternavano con quelle al trotto con due, o tre, o quattro cavalli. Quasi tutti schiavi, i conducenti portavano elmetti di metallo, tenendo in una mano le briglie, nell'altra la frusta, e a tracolla un coltello con cui tagliare i finimenti in caso di caduta. Era un caso frequente perché la corsa era spericolata, come lo è oggi quella del Palio a Siena. Si dovevano percorrere sette circuiti, cioè altrettanti chilometri, attorno alla ellittica arena, evitando le *metae* e prendendo le curve quanto più stretto si poteva. I calessini entravano facilmente in collisione, e bipedi e quadrupedi ruzzolavano giù con stanghe e ruote per essere schiacciati dagli equipaggi che sopraggiungevano. Tutto questo in mezzo ai boati degli spettatori che atterrivano i cavalli.

Ma i numeri più attesi erano le lotte gladiatorie: fra animale e animale, fra animale e uomo, fra uomo e uomo. Il giorno in cui Tito inaugurò il Colosseo, Roma spalancò gli occhi per la meraviglia.

L'arena poteva essere abbassata e inondata come un bacino lacustre, oppure riemergere diversamente addobbata, come un pezzo di deserto o un ciuffo di giungla. Una galleria di marmo era riservata agli alti dignitari, e in mezzo si elevava il *suggestum*, o loggia imperiale, con tutti i suoi accessori, dove imperatore e imperatrice sedevano su troni d'avorio. Chiunque poteva avvicinarsi al sovrano e impetrare una pensione, un trasferimento, la grazia per un condannato. Ad ogni angolo fontane lanciavano in aria zampilli di acqua profumata; e nei ridotti si preparavano i tavoli per gli spuntini fra un numero e l'altro. Tutto era gratuito: ingresso, sedile, cuscino, arrosto, vino.

Il primo numero fu la presentazione di animali esotici,

molti dei quali i romani non avevano ancora mai visto. Fra elefanti, tigri, leoni, leopardi, pantere, orsi, lupi, coccodrilli, ippopotami, giraffe, linci eccetera ne sfilarono diecimila, e molti erano caricaturalmente addobbati per parodiare personaggi della storia o della leggenda. Poi l'arena fu tirata giù e riemerse adattata al combattimento: leoni contro tigri, tigri contro orsi, leopardi contro lupi. Insomma, alla fine dello spettacolo, solo la metà di quelle diecimila povere bestie era viva. L'altra metà era scomparsa nella loro pancia. Poi di nuovo l'arena fu tirata giù e riemerse addobbata a *plaza de toros*. La *corrida*, già praticata dagli etruschi, era stata poi importata a Roma da Cesare che l'aveva vista a Creta. Egli aveva un debole per queste feste, ed era stato il primo a offrire ai suoi concittadini un combattimento di leoni. Quello col toro piacque enormemente ai romani che vi si appassionarono subito e da allora in poi lo reclamarono sempre. I toreri non conoscevano il mestiere ed erano quindi destinati alla morte. Infatti venivano scelti fra gli schiavi e i condannati, come tutti gli altri gladiatori del resto. Molti di essi non combattevano nemmeno. Dovevano rappresentare qualche personaggio della mitologia e subirne per davvero la tragica fine. Per ravvivare la propaganda patriottica, uno veniva presentato come Muzio Scevola e obbligato a bruciarsi la mano sui carboni, un altro come Ercole cremato vivo sulla pira, un altro come Orfeo sbranato mentre suonava la lira. Volevano essere insomma degli spettacoli «edificanti» per la gioventù e come tali essi non erano affatto vietati ai minori di sedici anni, anzi.

Seguivano i combattimenti fra gladiatori, tutti condannati a pene capitali per omicidio, rapina, sacrilegio o ammutinamento, ch'erano i delitti per i quali la morte veniva inflitta. Ma quando ce n'era carestia, compiacenti tribunali condannavano a morte anche per altri motivi molto meno gravi: Roma e i suoi imperatori non potevano fare a meno di questa carne umana da macello. Tuttavia c'erano anche i volontari, e non tutti di bassa estrazione, che s'iscrivevano alle apposite scuole per poi combattere nel Circo. Erano forse le più serie e rigorose scuole di Roma. Vi si entrava quasi come in seminario, dopo aver giurato di essere pronti a farsi «frustare, bruciare e pugnalare». I gladiatori avevano, ad ogni combattimento, una probabilità su due di diventare eroi popolari, cui i poeti dedicavano i loro carmi, gli scultori le loro statue, gli edili le loro strade e le signore le loro grazie. Prima della gara si offriva loro un pantagruelico banchetto. E, se non vincevano, avevano l'obbligo di morire con irridente indifferenza. Si chiamavano con vari nomi secondo le armi che usavano, e ogni spettacolo contava centinaia di questi duelli che potevano anche finire senza il morto se il soccombente, essendosi condotto con coraggio e bravura, veniva graziato dalla folla col gesto del pollice alzato. A uno spettacolo offerto da Augusto e durato otto giorni, diecimila gladiatori presero parte. Guardiani vestiti da Caronte e da Mercurio pungevano i caduti con forconi acuminati per vedere se erano morti, i simulatori venivano decapitati, schiavi negri appilavano i cadaveri e portavano nuova sabbia per i combattimenti successivi.

Questo modo di divertirsi al sangue e alle torture non sollevava obiezioni nemmeno fra i moralisti più severi. Giovenale, che criticava tutto, era un tifoso del Circo e lo trovava del tutto legittimo. Tacito ebbe qualche dubbio; ma poi rifletté che quello che si versava nell'arena era «sangue vile» e con questo aggettivo lo giustificò. Perfino Plinio, il più civile e moderno gentiluomo di allora, trovò che quei massacri avevano un valore educativo perché abituavano gli spettatori allo stoico disprezzo della vita (altrui). Non parliamo di Stazio e di Marziale, i due poeti lodatori di Domiziano, che nel Circo passavano la vita e vi attinsero le loro ispirazioni poetiche. Stazio era un napoletano che si era fatto un bel nome con un brutto poema, *La Tebaide*, aveva recitato nei teatri, fu invitato a pranzo dall'imperatore e, per farlo sapere a tutta Napoli, ci scrisse sopra un libro rappresentando Domiziano come un dio e dedicandogli le sue *Silvae*, che sono le sole poesie leggibili di questo autore. Morì sui cinquant'anni, quando già la sua stella era offuscata da Marziale che cercava le sue ispirazioni soprattutto nel Circo e nel bordello.

Marziale era uno spagnolo di Bilbao che venne a Roma a ventiquattr'anni e vi godé la protezione dei suoi compatrioti Seneca e Lucano. Perché gli spagnoli allora si aiutavano, come fanno oggi i siciliani. Non fu un gran poeta. Ma anticipò Longanesi nella «battuta», che lasciava il segno come un morso. «Le mie pagine sanno di uomini» diceva; ed è vero. I suoi personaggi sono di basso rango perché li sceglieva in quegli ambienti malfamati delle prostitute e dei gladiatori; ma appunto per questo sono vivi nella loro volgarità e abbiezione. Era lui stesso un tipo piuttosto ignobile. Piaggiò Domiziano, calunniò i suoi benefattori, visse nei bassifondi mangiandosi i soldi in vino, dadi e scommesse alle corse. Ma non seppe cosa volesse dire retorica, i suoi *Epigrammi* rimangono il più perfetto monumento del genere, e la testimonianza ch'egli ci ha lasciato di Roma è forse la più autentica. Finì per tornarsene a Bilbao, ch'era allora un paesello, dove visse, tanto per cambiare, alle spalle di un amico che gli regalò una villa, e dove, di Roma, rimpianse una cosa sola: il Circo, non avendo più l'età per rimpiangere anche l'altra: i bordelli.

Soltanto Seneca ci ha lasciato una condanna dei giuochi gladiatori che dice di non aver mai frequentato. Egli andò a visitare il Colosseo una volta sola, e rimase sbigottito. «L'uomo, la cosa all'uomo più sacra, qui viene ucciso per sport e divertimento» scrisse tornando a casa.

Ma il fatto è che questo sport e divertimento era ormai in tono col livello morale di una Roma non ancora cristiana, ma non più neanche pagana. L'imperatore che vi presiedeva era anche l'Alto Sacerdote, cioè il papa, di una religione di stato che non trovava nulla da obbiettare a simili ignominie per il semplice motivo che non credeva più a niente essa stessa. Celebrava le feste con una liturgia sempre più complicata, innalzava templi sempre più fastosi, creava nuovi idoli come Annona e Fortuna. Ma a sorreggerli c'erano soltanto dei capitelli di marmo. La fede, no. Essa era monopolio di quelle poche centinaia o migliaia di cristiani, soprattutto ebrei, che, invece di andare al Circo a tripudiare per la morte degli uomini, si riunivano nelle loro piccole *ecclesiae* a pregare per la loro anima.

NERVA E TRAIANO

Gli uccisori di Domiziano non avevano dato alla loro vittima il tempo di nominare un erede. E il Senato, che non aveva mai ufficialmente riconosciuto il diritto degl'imperatori a designarne, ma aveva sempre accettato in pratica le loro scelte, ne approfittò per farne una di suo gusto nella persona di un suo membro.

Marco Cocceio Nerva era un giurista che si dilettava a tempo perso di poesia, ma non aveva né la litigiosità degli avvocati né la vanità dei poeti. Era un omaccione alto e grosso, che non aveva mai fatto del male a una mosca, non aveva mostrato ambizioni e, alla fine del suo regno, poté dire con piena ragione di non aver fatto nulla che gli vietasse di tornare alla vita privata senza correre rischi.

Forse la sua scelta fu dovuta non tanto alle sue virtù, quanto al fatto che aveva già settant'anni ed era debole di stomaco, il che lasciava prevedere un regno di breve durata. Infatti durò due anni soli, ma a Nerva bastarono per riparare i torti del suo predecessore. Richiamò i proscritti, distribuì molte terre ai poveri, liberò gli ebrei dai tributi che Vespasiano aveva loro imposto e rimise ordine nelle finanze. Ciò non impedì ai pretoriani, scontenti di quel nuovo padrone che si opponeva alle loro prepotenze, di assediarlo nel palazzo, scannare alcuni suoi consiglieri ed imporre la consegna degli assassini di Domiziano. Nerva, pur di salvare i suoi collaboratori, offrì in cambio la propria testa. E, siccome gliela risparmiarono, diede le proprie dimissioni al Senato che le respinse. Nerva non aveva mai preso nessuna decisione senza consultare il Senato e in opposizione

343

ad esso. Anche stavolta si arrese. Sentiva di essere alla fine, e il poco tempo che gli restava da vivere lo impiegò a cercarsi un successore che il Senato gradisse e ad adottarlo come figlio (di suoi non ne aveva), in modo da togliere ai pretoriani la tentazione d'incoronare qualcuno di testa loro. La scelta di Traiano fu forse il miglior servizio che Nerva abbia reso allo stato.

Traiano era un generale che in quel momento comandava un esercito in Germania, e quando seppe che lo avevano proclamato imperatore, non si scompose molto. Mandò a dire al Senato che ringraziava della fiducia e che sarebbe venuto ad assumere il potere appena avesse avuto un minuto di tempo. Ma per due anni non lo trovò, perché doveva regolare certe pendenze coi teutoni. Era nato appena quarant'anni prima in Spagna, ma da una famiglia romana di funzionari, e funzionario era sempre rimasto egli stesso, cioè mezzo soldato e mezzo amministratore. Era alto e robusto, di costumi spartani e d'un coraggio a tutta prova, ma senza esibizionismi. Sua moglie Plotina si proclamava la più felice delle spose perché egli non l'ingannava, ogni tanto, che con qualche giovanotto; con altre donne mai. Passava per un uomo colto perché usava portarsi appresso, sul suo carro di generale, Dione Crisostomo, un celebre retore del tempo, che gli parlava continuamente di filosofia. Ma un giorno confessò che non aveva mai capito una sola delle molte parole che Dione aveva pronunciato, anzi non le ascoltava nemmeno: si lasciava cullare dal loro suono d'argento pensando ad altro: ai conti della spesa, al piano di una battaglia, al progetto di un ponte.

Quando alla fine trovò il famoso minuto per cingere la corona, Plinio il Giovane fu incaricato di rivolgergli un *panegirico* in cui cortesemente gli si ricordava ch'egli doveva la sua elezione ai senatori e quindi doveva interpellarli per ogni decisione. Traiano sottolineò il passaggio con un segno approvativo del capo, cui nessuno prestò gran fede. Ma ebbero torto, perché quella regola egli l'osservò strettamente. Il potere non gli diede mai alla testa, e nemmeno la minaccia dei complotti valse a trasformarlo in un despota sospettoso e sanguinario. Quando scoprì quello di Licinio Sura, andò a pranzo da lui, e non solo mangiò tutto quello che gli venne servito nel piatto, ma poi offrì la gola al barbiere del congiurato per farsi radere.

Era un formidabile lavoratore e pretendeva che lo diventassero anche tutti coloro che gli stavano intorno. Mandò molti sfaticati senatori a fare ispezioni e a rimettere ordine nelle province, e dalle lettere che scambiò con loro e di cui qualcuna c'è rimasta, si possono indurre la sua competenza e diligenza. Le sue idee politiche erano quelle di un conservatore illuminato che credeva più alla buona amministrazione che alle grandi riforme, escludeva la violenza, ma sapeva ricorrere alla forza. Per questo non esitò a muover guerra alla Dacia (che corrisponde oggi alla Romania), quando il suo re, Decebalo, venne a insidiargli le conquiste fatte in Germania. Fu una campagna condotta da brillante generale. Battuto, Decebalo si arrese, ma Traiano gli risparmiò la vita e il trono, limitandosi a imporgli un vassallaggio. Tanta clemenza, nuova negli annali della storia romana, fu mal ricompensata, perché di lì a due anni Decebalo nuovamente si ribellò. Traiano riprese il sentiero di guerra, batté di nuovo il fedifrago, ne dilapidò le miniere d'oro transilvane, e con questo bottino finanziò quattro mesi di giuochi ininterrotti nel Circo con diecimila gladiatori per celebrare la sua vittoria e un programma di lavori pubblici destinato a fare del suo regno uno dei più memorabili nella storia dell'urbanistica, dell'ingegneria e dell'architettura.

Un gigantesco acquedotto, un nuovo porto ad Ostia, quattro grandi strade, l'anfiteatro di Verona, furono tra le sue opere più insigni. Ma quella più conosciuta fu il Foro Traiano, dovuto al genio di Apollodoro, un greco di Damasco, che già aveva costruito per lui, in pochi giorni, quel meraviglioso ponte sul Danubio, che gli aveva consentito di prendere a rovescio Decebalo. Per innalzare la colonna che ancora si erge di fronte alla basilica Ulpia, furono trasportati da Paro diciotto cubi di un marmo speciale, di cinquanta tonnellate ciascuno: un miracolo, per quei tempi. Su di essa furono incise, in bassorilievo, duemila figure, secondo uno stile vagamente neorealista, cioè con molta propensione alla crudezza delle scene rappresentate. È un'incisione troppo gremita per essere bella, ma dal punto di vista documentario è interessante, e fu questo che piacque di certo a Traiano.

Dopo sei anni di pace, occupati in quest'opera di ricostruzione, Traiano fu ripreso dalla nostalgia dell'accampamento e, sebbene toccasse ormai la sessantina, si mise in testa di completare l'opera di Cesare e di Antonio in Oriente, portando i confini dell'Impero fino all'Oceano Indiano. Ci riuscì dopo una marcia trionfale attraverso la Mesopotamia, la Persia, la Siria, l'Armenia, tutte ridotte a province romane. Costruì una flotta per il Mar Rosso. E rimpianse di esser troppo vecchio per imbarcarsi e muovere alla conquista dell'India e dell'Estremo Oriente. Ma erano paesi in cui non bastava lasciar guarnigioni per stabilirvi un ordine duraturo. Traiano era ancora sulla via del ritorno, quando le ribellioni gli scoppiarono alle spalle un po' dovunque. Il guerriero stanco voleva tornare indietro per sedarle. L'idropisia lo trattenne. Mandò in sua vece Lucio Quieto e Marcio Turba, e riprese il viaggio verso Roma sperando di arrivarvi in tempo per morire. Una paralisi lo folgorò a Selino nell'anno 117 dopo Cristo, sessantaquattresimo della sua vita. E a Roma non tornarono che le sue ceneri, e furono seppellite sotto la sua colonna.

Nerva e Traiano furono certamente due grandi imperatori. Ma fra i molti effettivi meriti che li raccomandano al nostro ricordo, ebbero anche una fortuna: quella di guadagnarsi la gratitudine di uno storico come Tacito, e di un

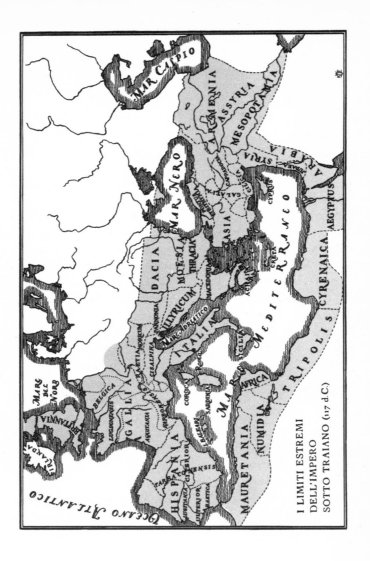

I LIMITI ESTREMI
DELL'IMPERO
SOTTO TRAIANO (117 d.C.)

memorialista come Plinio, le cui testimonianze dovevano essere decisive per il tribunale della posterità.

Tacito, che ha raccontato la vita di tanta gente, si è dimenticato di dirci qualcosa di quella sua. Non sappiamo con precisione dove sia nato, e non siamo nemmeno certi che fosse figlio di quel Cornelio Tacito che amministrava le finanze del Belgio. La sua famiglia doveva appartenere a quella borghesia quattrinaia che poi era entrata a far parte dell'aristocrazia. Ma, più che della propria, egli andava fiero della casata di sua moglie, figlia di quell'Agricola, proconsole e governatore della Britannia, che Domiziano aveva avuto il torto di silurare. Questo Agricola lo conosciamo attraverso la biografia che ce ne ha lasciato suo genero, il quale di biografie doveva restare un insuperato maestro. Ma siccome in Tacito si compendiano tutte le qualità del grande scrittore meno l'obiettività, non sappiamo se quel ritratto sia del tutto veridico. Sappiamo soltanto che doveva essere sincera l'ammirazione che lo ispirava.

Tacito era un grande avvocato. Plinio lo considera più grande dello stesso Cicerone. Ma noi temiamo ch'egli abbia composto le sue storie un po' con gli stessi criteri con cui difendeva i suoi clienti: e cioè più per far trionfare una tesi che per stabilire la verità. Debuttò con un libro dedicato al periodo fra Galba e Domiziano, di cui era stato egli stesso spettatore. E la sua potente requisitoria contro la tirannia ebbe un tale successo nei circoli aristocratici che n'erano stati le maggiori vittime, da indurlo a risalire nel tempo ai regni di Nerone, Claudio, Caligola e Tiberio. Onestamente egli riconosce di aver dovuto egli stesso, al tempo di Domiziano, piegarsi ai capricci satrapeschi di quel sovrano e avallare, come senatore, i suoi soprusi. Non è difficile indurne che l'amore per la libertà dovette nascergli in corpo proprio allora. Scrisse quattordici libri di *Storie*, di cui solo quattro sono giunti sino a noi, e sedici di *Annali* di cui ne sopravvivono dodici, oltre a vari lavori come l'*Agricola* e un

348

pamphlet sui germani in cui con straordinaria abilità polemica si esaltano le virtù di quel popolo per denunciare, sotto sotto, i vizi di quello romano.

Tacito va letto con criterio. Non bisogna chiedergli analisi né sociologiche né economiche. Bisogna contentarsi di grandi *reportages*, perfetti come meccanica di narrazione, col *thrill* e la *suspense* come si dice in linguaggio cinematografico, e animati da personaggi probabilmente falsi, ma straordinariamente caratterizzati, che si scolpiscono nella memoria con un vigore di stile che nessuno scrittore ha mai più avuto dopo di lui. Le sue fonti sono dubbie, e forse non si scomodò mai a ricercarne. Va per sentito dire, attingendovi quel che gli fa comodo, anche se falso, e respingendo quel che non gli torna, anche se è vero, al solo scopo di propagandare le sue tesi favorite: che il massimo bene è la libertà e che la libertà è garantita soltanto dalle oligarchie aristocratiche; che il carattere vale più dell'intelligenza; e che le riforme non sono che passi verso il peggio. Tutto sommato, fu un grosso peccato che Tacito si piccasse di storia. Avesse avuto le ambizioni del romanziere, sarebbe stato meglio per lui e per noi.

Meno geniale e colorito, ma più circostanziato e attendibile, il ritratto che della società di quel tempo ci ha lasciato Plinio il Giovane, un gran signore che ebbe tutte le fortune, comprese quelle di uno zio ricco che gli lasciò il nome e il patrimonio, di una eccellente educazione, di una moglie virtuosa (che per quei tempi doveva essere una rarità) e di un buon carattere che gli faceva vedere il lato bello di tutto e di tutti. Era insomma nella tradizione di Attico: quella dei *gentlemen*. Era nato a Como, e naturalmente debuttò come avvocato. Tacito gli propose di dividere con lui l'onere e l'onore dell'accusa contro Mario Prisco, funzionario incriminato di malversazioni e crudeltà. Plinio accettò. Ma invece di pronunciare un'arringa contro l'imputato, pronunciò un elogio esclamativo, lungo due ore, del suo collega, che, quando fu il suo turno, lo ricambiò (e Prisco, nella gabbia, doveva frattanto fregarsi le mani nel sentirsi completamente dimenticato).

Gli diedero alcuni incarichi. Li assolse tutti con diligenza e onestà. Ma particolarmente brillò in quelli diplomatici, per i quali lo prescelse Traiano, gran conoscitore di uomini. La sua qualità fondamentale infatti era il «tatto». Basta leggere la lettera che scrisse al suo vecchio precettore Quintiliano, il gran giurista, per scusarsi di non potergli dare più di cinquantamila sesterzi (qualcosa come quaranta milioni di lire) per la dote di sua figlia: sembra che chieda un favore, invece di offrire un'elemosina. Quando lo mandavano per qualche ambasceria o ispezione, rifiutava stipendio, trasferte e diaria, si riempiva le valigie di regali per le mogli dei governatori, dei generali e dei prefetti che avrebbe incontrato per strada, e si portava al seguito, pagandolo di tasca propria, qualcuno con cui parlare di letteratura: Svetonio, in generale, perché aveva un debole per lui. Siccome, con quella mania che aveva di scrivere lettere a tutti, manteneva i «contatti» (ch'è sempre stata una gran furberia in tutti i tempi), gl'inviti, dovunque arrivasse, gli grandinavano sulla testa. Rispondeva sempre per iscritto: «Accetto il tuo invito a pranzo, amico, ma a patto che mi congedi presto e mi tratti frugalmente. Che intorno alla tavola s'intreccino filosofici conversari, ma anche di quelli godiamo con moderazione».

«Con moderazione»: ecco la sua etica, la sua estetica e la sua dietetica. Plinio fece tutto con moderazione: anche l'amore. E di tutto con moderazione parlò nelle sue lettere descrittive all'imperatore, ai colleghi, ai parenti, ai clienti, che sono quanto di meglio ci resta di lui e costituiscono la testimonianza forse più preziosa di quella società e dei suoi costumi.

CAPITOLO QUARANTADUESIMO
ADRIANO

Si prova, lo confessiamo, qualche riluttanza ad ammettere che un episodio così fausto come l'avvento al trono del più grande imperatore dell'antichità fosse dovuto a una coincidenza banale e piuttosto sudicia come l'adulterio. Eppure, Dione Cassio ci dà per certo che Adriano fu qualificato a prendere il posto di Traiano, morto senza designare eredi, da un titolo solo: quello di amante della moglie di costui, Plotina.

Ai «si dice» bisogna far credito fino a un certo punto, specie in fatto di corna. Ma, certo, Plotina almeno una mano per incoronarlo, a Adriano la diede. Erano zia e nipote, ma non di sangue, eppoi le parentele a Roma non avevano mai impedito nessun amore. Traiano e Adriano erano compaesani, perché nati nella stessa città di Spagna, Italica. E il secondo, che portava quel nome perché la sua famiglia veniva da Adria ed era di ventiquattr'anni più giovane, venne a Roma chiamatovi dal primo, ch'era amico di casa e suo tutore. Era un ragazzo pieno di vita, di curiosità e d'interessi, che studiava tutto con fervore: matematica, musica, medicina, filosofia, letteratura, scultura, geometria, e imparava presto. Traiano gli diede in moglie sua nipote Vivia Sabina. Fu un matrimonio rispettabile e ghiaccio, dal quale non nacquero né amore né figli. Sabina, statuariamente bella ma priva di *sex appeal*, si lamentava a mezza voce del fatto che suo marito avesse più tempo per i cani e i cavalli che per lei. Adriano la conduceva con sé nei suoi viaggi, la colmava di cortesie, licenziò il proprio segretario Svetonio perché un giorno parlò di lei poco rispettosamente, ma di notte dormiva solo.

Aveva quarant'anni appena quando salì sul trono, e il suo primo gesto fu quello di chiudere rapidamente le pendenze militari lasciate da Traiano. Era sempre stato contrario alle imprese guerresche del suo tutore. E, presone il posto, si affrettò a ritirare gli eserciti dalla Persia e dall'Armenia, con gran malumore dei loro comandanti, i quali pensavano che una strategia puramente difensiva fosse l'inizio della morte per l'Impero o la fine della carriera, delle medaglie e delle diarie per loro. Non si è mai saputo con esattezza come avvenne che quattro di questi comandanti, i più valorosi e autorevoli, venissero di lì a poco soppressi senza processo. Adriano era sul Danubio in quel momento a cercarvi una soluzione definitiva coi daci, che escludesse ulteriori conflitti. Si precipitò a Roma, e il Senato si assunse tutte le responsabilità dell'eliminazione, dicendo che i generali si erano macchiati di complotto contro lo stato. Ma nessuno credette all'innocenza di Adriano, che se la comprò distribuendo ai cittadini un miliardo di sesterzi, liberandoli dai debiti col fisco e divertendoli per intere settimane con magnifici spettacoli nel Circo.

Questi debutti fecero temere a molti romani un ritorno neroniano. E i sospetti furono avvalorati dal fatto che Adriano cantava, dipingeva, componeva appunto come Nerone. Ma poi si vide che in queste sue ambizioni artistiche non c'era nulla di patologico. Adriano vi si abbandonava solo nei ritagli di tempo, per riposarsi delle sue fatiche di scrupoloso e abilissimo amministratore. Era un bell'uomo, alto, elegante, coi capelli ricciuti e una barba bionda che tutti i romani vollero imitare forse ignorando ch'egli se l'era lasciata crescere solo per nascondere certe sgradevoli chiazze bluastre che aveva sulle gote. Ma non era facile capirne il carattere complesso e contraddittorio. Di solito era gentile e di buon umore, ma talvolta fu duro sino alla crudeltà. In privato si mostrava scettico, irridente agli dèi e agli oracoli. Ma quando adempieva le sue funzioni di Pontefice Massimo, guai a chi dava segno d'irriverenza. Personalmente, non si sa a cosa credesse.

Forse agli astri, perché ogni tanto strologava ed era pieno di superstizioni sulle eclissi e le maree. Ma considerando la religione un puntello della società, non ammetteva pubbliche offese ad essa, e di persona redasse il progetto del tempio di Venere e di Roma, dopo aver messo a morte Apollodoro che aveva risposto al suo invito con uno sprezzante rifiuto.

Intellettualmente, propendeva per lo stoicismo, ed era un ammiratore di Epitteto che aveva studiato con attenzione. Ma in pratica non si sforzò mai di applicarne i precetti. Prese il piacere dovunque lo trovò secondo un gusto raffinato, ma senza vergogna né rimorso. S'innamorava indifferentemente di bei ragazzi e di belle ragazze, ma nessuno di costoro gli fece perdere la testa. Gli piaceva mangiar bene, ma detestava i banchetti; e alle orge preferiva cenette di poche scelte persone che, più che bere, sapessero conversare. Anche per procurarsene, istituì una università, dove chiamò a insegnare i più grandi maestri del tempo, specialmente greci. Eran costoro e i loro allievi i suoi ospiti abituali. Nelle discussioni, era buon giocatore: accettava contestazioni e critiche. Anzi, un giorno rimproverò a Favorino, un intellettuale gallo, di dargli troppo spesso ragione. «Ma un uomo che basa i suoi argomenti su trenta divisioni in armi ha sempre ragione» rispose spiritosamente il giovane filosofo. E l'imperatore riraccontò la storiella in Senato, divertendolo e divertendocisi.

Il suo tratto più straordinario fu di non sentirsi «necessario», anzi di fare tutto il possibile per non diventarlo e per non essere scambiato per il solito «uomo della provvidenza» quali si credono e aspirano ad essere considerati tutti i monarchi assoluti. Il suo costante sforzo fu quello di mettere in piedi una organizzazione burocratica cui bastasse la supervisione del Senato per andare avanti. Aveva la vocazione dell'ordine e cercò d'instaurarlo semplificando le leggi che si erano accumulate in un caos inestricabile. In quest'opera, che affidò a Giuliano, precorse Giustiniano.

A questa razionale divisione del lavoro, che consentiva all'apparato statale una certa meccanicità di funzionamento, egli tendeva anche per ragioni egoistiche: perché aveva la passione dei viaggi e voleva intraprenderli senza la preoccupazione che tutto, in sua assenza, andasse in malora. Infatti ne fece di lunghissimi, che durarono fino a cinque anni, per conoscere da vicino l'Impero in tutti i suoi angoli. Scrupolo del dovere? Curiosità? Un po' l'uno e un po' l'altra. Quattr'anni dopo l'incoronazione partì per un'accurata ispezione della Gallia. Viaggiava come un privato qualsiasi, con un seguito composto quasi esclusivamente di tecnici. Governatori e generali se lo vedevano piovere addosso all'improvviso, e dovevano mostrargli le bucce della loro amministrazione, fino all'ultima. Adriano ordinava un nuovo ponte o una nuova strada, concedeva una promozione o impartiva un siluro; e, se capitava, prendeva in mano una legione, lui, l'uomo della pace, per definire con una battaglia un confine incerto. Batteva da fantaccino, alla testa dei fantaccini, sino a quaranta chilometri al giorno, e non perse una scaramuccia.

Dalla Gallia passò in Germania, vi riorganizzò le guarnigioni, studiò a fondo i costumi degl'indigeni, dei quali ammirò con preoccupazione la vergine forza, discese il Reno su una nave, salpò per la Britannia e vi ordinò la costruzione di quella specie di «Linea Maginot» che fu il famoso «Vallo». Poi tornò in Gallia e passò in Spagna. A Tarragona fu aggredito da uno schiavo. Forte com'era, lo disarmò e lo consegnò ai dottori che lo dichiararono pazzo. Adriano, accettando questo alibi, lo graziò. Scese in Africa, alla testa di un paio di legioni soffocò una rivolta di mori, e continuò per l'Asia Minore.

A Roma si era un po' inquieti per le manie peripatetiche

di quell'imperatore che non tornava più. E le chiacchiere cominciarono a farsi maligne quando si seppe ch'egli si era imbarcato su una nave che risaliva il Nilo con un nuovo ospite di nome Antinòo, dagli occhi vellutati e dai capelli ricciuti.

Sembrava un destino, da Cesare in poi: appena toccavano l'Egitto, i gerarchi romani inciampavano in qualche disgrazia sentimentale. Di che natura fosse, per Adriano, quella incarnata da Antinòo, non si sa. Sabina, che accompagnava l'imperatore, non risulta che abbia protestato contro la presenza di quel ragazzo. Comunque, non si è mai chiarito come questi morisse, annegando nel fiume, a quanto pare. Per Adriano, fu un colpo terribile. «Pianse» dice Sparziano «come una donnicciola», fece innalzare un tempio in onore del povero defunto, e intorno al tempio fece costruire una città, Antinòpoli, che diventò importante al tempo di Bisanzio. Secondo una leggenda, forse posteriore agli avvenimenti, Antinòo si era ucciso perché aveva saputo dagli oracoli che i piani del suo protettore si sarebbero realizzati solo se egli fosse morto. Certo, scomparendo, un servigio quel ragazzo lo rese: quello di lasciare la successione al trono aperta a un monarca della stoffa di Antonino. Se fosse vissuto, forse Roma se lo sarebbe trovato sul gobbo come imperatore.

L'uomo che tornò a Roma dopo quella sciagura non era più il brillante, allegro, gioviale sovrano che ne era partito. Adriano si era fatto un po' misantropo e, mentre un tempo abbandonava il tavolo di lavoro con sollievo, felice di potersi prendere un po' di riposo e sapendo benissimo come utilizzarlo, ora sembrava aver paura di quelle ore vuote, e le riempiva scrivendo. Una grammatica, alcune poesie e un'autobiografia furono il frutto di questa sua solitudine. Ma quel che più lo teneva occupato erano i piani di ricostruzione. Adriano aveva il «mal della pietra», accompagnato dall'estro e dal gusto. Rifece il Pantheon, che Agrippa ave-

355

va innalzato e il fuoco distrutto, secondo quello stile greco ch'egli preferiva al romano. E non c'è dubbio che si tratta del monumento meglio preservato dell'antichità. Quando il papa Urbano VIII smantellò il soffitto del portico, ne ricavò bronzo per costruire oltre cento cannoni e il baldacchino che tuttora si trova sull'altare maggiore di San Pietro.

Un altro capolavoro della sua architettura fu la villa intorno a cui poi nacque Tivoli. C'era di tutto: templi, ippodromo, librerie e musei, dove per duemila anni gli eserciti di tutto il mondo son venuti a saccheggiare, trovandoci sempre qualcosa. Ma vi si era appena stabilito, che una malattia cominciò a roderlo. Il suo corpo si gonfiava e abbondanti emorragie gli sgorgavano dal naso. Sentendosi vicino alla fine, Adriano chiamò e adottò come figlio, per prepararlo alla successione, il suo amico Lucio Vero, che la morte stroncò di lì a poco.

La scelta di Adriano cadde allora su Antonino cui, mantenendo per sé il titolo di «Augusto», conferì quello di «Cesare», che d'allora in poi fu adottato per tutti gli eredi presunti al trono.

Le sue sofferenze erano così grandi, ch'egli non aspirava più che alla tomba. Se la fece costruire di là dal Tevere con un ponte apposta, il ponte Elio, per raggiungerla: ed è quel grande mausoleo, che oggi si chiama Castel Sant'Angelo. Un giorno, quando l'edificio era già terminato, il filosofo stoico Eufrate venne a chiedergli il permesso di uccidersi. L'imperatore glielo diede, discusse con lui sull'inutilità della vita; e quando Eufrate ebbe bevuto la cicuta, la chiese anche per lui per seguirne l'esempio, ma nessuno volle dargliela. La ordinò al suo medico; e questi, per non disobbedirgli, si uccise. Pregò un servo di procurargli una spada o un pugnale; ma il servo fuggì.

«Ecco qui un uomo» esclamò disperato «che ha il potere di mettere a morte chi vuole, salvo se stesso.»

Finalmente, a sessantadue anni, dopo ventuno di regno, chiuse gli occhi. Pochi giorni prima aveva composto un piccolo poema sulle memorie del tempo che fu, che costituisce forse il più squisito capolavoro della lirica latina: *Animula vagula, blandula, hospes comesque corporis...*

Con lui non morì soltanto un grande imperatore, ma anche uno dei più complessi, inquietanti e cattivanti personaggi della storia di tutti i tempi e forse il più moderno fra quelli del mondo antico. Come Nerva, si congedò da Roma rendendole il più insigne dei servigi: quello di designare il successore meglio qualificato a non farlo rimpiangere.

MARC'AURELIO

Il titolo di «Pio» fu dato ad Antonino *a posteriori* dal Senato, che lo chiamò anche *Optimus princeps*, il migliore dei principi. Il suo successore Marco Aurelio lo definì «un mostro di virtù» e, quando non sapeva che pesci pigliare, raccomandava a se stesso: «Fa' come in questo caso avrebbe fatto Antonino». Precetto, a dire il vero, più facile da enunciare che da seguire perché il problema era appunto di sapere come avrebbe fatto Antonino.

Non era più giovanissimo quando nel 138 dopo Cristo salì al trono, perché aveva già passato la cinquantina. Eppure, se si fosse chiesto a uno dei tanti romani che salutavano con gioia il suo avvento per quali ragioni tutti n'erano così felici, lo si sarebbe messo in imbarazzo. Antonino, sino a quel momento, non aveva fatto nulla d'insigne. Era un bravo avvocato, ma, avendo piuttosto in uggia la retorica, esercitava poco, e quel poco gratuitamente perché era ricchissimo. La sua era una famiglia di banchieri venuta dalla Francia un paio di generazioni prima, ed egli aveva ricevuto una educazione da grande borghese. Aveva studiato filosofia, ma senza troppo addentrarcisi e sempre preferendo, come puntello, la religione. Non era bigotto, ma rispettoso: forse uno degli ultimi romani a credere sinceramente negli dèi, o per lo meno a comportarsi come se ci credesse. Sapeva di letteratura e protesse molti scrittori, ma trattandoli un po' dall'alto, con indulgente e aristocratico distacco, come elementi decorativi della società da non prendersi troppo sul serio. Ma tutti gli volevano bene e lo avevano in simpatia per la sua faccia paciosa e serena, issata su due larghe spalle, per la sua gentilezza, per la sua sincera partecipazione ai casi altrui, per la discrezione con cui seppe nascondere i suoi senz'annoiare nessuno. Quest'uomo senza nemici ne ebbe uno in casa: sua moglie. Faustina era bella, ma, a dir poco, vivace. Anche a far la tara su quello che si diceva di lei, ne restava sempre di che mandare fuori dai gangheri qualsiasi marito. Antonino volle ignorare tutto. Aveva avuto da lei due figlie: una gli morì, l'altra aveva ripreso da sua madre e non diversamente da lei trattò suo marito Marc'Aurelio. Antonino portò le sue delusioni in silenzio. Quando morì Faustina, istituì in suo onore un tempio e un fondo per l'educazione delle ragazze povere, dopo averla rimproverata una sola volta in vita: quando lei, sapendosi imperatrice, aveva avanzato alcune pretese di lusso. «Non ti rendi conto» le disse «che ora abbiamo perso quel che avevamo?»

Non era retorica, perché il primo gesto di Antonino imperatore fu quello di versare la sua immensa fortuna privata nelle casse dello stato. Alla sua morte il suo patrimonio personale era ridotto a zero, quello dell'Impero si elevava a due miliardi e settecento milioni di sesterzi, cifra mai più raggiunta. A questo risultato giunse con un'amministrazione giudiziosa, ma senza taccagnerie. Rivide e ridusse il programma ricostruttivo di Adriano, ma non lo revocò. E per ogni spesa, anche per la più trascurabile, chiedeva l'autorizzazione del Senato, cui rendeva i conti sino al centesimo. Sempre col suo consenso, condusse avanti il riordinamento e la liberalizzazione delle leggi iniziati dal suo predecessore. Per la prima volta, i diritti e i doveri dei coniugi furono parificati, la tortura quasi del tutto bandita e l'uccisione di uno schiavo proclamata delitto.

Al contrario dell'inquieto e curioso Adriano, il gran bighellone, aveva un temperamento sedentario, da burocrate ligio all'orario. E infatti non risulta che si sia allontanato neanche per un giorno al di là di Lanuvio dove aveva una villa e andava a passare il *week-end* pescando o cacciando in compagnia di amici. Da quando era vedovo, si era preso una concubina, che gli fu più fedele di quanto gli fosse stata la moglie. Ma la teneva in disparte, senza mescolarla alle faccende di stato. Volle la pace. Forse la volle anche un po' troppo: cioè a costo perfino del prestigio dell'Impero, per esempio in Germania dove si mostrò eccessivamente arrendevole incoraggiando la baldanza dei ribelli. Ma non c'è scrittore forestiero di quel tempo che non abbia esaltato la tranquillità e l'ordine che il mondo godé sotto di lui. A sentire Appiano, Antonino era addirittura assediato dagli ambasciatori di tutti i paesi che chiedevano l'annessione all'Impero. Come tutti i regni felici, quello suo, sebbene durato ventitré anni, fu senza storia, cioè senza eventi. «L'ideale» dice Renan «sembrava raggiunto: il mondo era governato da un padre.»

A settantaquattr'anni, forse per la prima volta in vita sua, Antonino cadde ammalato. E, siccome non c'era avvezzo, sebbene si trattasse solo d'un mal di pancia, capì ch'era finita. Egli aveva già il Cesare di ricambio: glielo aveva indicato, morendo, lo stesso Adriano, nella persona di un diciassettenne, Marco Aurelio, che di Antonino era anche nipote. Lo mandò a chiamare e gli disse semplicemente: «Ora, figliolo, tocca a te». Poi ordinò ai servi di portare nelle stanze di Marco la statua d'oro della dea Fortuna, diede all'ufficiale di guardia la parola d'ordine per quel giorno: «equanimità», disse che lo lasciassero solo perché voleva dormire, si girò dall'altra parte nel letto. E si addormentò davvero. Per sempre.

Marco aveva in quel momento, 161 dopo Cristo, quarant'anni esatti. Ed era uno di quei rari uomini che, essendo nati con la camicia, lo riconoscono lealmente. «Ho un grosso debito» ha lasciato scritto «con gli dèi. Essi mi hanno dato buoni nonni, buoni genitori, una buona sorella, buoni maestri e buoni amici.» Fra questi ultimi c'era stato anche Adriano che frequentava la sua casa e lo aveva preso sin da piccolo in gran simpatia. La ragione di questa amicizia era la comune origine spagnola. Anche gli Aureli venivano di laggiù, dove si erano guadagnati il soprannome di «Veri» per la loro onestà. Era stato il nonno, allora console, a occuparsi del ragazzo rimasto orfano a pochi mesi; e che fiducia riponesse in quel nipotino lo dimostrava il numero di precettori che gli diede: quattro per la grammatica, sei per la filosofia, uno per la matematica. Insomma, diciassette in tutto. Come abbia fatto quel ragazzo ad imparar qualcosa senza diventar matto, lo sa Iddio. Egli predilesse, fra questi pedagoghi, Cornelio Frontone, il rètore, ma disprezzò la sua disciplina. Il curialismo e l'oratoria erano quanto egli amava di meno nei suoi concittadini. Viceversa si appassionò alla filosofia, preferì quella stoica, e non solo volle studiarla a fondo, ma anche praticarla. A dodici anni fece portar via dalla sua camera il letto, dormì sul nudo pavimento e si attenne a tale dieta e astinenza che la sua salute alla fine ne risentì. Ma non se ne dolse. Anzi ringraziò gli dèi anche di questo: di averlo mantenuto casto fino ai diciotto anni e capace di reprimere gl'impulsi sessuali.

Forse sarebbe diventato addirittura un sacerdote dello stoicismo, e fra i più puritani, come ne usava allora, se Antonino non lo avesse fatto Cesare quand'era ancora adolescente e non se lo fosse associato al governo, dopo averlo adottato insieme con Lucio Vero, il figlio di colui che Adriano aveva nominato suo successore e che invece gli era premorto. Ma Lucio era di tutt'altra stoffa: un uomo di mondo, donnaiolo e gaudente, che non se n'ebbe punto a male quando Antonino più tardi lo escluse per designare come Cesare il solo Marco. Costui ricordando i desideri di Adriano, chiamò tuttavia Lucio a condividere il potere e gli diede in sposa sua figlia Lucilla. Purtroppo, la lealtà in politica non è sempre buona consigliera.

Tutti i filosofi dell'Impero, quando Marco fu coronato, esultarono, vedendo nel suo il loro trionfo e in lui il realizzatore dell'Utopia. Ma sbagliarono. Marco non fu un grande uomo di stato: non capiva nulla di economia, per esempio, sbagliava i bilanci, e ogni tanto bisognava riguardargli i conti. Ma dal tirocinio fatto sotto Antonino, l'illuminato conservatore realista e un po' scettico, aveva tratto la sua lezione sugli uomini. Sapeva che le leggi non bastano a migliorarli, per cui tirò avanti la riforma dei codici intrapresa dai suoi due predecessori, ma fiaccamente e senza troppo credere ai suoi benefici. Da buon moralista, credeva di più all'esempio, e cercò di darlo con la sua vita ascetica, che i sudditi ammirarono, ma senza essere tentati d'imitarla.

Gli eventi non gli furono favorevoli. Era appena asceso al trono che i britanni, i germani e i persiani, incoraggiati dall'arrendevolezza di Antonino, cominciarono a minacciare i confini dell'Impero. Marco mandò in Oriente con un esercito Lucio, che ad Antiochia trovò Pantea e ci si fermò. Era la Cleopatra del luogo, e Lucio era un Marc'Antonio senza il coraggio e il genio militare di costui. Quando vide quel po' po' di donna, perse completamente la testa. Dicono che lei ne aiutò la smemoratezza con dei filtri. Ma se era veramente bella come ce l'hanno descritta, dei filtri non dovette avere nessun bisogno.

Marco non protestò contro il contegno di Lucio che seguitava a fare il ganimede con Pantea, mentre i persiani scorrazzavano a loro piacere in Siria. Si limitò a mandare discretamente un piano di operazioni al capo di stato maggiore del suo socio, Avidio Cassio, con l'ordine di eseguirlo a puntino. Era, dicono, un piano che rivelava un gran talento militare. Lucio rimase a gavazzare ad Antiochia mentre il suo esercito batteva brillantemente i persiani, e non ne riprese il comando che per farsi incoronare d'alloro il giorno del trionfo che Marco gli fece decretare. Purtroppo, con le spoglie del nemico vinto, egli portava ai suoi concittadini un brutto regalo: i microbi della peste. Fu un terribile flagello che uccise nella sola Roma oltre duecentomila persone. Galeno, il più celebre medico del tempo, racconta che i corpi dei malati erano squassati da una tosse rabbiosa, si riempivano di pustole e il loro fiato puzzava. Tutta l'Italia ne fu contaminata, città e villaggi rimasero disabitati, la gente affollava i santuari per invocare la protezione degli dèi, nessuno più lavorava, e dietro l'epidemia si profilava la carestia.

Marco non era più un imperatore, era un infermiere che non abbandonava nemmeno per un'ora le corsie degli ospedali, ma la scienza a quei tempi non offriva rimedi. A queste pubbliche calamità se ne aggiunsero per lui di private. Faustina, la figlia che Antonino gli aveva dato in moglie, somigliava in tutto e per tutto alla sua omonima mamma: nella bellezza, nella gaiezza e nell'infedeltà. I suoi adulteri non sono provati, ma tutta Roma ne parlava. Forse essa aveva delle attenuanti: quel marito ascetico e malinconico, assorto nel suo sacerdozio di «primo servitore dello stato», non era fatto per una donnina col pepe in corpo e piena di vita come lei. Gran gentiluomo come il suo predecessore e suocero, Marco la colmò solo di attenzioni e di tenerezza, non pronunciò una parola di deplorazione o di lamento, e anche nelle sue *Meditazioni* ringraziò gli dèi per avergli dato una moglie così devota e affettuosa. Dei quattro figli nati da quel matrimonio, una era morta, un'altra era diventata l'infelice moglie di Lucio, che si comportò bene solo il giorno in cui si decise a lasciarla vedova, e quanto ai due gemelli, di cui tutta Roma diceva che il vero padre era un gladiatore, uno morì nascendo, e l'altro, che si chiamava Commodo, aveva ora sette anni, era una meraviglia di bellezza atletica, già faceva disperare i suoi istitutori per la sua renitenza allo studio e una sfrenata passione per il Circo e la lotta con le belve. Quando si dice: il sangue... Ma Marco lo amava disperatamente.

Le decimazioni della pestilenza e la carestia avevano fatto di Roma una città cupa e sfiduciata. Già vecchio prima della cinquantina in mezzo a tanti triboli, il galantuomo Marco, roso dall'insonnia e dall'ulcera di stomaco, non faceva in tempo a riparare un guaio che un altro ne cominciava. Ora erano le tribù germaniche che dilagavano verso l'Ungheria e la Romania. Quando Marco si mise personalmente alla testa delle legioni, molti sorrisero: quell'omino fragile e macilento, costretto a una dieta vegetariana, non dava affidamento come trascinatore d'uomini. E invece poche volte i legionari avevano combattuto con tanto impeto come fecero sotto il suo diretto comando. Quest'uomo di pace fece la guerra, per sei anni, battendo uno dopo l'altro i più aggressivi nemici: i quadi, i longobardi, i marcomanni, i sarmati. Ma quando, dopo una giornata di battaglia, si ritrovava solo con se stesso, sotto una tenda di semplice soldato, apriva il quaderno delle *Meditazioni* e scriveva: «Un ragno, quando ha catturato una mosca, crede di aver fatto chissaché. E così crede chi ha catturato un sarmato. Né l'uno né l'altro si rendono conto di essere soltanto due piccoli ladri». Però il giorno dopo ricominciava a combattere contro i sarmati.

Stava coronando in Boemia un brillante seguito di vittorie, quando Avidio Cassio, generale in Egitto, si ribellò proclamandosi imperatore. Era l'ex capo di stato maggiore di Lucio, che col piano di Marco aveva battuto i persiani. Marco concluse una rapida e generosa pace coi suoi avversari, riunì i soldati, disse loro che, se Roma lo voleva, volentieri si sarebbe ritirato per lasciare il suo posto al concorrente, e tornò indietro. Ma il Senato rifiutò all'unanimità e, mentre Marco muoveva incontro a Cassio, questi fu ucciso da un suo ufficiale. Marco rimpianse di non aver potuto perdonarlo, si fermò ad Atene per uno scambio di vedute coi maestri delle varie scuole filosofiche locali e, tornato a Roma, subì a malincuore il trionfo che gli tributarono e vi associò Commodo, che ormai era celebre per le sue gesta di gladiatore, per la sua crudeltà, e per il suo vocabolario da bassofondo.

Forse anche per distrarre quel ragazzo dalle sue malsane passioni, riprese subito dopo la guerra contro i germani, conducendoselo dietro. E di nuovo fu alle soglie della vittoria definitiva, quando a Vienna cadde malato, cioè più malato del solito. Per cinque giorni, rifiutò di mangiare e di bere. Al sesto, si alzò, presentò Commodo, come nuovo imperatore, alla truppa schierata, gli raccomandò di portare i confini di Roma fino all'Elba, tornò a letto, si coprì il volto col lenzuolo e attese la morte.

Le *Meditazioni* ch'egli compose in greco sotto la tenda sono giunte fino a noi. Esse non rappresentano un gran documento letterario, ma contengono il più alto codice morale che ci abbia lasciato il mondo classico. Proprio nel momento in cui la coscienza di Roma si spegneva, essa trovava in questo imperatore il suo più luminoso barbaglio.

I SEVERI

Nel presentarlo ai soldati come suo successore, Marco aveva chiamato Commodo «il sole nascente». E forse i suoi occhi di babbo (se lo era) lo vedevano così. Ma anche ai legionari quel ragazzo manesco, di pochi scrupoli, di appetito gagliardo e di turpiloquio pronto, piacque. Lo credevano più militaresco di suo padre.

Grandi furono quindi il loro stupore e malumore quando il giovanotto, invece di liquidare il nemico già intrappolato in una «sacca», gli offrì la più sconsiderata e frettolosa delle paci. Per due volte un miracolo interveniva a salvare quei turbolenti germani: un miracolo di cui Roma doveva fare più tardi le spese.

Commodo non era un codardo, ma la sola guerra che amava era quella contro i gladiatori e le belve nel Circo. Alzandosi, rifiutava la colazione prima di aver scannato la sua tigre quotidiana. E siccome di tigri in Germania non ce n'era, aveva furia di tornare a Roma, dove dall'Oriente i governatori erano incaricati di mandarne a branchi. Per questo, infischiandosi dell'Impero e dei suoi destini, stipulò quella rovinosa pace che lasciava insoluti tutti i problemi. Il Senato rinunziò al suo diritto elettivo attraverso l'adozione che da Nerva in poi aveva dato sì buoni frutti, e accettò il ripristino, che quell'imperatore incarnava, del principio ereditario.

Come per Nerone e Caligola, anche a voler fare un po' di ribasso su quello che i contemporanei hanno scritto di lui, ce n'è d'avanzo per catalogare Commodo fra le pubbliche iatture. Giocatore e bevitore, con un serraglio, dicono, di centinaia di ragazze e giovanotti per i suoi piaceri, pare abbia avuto un affetto solo: quello per una certa Marzia, che, essendo cristiana, non si capisce come conciliasse la sua fede austera con quell'amante debosciato, ma che tuttavia fu utile ai suoi correligionari salvandoli da una probabile persecuzione.

Il peggio cominciò quando alcuni delatori denunziarono a Commodo una congiura capeggiata da sua zia Lucilla, la sorella di suo padre. Senza curarsi di prove, la uccise, e fu l'inizio di un nuovo terrore che venne dato in appalto a Cleandro, il capo dei pretoriani. Per la prima volta dopo Domiziano, Roma cominciò a tremare sotto i soprusi di queste guardie. Un giorno la popolazione, più per paura che per coraggio, le assediò nel palazzo e chiese la testa di Cleandro. Commodo gliela diede senza esitare, sostituendo la vittima con Leto, un uomo accorto, il quale si rese subito conto che, una volta salito a quel posto, o si faceva uccidere dal popolo per compiacere all'imperatore, o si faceva uccidere dall'imperatore per compiacere al popolo. Per sfuggire a questo dilemma, c'era un'altra via sola: uccidere lui l'imperatore. E la scelse con la complicità di Marzia, di cui anche in questa occasione discerniamo male la cristianità, e che propinò a Commodo una bevanda avvelenata. Lo finirono strangolandolo nel bagno perché il giovanotto, appena trentenne, era duro a morire.

Era il 31 dicembre del 192 dopo Cristo. Cominciava la grande anarchia.

I senatori, felici per la morte di Commodo, agirono come se ne fossero stati essi gli autori, eleggendo a successore un loro collega, Pertinace, che non voleva saperne e aveva ragione. Per rimettere in sesto le finanze, dovette fare economia; e per fare economia, dovette licenziare molti profittatori, fra cui i pretoriani. Dopo due mesi di governo in questo senso, lo trovarono morto, ucciso dalle sue guardie, le quali annunziarono che il trono era all'asta: vi sarebbe salito chi offriva loro la mancia più alta.

367

Un banchiere miliardario di nome Didio Giuliano stava tranquillamente mangiando nel suo palazzo, quando la moglie e la figlia, ch'erano piene di ambizioni, gli buttarono addosso la toga ordinandogli di precipitarsi a concorrere. Riluttante, ma temendo più le sue donne che le incognite del potere, Didio offrì ai pretoriani quaranta milioni a testa (doveva averne, oh!), e vinse.

Il Senato era caduto in basso, ma non sino al punto d'inghiottire un simile mercato. Spedì segretamente disperate richieste di aiuto ai generali dislocati in provincia, e uno di costoro, Settimio Severo, venne, vide, promise il doppio di quel che aveva dato Giuliano, e vinse. Il banchiere piangeva, rinchiuso in una stanza da bagno, dove lo decapitarono. Sua moglie rimase vedova, ma si consolò col titolo di ex imperatrice.

Per la prima volta, con Settimio, saliva al trono un africano di origine ebrea. Roma non se l'era scelto: anzi, il Senato si dichiarò per un altro generale, Albino. Ma non se ne trovò male, quando Settimio ebbe vinto la partita, messo a morte i suoi oppositori e trasformato definitivamente il Principato in una monarchia ereditaria di stampo militare. Era triste che si fosse arrivati a questo punto. Ma, una volta arrivatici, e non certo per colpa di Settimio, costui non poteva agire diversamente. Ci voleva una mano di ferro per indicare la catastrofe, e Settimio la ebbe. Era un bell'uomo sulla cinquantina, robusto, eccellente stratega, conversatore spiritoso, ma comandante di pochi spiccioli. Veniva da una famiglia benestante, aveva studiato filosofia ad Atene e diritto a Roma, ma parlava in latino con un forte accento fenicio. Non aveva certo la stoffa morale di un Antonino o di un Marc'Aurelio, né la complessità intellettuale di un Adriano. Era anzi un cinico, ma diritto e onesto, col senso chiaro della realtà. L'unica sua bizzarria era l'astrologia, cui doveva un matrimonio che a Roma non portò fortuna. Si trovava in Siria, quando gli morì la prima moglie, ch'era una brava e semplice donna. Il vedovo, che subito interrogò gli astri, seppe che uno di essi, un meteorite probabilmente, era caduto nei pressi di Emesa. Vi andò, e su quel frammento di cielo trovò eretto un tempio, dove se ne venerava la reliquia, accudita da un prete e da sua figlia, Giulia Donna, che, oltre tutto, era anche un fior di ragazza. Vedendola, fu facile a Settimio convincersi ch'era quella la sposa che gli astri gli ordinavano. E fin qui, nulla di male. Diventata imperatrice, Giulia fece parecchi torti a suo marito, che aveva troppo daffare per avvedersene. E anche questa fu una sciagura, sì, ma di carattere soltanto privato. Era una donna intelligente e colta, che riunì un salotto letterario e vi portò i modi e le mode dell'Oriente. Purtroppo però mise al mondo Caracalla e Geta.

Settimio governò diciassette anni, rivolgendosi al Senato solo per impartirgli ordini, e quasi sempre guerreggiando. Egli introdusse una grande e pericolosa novità: il servizio militare obbligatorio per tutti, ad eccezione degli italiani, ai quali era invece proibito. Era il riconoscimento della decadenza guerriera del nostro paese e della sua irrimediabilità. D'ora in poi esso era in balìa di legioni straniere. Con esse, Settimio combatté un seguito di guerre fortunate, non solo per rinforzare i confini, ma anche per tenere in allenamento le guarnigioni. E ne stava portando a compimento una ennesima, quando la morte lo sorprese in Britannia nel 211 dopo Cristo. Colui che aveva criticato Marc'Aurelio per aver designato successore Commodo, designò Caracalla e Geta. Perché era un babbo anche lui, o perché non conosceva i suoi figli, dai quali era sempre stato lontano? Forse perché non gliene importava nulla. A un suo luogotenente disse: «Sono diventato tutto quel che ho voluto. E mi accorgo che non ne valeva la pena». E ai suoi due eredi raccomandò: «Non lesinate quattrini ai soldati e infischiatevi sempre di tutto il resto».

Raccomandazione superflua: Caracalla e Geta talmente

s'infischiavano di tutto il resto, da includervi anche il loro padre, e ordinarono ai medici di affrettarne il trapasso.

Dei due, il primo fu il Commodo di turno, e non tardò a dimostrarlo. Seccato di dover dividere il potere con suo fratello, lo fece assassinare, condannò a morte ventimila cittadini sospetti di parteggiare per lui e, memore delle istruzioni impartitegli da suo padre, placò i malumori dei soldati riempiendogli le tasche di sesterzi. Non era un ragazzo sprovveduto; era, semplicemente, un amorale. Ogni mattina, alzandosi, voleva un orso vivo con cui misurarsi per tenere i muscoli in esercizio, a tavola sedeva con una tigre per commensale, e si coricava con un leone dormendo fra le sue zampe. Non riceveva i senatori che affollavano la sua anticamera, ma era cordiale coi soldati e li colmava di favori. Estese la cittadinanza a tutti i maschi dell'Impero, ma solo per aumentare il gettito delle tasse di successione, cui solo i cittadini erano astretti.

Di politica si occupava poco. Preferiva lasciarla a sua madre che se n'intendeva, ma naturalmente la faceva da donna, cioè basandosi sulle simpatie e antipatie. Era lei che sbrigava la corrispondenza e riceveva in udienza ministri e ambasciatori. A Roma dicevano che si era procacciata questa posizione di favore cedendo alle incestuose voglie di suo figlio. Probabilmente non era vero. Caracalla da questo lato era abbastanza serio, e la sua unica vera passione erano le guerre e i duelli. Un giorno qualcuno gli parlò di Alessandro il Grande. Egli se n'entusiasmò e volle imitarlo. Reclutò una falange armata come quelle dell'eroe, mosse verso la Persia, ma nelle battaglie si dimenticava di essere il generale perché si divertiva di più a fare il soldato e a provocare il nemico in singoli corpo a corpo. Finché un giorno i legionari, stanchi di quel marciare e di quel guerreggiare senza capo né coda, senza programmi e soprattutto senza bottino, lo pugnalarono.

Giulia Donna, deportata ad Antiochia dopo aver perso

tutto, marito, trono e figli, rifiutò di mangiare finché morì. Ma si lasciò dietro una sorella, Giulia Mesa, che la valeva come cervello e ambizione. Essa aveva due nipoti, figli di due sue figlie: uno si chiamava Vario Avito e faceva, con lo pseudonimo di *Elio-gabalo*, che vuol dire «dio-sole», il prete a Emesa, donde la famiglia dell'imperatrice era originaria; l'altro si chiamava Alessiano, ed era ancora bambino.

Mesa sparse la voce che Eliogabalo era figlio naturale di Caracalla, e i legionari, che laggiù in Siria si erano convertiti alla religione locale e rispettavano in quel chierichetto quattordicenne il rappresentante del Signore, lo proclamarono imperatore e lo condussero trionfalmente a Roma, con la nonna e la madre.

Un giorno di primavera del 219 dopo Cristo, l'Urbe vide arrivare il più strano degli Augusti: un ragazzo tutto vestito di seta rossa, le labbra tinte di rossetto, le ciglia ripassate con l'*henné*, una fila di perle al collo, braccialetti di smeraldi ai polsi e alle caviglie, e una corona di diamanti in testa. Ma lo acclamò ugualmente. Ormai nessuna mascheratura la scandalizzava più.

Ancora una volta il vero imperatore fu una donna: nonna Mesa, la sorella di quella precedente. Per Eliogabalo il trono era un balocco, e lo usò come tale. Nella sua infantile innocenza, quel ragazzetto era anche simpatico come un cucciolone. Il suo piacere preferito era quello di fare scherzi a tutti, ma innocenti: tombole e lotterie con la sorpresa, burle, giuochi di carte. Ma era anche un sibarita, voleva il meglio di tutto, e ci spendeva cappellate di quattrini. Non viaggiava con meno di cinquecento carri al seguito, e per una boccetta di profumo era pronto a pagare milioni. Quando un indovino gli disse che sarebbe morto di morte violenta, vuotò le casse dello stato per provvedersi di tutti i più raffinati strumenti di suicidio: una spada d'oro, un armamentario di corde di seta, scatole tempestate di brillanti per la cicuta. Ogni tanto, ricordando i suoi trascorsi sacerdotali, aveva crisi mistiche. Un giorno si circoncise, un altro tentò di evirarsi, un altro si fece spedire da Emesa il famoso meteorite del suo bisnonno materno, vi fece costruire sopra un tempio e propose agli ebrei e ai cristiani di riconoscere la loro religione come quella di stato, se gli uni accettavano di sostiture Jeovah e gli altri Gesù con quella sua pietruzza.

Nonna Mesa capì che quel suo nipotino metteva in pericolo la dinastia. Lo persuase a adottare il cuginetto Alessiano e a nominarlo Cesare con l'imponente nome di Marco Aurelio Severo Alessandro. E con la disinvoltura ch'era una caratteristica della famiglia, lo fece uccidere con sua madre, ch'era poi sua figlia.

È curioso veder nascere, da così orrendo massacro, il regno di un santo. Alessandro Severo, che aveva quattordici anni, faceva onore al suo nome: aveva studiato con diligenza, dormiva su un duro giaciglio, mangiava sobriamente, prendeva la doccia fredda anche d'inverno, si vestiva come uno qualunque, e del suo predecessore aveva ereditato una cosa sola: l'imparzialità verso tutte le religioni, con pronunciate simpatie per la regola morale degli ebrei e dei cristiani. Il loro precetto, «Non fare agli altri ciò che non vuoi che sia fatto a te», fu da lui scolpito su molti pubblici edifici. Discuteva imparzialmente coi teologi, ed anche su pressione della madre Mammea, che aveva preso il posto di Mesa ormai morta, e propendeva verso il cristianesimo, ebbe un debole per Origene, un asceta che portava nella nuova fede una vocazione di stoico.

Mentre Alessandro si occupava soprattutto del Cielo, Mammea governava bene la terra, assistita dai consigli di Ulpiano, che di Alessandro era stato il tutore. Essa condusse un'abile politica economica, ridusse le influenze dei militari e ridiede al Senato parte dei suoi poteri. Ingiustizie ne commise solo verso la nuora perché, dopo averla data in sposa a suo figlio, se ne ingelosì e la fece bandire. Anche le imperatrici son donne e mamme. Ma quando i persiani ricominciarono a minacciare, essa partì con suo figlio alla testa dell'esercito per respingerli. Alessandro, prima di ingaggiare battaglia, mandò al re nemico una lettera in cui cercava di convincerlo a non farla. L'altro la prese come un segno di debolezza, attaccò e fu battuto. L'imperatore, che non amava la guerra, cercò di evitare almeno quella coi germani. E, incontratine in Gallia gli emissari, offrì loro un tributo annuo se accettavano di ritirarsi.

Fu forse il suo unico sbaglio, e lo pagò caro. I legionari non erano più ansiosi di battaglie, ma non erano ancora pronti a comprarsi le paci. Indignati, si ribellarono, uccisero Alessandro sotto la tenda con la madre e tutto il seguito, e acclamarono imperatore il generale dell'esercito di Pannonia, Giulio Massimino.

Correva l'anno 235 dopo Cristo.

DIOCLEZIANO

L'anarchia che seguì la morte di Alessandro Severo durò cinquant'anni, cioè fino all'avvento di Diocleziano, e già non fa più parte della storia di Roma, ma della decomposizione del suo cadavere. Diventa perfino difficile seguire la successione al trono, e non c'è speranza che il lettore, per quanto volenteroso, possa ricordare i nomi di tutti coloro che vi si diedero il cambio, ognuno sgozzando regolarmente il suo predecessore. Limitiamoci a un «promemoria».

Massimino si sarebbe dovuto chiamare Massimone perché era alto più di due metri, con un torace in proporzione e delle dita così grosse che usava come anelli i braccialetti di sua moglie. Era figlio di un contadino della Tracia, aveva il complesso d'inferiorità della propria ignoranza, e nei suoi tre anni di regno non volle mettere piede a Roma che infatti non lo vide mai. Preferì restare tra i soldati in mezzo ai quali era cresciuto, e per finanziare le guerre, che costituivano il suo solo divertimento e nelle quali riusciva benissimo, impose tali tasse ai ricchi che costoro gli aizzarono contro la rivalità di Gordiano, proconsole in Africa, signore colto e raffinato, ma già ottantenne. Massimino gli uccise il figlio in battaglia, e Gordiano si suicidò.

I capitalisti si rivolsero allora a Massimo e a Balbino, proclamandoli congiuntamente imperatori. Massimino stava per batterli ambedue, quando fu assassinato dai suoi soldati. I suoi avversari non poterono godere di quel gratuito trionfo perché ne seguirono immediatamente la sorte ad opera dei pretoriani, che sul trono installarono il loro uomo, un altro Gordiano. I legionari lo uccisero mentre li guidava contro i persiani, e acclamarono Filippo l'Arabo, che a sua volta fu accoppato da Decio a Verona.

Decio riuscì a restare imperatore due anni, che per quei tempi era quasi un primato, e mise in cantiere alcune serie riforme, tra cui il ripristino dell'antica religione a danno del Cristianesimo che egli voleva distruggere. Ma fu sconfitto e ucciso dai goti, sostituito da Gallo che venne assassinato dai suoi soldati, i quali acclamarono Emiliano e pochi mesi dopo accopparono anche questo.

Sul trono salì Valeriano, già sessantenne, che si trovò con cinque guerre contemporanee sul gobbo, contro i goti, gli alemanni, i franchi, gli sciti e i persiani. Andò a combattere i nemici d'Oriente, lasciando quelli dell'Occidente alle cure di suo figlio Gallieno; ma cadde prigioniero, e Gallieno diventò unico imperatore. Aveva meno di quarant'anni, coraggio, decisione e intelligenza. In altri tempi sarebbe stato un magnifico sovrano. Ma non c'era ormai più forza umana che potesse arginare la catastrofe. I persiani erano in Siria, gli sciti in Asia Minore, i goti in Dalmazia. La Roma di Cesare, per non dire quella di Scipione, avrebbe potuto far fronte a queste simultanee catastrofi. Quella di Gallieno era un rottame alla deriva, in attesa solo di qualche miracolo per salvarsi.

Uno ne avvenne in Oriente, quando Odenato, che governava Palmira per conto di Roma, batté i persiani, si proclamò re di Cilicia, Armenia e Cappadocia, morì, e lasciò il potere a Zenobia, la più grande regina dell'Est. Era una creatura che, nascendo, aveva sbagliato sesso. In realtà aveva il cervello, il coraggio, la fermezza di un uomo. Della donna, aveva solo la sottigliezza diplomatica. Ufficialmente, essa agì in nome di Roma, e come sua rappresentante si annetté anche l'Egitto. In realtà il suo fu un regno indipendente che si formò nel cuore dell'Impero, ma che nello stesso tempo fece diga contro gli invasori sarmati e sciti che calavano in massa dal Nord e avevano già sommerso la Grecia. Gallie-

375

no riuscì faticosamente a batterli, e i suoi soldati, per ringraziamento, lo uccisero. Il suo successore, Claudio II, se li ritrovò di fronte più forti di prima. Anche lui riuscì faticosamente a batterli in uno scontro che, se lo avesse perso, avrebbe significato la fine della stessa Roma. Ma da quella carneficina si sviluppò la peste, ed egli stesso morì. Era il 270 dopo Cristo.

Ed ecco finalmente salire al trono un grande generale, Domizio Aureliano, figlio di un povero contadino dell'Illiria, e chiamato dai suoi soldati «mano sulla spada». Non aveva fatto che il militare, ma aveva la stoffa anche dell'uomo di stato. Capì subito che contro tutti quei nemici insieme non poteva combattere, per cui pensò di guadagnarsene qualcuno con la diplomazia e cedette la Dacia ai goti, che erano i più pericolosi, per tenerli tranquilli. Poi attaccò separatamente vandali e alemanni, che già invadevano l'Italia, e li disperse in tre battaglie consecutive.

Ma si rendeva conto che la catastrofe, con queste vittorie, era ritardata, non evitata, e per questo ricorse a una misura ch'era già il sigillo della morte di Roma e l'inizio del Medio Evo: ordinò a tutte le città dell'Impero di circondarsi di mura e di fare assegnamento, d'ora in poi, ciascuna sulle proprie forze. Il potere centrale abdicava.

Eppure, questa visione pessimistica della realtà non impedì a Aureliano di continuare a fare il suo dovere sino in fondo. Egli non accettò il separatismo di Zenobia, mosse contro di lei, ne batté l'esercito, la catturò nella sua stessa capitale, ne mise a morte il primo ministro e consigliere, Longino, la condusse a Roma in catene e la confinò a invecchiare tranquillamente a Tivoli in una splendida villa e in una relativa libertà. Per un momento Roma credette di essere ridiventata *caput mundi* e attribuì il titolo di *Restitutor*, «restauratore», a Aureliano, che tentò di impiantare stabilmente questa sua opera su basi anche politiche e morali. Questo curioso uomo, che vedeva tutto con sì disincantata

376

chiarezza, pensò di risolvere il conflitto religioso che rodeva l'Impero creando una nuova fede che conciliasse i vecchi dèi pagani col nuovo Dio cristiano, e inventò quella del Sole, cui fece costruire uno splendido tempio. Per la prima volta con lui la religione ufficiale fu monoteista, cioè riconobbe un solo dio, sebbene non fosse quello giusto. E fu un gran passo avanti verso il definitivo trionfo del Cristianesimo. Da questo unico dio, e non più dal Senato, cioè dagli uomini, Aureliano dichiarò di essere stato investito del supremo potere. E con ciò sancì il principio della monarchia assoluta, quella che si proclama tale appunto «per grazia di Dio» e che, di origine orientale, si è poi perpetuata nel mondo fino a un secolo fa.

A provare tuttavia con quanto scetticismo i suoi sudditi accogliessero questa invenzione, sta il fatto che, per quanto «unto del Signore», essi accopparono Aureliano come avevano fatto con quasi tutti i suoi predecessori. E al suo posto, senza aspettare nessuna indicazione del Cielo, il Senato nominò Tacito, un discendente dell'illustre storico, il quale accettò solo perché aveva ormai settantacinque anni, e quindi non aveva più nulla da perdere. Infatti sopravvisse sei mesi soli, e sol per questo poté morire nel suo letto.

Gli successe (276 dopo Cristo), Probo, che era tale di nome e di fatto. Purtroppo, era anche un sognatore. E quando, dopo aver vinto le sue brave guerre contro i tedeschi che seguitavano a straripare un po' dovunque, mise i soldati a bonificare le terre pensando di fissarveli come contadini, costoro, ormai abituati a fare i lanzichenecchi di mestiere e a vivere di rapina, lo uccisero sia pure per pentirsene subito dopo ed elevare un monumento alla sua memoria. Ed eccoci a Diocleziano, l'ultimo vero imperatore romano. In realtà si chiamava Dioclete, era il figlio di un liberto dalmata, e che le sue mire fossero ambiziose lo si vide quando brigò per ottenere il comando dei pretoriani: aveva compreso finalmente che al trono si arrivava non attraverso la carriera politica o militare, ma attraverso i corridoi di Palazzo.

Ma aveva compreso anche che, una volta coronati, nel Palazzo non bisognava restare, per non farvi la fine di tutti gli altri; anzi non bisognava restare addirittura a Roma. E infatti la sua prima decisione, come imperatore, fu quella, sensazionale, di trasferire la capitale in Asia Minore, a Nicomedia. I romani furono offesi, ma Diocleziano giustificò questo passo con le esigenze militari. L'Urbe era fuori mano, il comando supremo doveva avvicinarsi alle frontiere per controllarle meglio, e per questo venne diviso: Diocleziano, col suo titolo di Augusto e la parte maggiore dell'esercito, badò a quelle orientali, come già aveva fatto Valeriano; per badare a quelle occidentali egli designò, col titolo di Augusto anche lui, Massimiano, un bravo generale, che si installò a Milano. Ognuno di questi Augusti si scelse il proprio Cesare: Diocleziano nella persona di Galerio, che pose la sua capitale a Mitrovizza, nell'attuale Jugoslavia; Massimiano in quella di Costanzo Cloro, detto così dal pallore del suo volto, che si scelse come sede Treviri in Germania. Così si formò la cosiddetta *tetrarchia* in cui Roma non ebbe nessuna parte, nemmeno di secondo piano. Essa era diventata soltanto la più grande città di un Impero che si faceva sempre meno romano. Vi rimasero i teatri e i circhi, i palazzi dei signori, i pettegolezzi, i salotti intellettuali, e le pretese. Ma il cervello e il cuore erano emigrati altrove.

I due Augusti s'impegnarono solennemente ad abdicare dopo vent'anni di potere in favore ciascuno del proprio Cesare, cui cominciarono col dare in sposa ognuno la propria figlia. Ma nello stesso tempo Diocleziano condusse a termine la riforma assolutista dello stato già iniziata da Aureliano, che contraddiceva in pieno a quella divisione di poteri. Il suo fu un esperimento socialista con relativa pianificazione dell'economia, nazionalizzazione delle industrie e moltiplicazione della burocrazia. La moneta fu vincolata a un tasso d'oro che rimase invariato per oltre mille anni. I contadini furono fissati al suolo e costituirono la «servitù della gleba». Operai e artigiani vennero «congelati» in corporazioni ereditarie, che nessuno aveva il diritto di abbandonare. Furono istituiti gli *ammassi*. Questo sistema non poteva funzionare senza un severo controllo sui prezzi. Esso fu istituito con un famoso editto del 301 dopo Cristo, che tuttora rappresenta uno dei capolavori della economia controllata. Tutto vi è previsto e regolato, salvo la naturale tendenza degli uomini alle evasioni e la loro ingegnosità per riuscirvi. Per combatterle, Diocleziano dovette moltiplicare all'infinito la sua *Tributaria*. «In questo nostro Impero» brontolava il liberista Lattanzio «di due cittadini, uno è regolarmente funzionario.» Confidenti, sovrintendenti e controllori pullulavano. Eppure le merci venivano ugualmente sottratte agli ammassi e vendute alla borsa nera, e le diserzioni nelle corporazioni di arti e mestieri erano all'ordine del giorno. Piovvero gli arresti e le condanne per questi abusi, patrimoni di miliardi furono distrutti dalle multe del fisco. E allora, per la prima volta nella storia dell'Urbe, si videro dei cittadini romani attraversare di nascosto i *limites* dell'Impero, cioè la «cortina di ferro» di quei tempi, per cercar rifugio tra i *barbari*. Sino a quel momento erano stati i barbari a cercar rifugio nelle terre dell'Impero agognandone la cittadinanza come il più prezioso dei beni. Ora avveniva il contrario. Era proprio questo il sintomo della fine.

Eppure, questo esperimento era l'unico che Diocleziano poteva tentare. Esso mirava all'ingabbiamento del mondo romano dentro un busto d'acciaio per frenarne la decomposizione. Per quanto inefficace, il rimedio era imposto dalle circostanze e, nonostante i suoi molti inconvenienti, a qualcosa servì. Costanzo e Galerio, addetti alla guerra, riportarono le bandiere romane in Britannia e in Persia. E all'interno l'ordine regnò. Era un ordine da cimitero, dove tutto si isteriliva e disseccava. Ogni categoria era diventata una casta ereditaria, intesa ad elaborare soprattutto una propria complicata etichetta di modello orientale. Per la prima volta l'imperatore ebbe una vera e propria *corte* con un minuzioso cerimoniale. Diocleziano si proclamò una reincarnazione di Giove (mentre Massimiano si contentò più modestamente di esserlo di Ercole), inaugurò una uniforme di seta e d'oro, un po' come Eliogabalo, si fece chiamare «Domino» e, insomma, si comportò in tutto come un imperatore bizantino, prima ancora che la capitale si fosse trasferita definitivamente da quelle parti. Ma non abusò di questo suo potere assoluto, del quale forse fra sé e sé rideva perché era un uomo di spirito, pieno di equilibrio e di buon senso. Fu un amministratore oculato, un giudice imparziale. E, allo scadere dei vent'anni di regno, mantenne l'impegno che aveva assunto salendo al trono.

Nel 305 dopo Cristo, con solenne cerimonia che si tenne contemporaneamente a Nicomedia e a Milano, i due Augusti abdicarono in favore ciascuno del proprio Cesare e genero. Diocleziano, appena cinquantacinquenne, si ritirò nel bellissimo palazzo che si era fatto costruire a Spalato e non ne uscì più. Quando, alcuni anni dopo, Massimiano sollecitò il suo intervento per porre fine alla guerra di successione in cui era sboccata la nuova tetrarchia, rispose che un simile invito poteva venirgli solo da chi non aveva mai visto con che rigoglio crescevano i cavoli nel suo orto. E non si mosse.

Campò fino a sessantatré anni, e nessuno ha mai saputo cosa pensasse dell'anarchia ricominciata dopo di lui. Egli aveva fatto tutto quello che un uomo poteva fare: l'aveva ritardata di vent'anni.

COSTANTINO

Flavio Valerio Costantino era figlio bastardo di Costanzo Cloro, il Cesare di Massimiano, e ora nuovo Augusto di Milano, che l'aveva avuto da Elena, una cameriera orientale diventata sua concubina. Diocleziano, nel nominare Cesare, a Treviri, Costanzo, gli aveva imposto di liberarsi di quella compagna poco qualificata e di sposare Teodora, la figlia di Massimiano. Il ragazzo non aveva avuto una buona educazione dalla matrigna, ma se l'era fatta da solo al reggimento, dove si era arruolato giovanissimo. L'altro Augusto, Galerio, quello di Nicomedia, chiamò a sé il brillante ufficiale: gli premeva tenerlo come ostaggio in caso di dissapori col padre, il suo collega di Milano, che in realtà doveva restare suo subordinato, e cui aveva imposto, come Cesare, Severo. Per sé si era preso Massimino Daza.

Ma Costantino, al quartier generale di Galerio, non si sentiva tranquillo, e forse ne aveva fondati motivi. Per cui un bel giorno fuggì, attraversò tutta l'Europa, raggiunse suo padre in Bretagna, lo aiutò validamente a vincere alcune battaglie e gli chiuse gli occhi pochi mesi dopo a York. I soldati, che gli erano affezionati per le sue alte qualità di comando, lo acclamarono Augusto. Ma Costantino preferì il più modesto titolo di Cesare, «perché» disse «questo mi lascia il comando delle legioni senza le quali la mia vita sarebbe in pericolo». E Galerio, Augusto in carica, sia pure controvoglia, lo ratificò.

Ma intanto il titolo di Augusto, a Milano, era in palio fra due concorrenti. In linea di principio, sarebbe dovuto toccare a Severo, il Cesare in carica. Ma il figlio di Massimiano, Massenzio, avanzò la sua candidatura, sostenuto dai pretoriani. Temendo di non farcela da solo, egli chiamò in aiuto suo padre che riprese la carica cui aveva abdicato insieme con Diocleziano; e con lui marciò contro Severo, che fu ucciso dai soldati. Da Nicomedia, Galerio tentò di risolvere il conflitto nominando un Augusto a capocchia sua, Licinio. Allora anche Costantino scese in campo come Augusto. Per portare al colmo il caos, Massimino Daza, il Cesare di Galerio, fece altrettanto. E così Diocleziano, annaffiando i suoi cavoli a Spalato, seppe che la sua tetrarchia era diventata una esarchia, tutta di Augusti in guerra l'uno con l'altro.

Onestamente, non ci sentiamo di confondere ancora di più la testa del povero lettore, già messa a dura prova, come quella nostra, da un simile intreccio, seguendone gli sviluppi. E veniamo alla conclusione, che fu anche la fine dell'età pagana e l'inizio di quella cristiana. Il 27 ottobre 312 dopo Cristo i due maggiori aspiranti al trono, Costantino e Massenzio, si trovarono di fronte coi loro eserciti, una ventina di chilometri a nord di Roma. Il primo, con abile manovra, addossò il secondo al Tevere. Poi Costantino guardò il cielo e più tardi raccontò allo storico Eusebio di averci visto apparire una croce fiammeggiante che recava iscritte queste parole: *In hoc signo vinces*, «In questo segno vincerai».

Quella notte, mentre dormiva, una voce gli rimbombò negli orecchi, che lo esortava a segnare la Croce di Cristo sugli scudi dei legionari. All'alba ne diede l'ordine, e al posto del vessillo fece innalzare un *labaro* che portava una Croce intrecciata con le iniziali di Gesù. Sull'esercito nemico svettava la bandiera col simbolo del Sole imposto da Aureliano come nuovo dio pagano. Era la prima volta, nella storia di Roma, che una guerra si combatteva in nome della religione. Ma fu la Croce che vinse. E il Tevere, trascinando verso la foce i cadaveri di Massenzio e dei suoi soldati che lo ingombravano, sembrò che spazzasse via i residui del mondo antico.

Non era finita, perché restavano ancora Licinio e Massimino. Col primo Costantino s'incontrò a Milano nel 313 dopo Cristo, e il risultato di quell'intervista fu la spartizione dell'Impero fra i due Augusti e la compilazione del famoso editto che proclamava la tolleranza dello stato per tutte le religioni e restituiva ai cristiani i beni sequestrati nelle ultime persecuzioni. Massimino morì, Licinio sposò la sorella di Costantino, e per un momento sembrò che i due imperatori potessero dar vita a una pacifica diarchia.

Ma l'anno dopo erano già di nuovo ai ferri corti. Costantino batté in Pannonia un esercito di Licinio, che si vendicò sui cristiani d'Oriente ricominciando le persecuzioni ai loro danni. Costantino non si era ancora ufficialmente convertito. Ma i cristiani vedevano ormai in lui il loro campione, e costituivano certamente la schiacciante maggioranza, se non la totalità, di quell'esercito di centotrentamila uomini che sotto il suo personale comando mosse contro i centosessantamila difensori del paganesimo agli ordini di Licinio. Prima ad Adrianopoli, poi a Scutari, i primi riportarono la vittoria. Licinio si arrese, ed ebbe salva la vita, che però gli fu tolta l'anno dopo. Nel segno di Cristo si riformò un Impero che ormai di romano aveva soltanto il nome.

Cos'era dunque avvenuto?

Avevamo lasciato i cristiani, a Roma, agl'inizi della loro organizzazione: dapprima poche centinaia, poi poche migliaia di persone, quasi tutti ebrei, raccolte nelle loro piccole *ecclesiae*, con pochi nessi tra loro, con una dottrina ancora allo stato fluido, e in mezzo più all'indifferenza che all'ostilità dei gentili. Queste sparse e scarse cellule erano unite dalla credenza che Gesù fosse il Figlio di Dio, che il Suo ritorno fosse imminente per stabilire sulla terra il Regno del Cielo, e che la fede in Lui sarebbe stata compensata col paradiso. Ma già grossi dissensi erano cominciati a sorgere sulla data del Ritorno. Qualcuno lo vide annunziato dalle calamità che si abbattevano sull'Impero; Tertulliano disse che c'era da aspettarselo dopo la caduta di Roma, la quale sembrava così imminente che un vescovo di Siria partì addirittura coi suoi fedeli verso il deserto, sicuro d'incontrarvi il Signore; Barnaba proclamò che ci volevano ancora mille anni. Solo molto più tardi trionfò la tesi di Paolo che trasferiva definitivamente nel mondo ultraterreno il Regno del Signore. Ma, per allora, l'attesa della sua imminente instaurazione contribuì potentemente, con le immediate promesse che implicava, alla diffusione della fede.

Ma c'erano altri punti della dottrina che minacciavano di provocare vere e proprie eresie. Celso, il più violento dei polemisti anticristiani, aveva scritto che la nuova religione era divisa in fazioni, e che ogni cristiano vi costituiva un partito adattandola a talento suo. Ireneo di queste fazioni ne contava una ventina. Occorreva dunque un'autorità centrale che distinguesse irrevocabilmente quello ch'era giusto da quello ch'era falso.

La prima decisione da prendere, che fu dibattuta per due secoli, fu quella sulla sede. La nuova religione era nata a Gerusalemme; ma Roma aveva dalla sua le parole di Gesù: «Tu sei Pietro, e su questa pietra io costruirò la mia Chiesa». E Pietro era venuto a Roma. A decidere, più che gli argomenti, fu la circostanza che il mondo si dominava da Roma, non da Gerusalemme. Tertulliano assicurò che Pietro, morendo, aveva affidato le sorti della Chiesa a Lino. Ma il primo sicuro successore è il terzo, Clemente, di cui ci resta una lettera vergata con piglio autorevole agli altri vescovi.

Costoro cominciarono a riunirsi sempre più frequentemente nei Sinodi, e furono questi Sinodi i supremi arbitri di quella religione cristiana che si chiamò cattolica in quanto universale. Il termine di papa divenne esclusivo del Supremo Pontefice solo dopo quattro secoli, durante i quali esso veniva dato a tutti i vescovi per contrassegnare la loro parità.

Con questa prima e rudimentale organizzazione, la Chiesa combatté la sua guerra su due fronti: quello esterno dello stato, e quello interno delle eresie. E non sappiamo quale dei due fosse più pericoloso. Sappiamo soltanto che sulla fine del secondo secolo la Chiesa aveva cominciato a inquietare a tal punto i romani, che uno di essi, fra i più colti, Celso, dedicò la vita a studiarne il funzionamento e ci scrisse sopra un libro accurato e informatissimo, anche se parziale e rancoroso nelle sue conclusioni. Queste erano che un cristiano non poteva essere un buon cittadino. E in un certo senso aveva ragione, finché lo stato restava pagano. Ma il fatto è che il paganesimo non aveva più difensori; e anche coloro che si rifiutavano di abbracciare la nuova fede non trovavano più argomenti per difendere quella vecchia. Sulla scia di Marc'Aurelio e di Epitteto, Plotino fu classificato filosofo pagano solo perché non si battezzò. Ma tutta la sua morale è già cristiana, come del resto lo è in Epitteto e in Marc'Aurelio.

Anche quando la negavano, tutte le grandi menti del tempo cominciarono ad arrovellarsi intorno alla dottrina di Gesù e degli Apostoli. Tertulliano che, sebbene di Cartagine, aveva il rigoroso senso giuridico dei romani ed era oltre tutto un grande avvocato, quando si fu convertito, trasse dal Vangelo un codice di vita pratica e gli diede l'organicità di un vero e proprio decreto-legge. Questo vigoroso oratore, che parlava come Cicerone e scriveva come Tacito, caratteraccio rissoso e sarcastico, fu di grande aiuto alla Chiesa che aveva bisogno, dopo tanta teologia e metafisica greche, di organizzatori e di codificatori. Tertulliano, a furia di zelo, finì quasi eretico, perché in vecchiaia, inasprendosi il suo temperamento, criticò i cristiani ortodossi come troppo tiepidi e indulgenti e mollaccioni, e abbracciò la più rigorosa regola di Montano, una specie di Lutero avanti lettera che predicava il ritorno a una fede più austera.

Un altro formidabile propagandista fu Origene, autore

di oltre seimila fra libri e opuscoli. Aveva diciassette anni quando suo padre fu condannato a morte come cristiano. Il ragazzo chiese di seguirlo nel martirio e sua madre, per impedirglielo, gli nascose i vestiti. «Mi raccomando: non rinnegare la tua fede per amor nostro» scrisse il ragazzo al morituro. Quello che impose a se stesso fu un tirocinio da asceta. Digiunava, dormiva nudo sul pavimento, e alla fine si evirò. In realtà Origene era un perfetto tipo di stoico, e del Cristianesimo diede infatti una versione sua, che lì per lì fu accettata, ma non da tutti. Il vescovo di Alessandria, Demetrio, la ritenne incompatibile con l'abito talare che frattanto Origene aveva indossato e ne revocò l'ordinazione. Lo spretato continuò a predicare con ammirevole zelo, confutò le tesi di Celso in un'opera rimasta famosa; fu imprigionato e torturato, ma non rinnegò la sua fede, e morì povero e senza macchia com'era vissuto. Ma duecent'anni dopo le sue teorie vennero condannate da una Chiesa che ormai aveva abbastanza autorità per farlo.

Il papa che più contribuì a rassodare l'organizzazione in questi primi difficili anni fu Callisto, che molti consideravano un avventuriero. Dicevano che, prima di convertirsi, era stato schiavo, aveva fatto i quattrini con sistemi piuttosto equivoci, era diventato banchiere, aveva derubato i suoi clienti, era stato condannato ai lavori forzati ed era fuggito con un inganno. Il fatto che, appena diventato papa, proclamasse valido il pentimento per cancellare qualunque peccato, anche mortale, ci fa sospettare che in queste voci un po' di verità ci fosse. Comunque, fu un gran papa, che stroncò il pericoloso scisma d'Ippolito e affermò definitivamente l'autorità del potere centrale. Decio, che dei cristiani fu un irriducibile nemico, diceva che avrebbe preferito avere a Roma un imperatore rivale piuttosto che un papa come Callisto. Sotto di lui il Papato diventò davvero romano in molti sensi. Dai sacerdoti pagani dell'Urbe prese in prestito la stola, l'uso dell'incenso e delle candele accese davanti all'altare, e l'architettura delle basiliche. Ma le derivazioni non si limitarono a queste di carattere formale. I costruttori della Chiesa si appropriarono specialmente l'intelaiatura amministrativa dell'Impero e la ricalcarono istituendo accanto e contro ogni governatore di provincia un arcivescovo, e un vescovo accanto e contro ogni prefetto. Via via che il potere politico s'indeboliva e lo stato andava alla deriva, i rappresentanti della Chiesa ne ereditavano le mansioni. Quando Costantino andò al potere, già molte funzioni dei prefetti, grandemente scaduti di qualità, venivano assolte dai vescovi. Chiaramente, la Chiesa era l'erede designata e naturale dell'Impero in collasso. Gli ebrei le avevano dato un'etica; la Grecia le aveva dato una filosofia; Roma le stava dando la sua lingua, il suo spirito pratico e organizzativo, la sua liturgia e la sua gerarchia.

IL TRIONFO DEI CRISTIANI

Nella fantasia della gente, surriscaldata da cattivi romanzi e da brutti film, la persecuzione dei cristiani porta soprattutto il nome di Nerone. Ma è un errore. Nerone fece condannare e suppliziare un certo numero di cristiani per l'incendio di Roma al solo scopo di stornare i sospetti della gente contro la propria persona. La sua fu una manovra di diversione che non si appoggiava su nessun serio risentimento del popolo e dello stato contro quella comunità religiosa che del resto era fra le più pacifiche e che, come tutte le altre, godeva a Roma di una larga tolleranza. L'Urbe ospitava liberalmente tutti gli dèi di tutti i forestieri che venivano ad abitarci, e in questo era realmente *caput mundi*. Ce n'erano oltre trentamila, di questi dèi, in coabitazione. E anche quando uno straniero chiedeva la cittadinanza, la sua concessione non era sottoposta a nessuna condizione religiosa.

I primi screzi nacquero quando s'impose di riconoscere l'imperatore come dio e di adorarlo. Per i pagani, era facile: nel loro Olimpo di dèi ce n'eran già tanti che uno di più, si chiamasse Caracalla o Commodo, non guastava. Ma gli ebrei e i cristiani, che la polizia non riusciva a distinguere gli uni dagli altri, ne adoravano uno solo, Quello, e non erano punto disposti a barattarlo. Alla fine, prima di Nerone, fu promulgata una legge che li esentava da quel gesto che per loro era di abiura. Ma Nerone e i suoi successori alle leggi facevano poco caso, e così sorse il primo malinteso che mise a nudo altre e più profonde incompatibilità. Non a caso Celso, che fu il primo ad analizzarle seriamente, disse che il rifiuto di adorare l'imperatore era in sostanza il rifiuto di sottomettersi allo stato, di cui la religione non costituiva, a Roma, che uno strumento. Egli scoprì che i cristiani ponevano Cristo al di sopra di Cesare e che la loro moralità non coincideva affatto con quella romana che faceva degli stessi dèi i primi servitori dello stato. Tertulliano, rispondendogli che proprio in questo consisteva la loro superiorità, riconobbe la fondatezza di queste accuse e andò anche più in là, proclamando che il dovere del cristiano era proprio quello di disobbedire alla legge, quando la trovava ingiusta.

Finché questa diatriba rimase monopolio dei filosofi, essa non diede luogo che a dispute. Ma quando i cristiani crebbero di numero e la loro condotta cominciò a farsi notare in mezzo alla popolazione, quest'ultima prese a covare delle diffidenze che abili propagandisti sfruttavano a dovere, come più tardi si è fatto contro gli ebrei. Di loro, si cominciò a dire che facevano esorcismi e magie, che bevevano il sangue umano, che veneravano un somaro, che portavano il malocchio. Era il «dàlli all'untore» che maturava e creava l'atmosfera del *pogrom* e del «processo alle streghe».

Dopo Nerone, l'ostilità nei loro riguardi diventò un'ondata di fondo, e la legge che proclamava delitto capitale la professione della nuova fede non fu il ghiribizzo di un imperatore a suggerirla, ma un fremito di odio collettivo a suscitarla. Anzi, la maggior parte degl'imperatori cercarono di evaderla o di applicarla con indulgenza. Traiano scriveva a Plinio, elogiandone la tolleranza: «Approvo i tuoi metodi. L'accusato che nega di essere un cristiano e ne fornisce prova con atto di ossequio ai nostri dèi dev'essere assolto senz'altro». Adriano, da bravo scettico, andava più in là: concedeva l'assoluzione anche su un semplice gesto di pentimento formale. Ma era difficile opporsi alle ondate d'odio popolare quando si scatenavano specie in occasione di qualche calamità che veniva regolarmente attribuita all'indignazione degli dèi per la tolleranza che si mostrava verso

389

gli empi cristiani. La religione pagana a Roma era morta, ma la superstizione era sempre viva; e non c'era terremoto, o pestilenza, o carestia, che non venisse messa sul conto di quei poveri diavoli. Neanche quel sant'uomo di Marc'Aurelio, sotto il cui regno le calamità si moltiplicarono, poté resistere a questi soprassalti, e dovette piegarvisi. Attalo, Potino, Policarpo furono fra i più illustri di questi martiri.

La persecuzione cominciò a diventare sistematica con Settimio Severo che proclamò delitto il battesimo. Ma ora i cristiani erano abbastanza forti per reagire, e lo fecero attraverso un'opera propagandistica che qualificava Roma di «nuova Babilonia», ne propugnava la distruzione e affermava l'incompatibilità del servizio militare con la nuova fede. Era la predicazione aperta del disfattismo, e suscitò l'ira di quei «patrioti» che per la patria minacciata dal nemico esterno non si battevano più, ma con quello interno e inerme erano intransigenti. Decio vide in questo soprassalto d'indignazione un cemento di unità nazionale e lo sfruttò dandogli soddisfazione. Indisse una grande cerimonia di ossequio agli dèi avvertendo che si sarebbero presi i nomi di chi non vi avesse partecipato. Ci furono, per paura, molte apostasie, ma anche molti eroismi ripagati con la tortura. Tertulliano aveva detto: «Non piangete i martiri. Essi sono il nostro seme». Terribile e spietata verità. Sei anni dopo, sotto Valeriano, il papa stesso, Sisto II, fu messo a morte.

La battaglia più grossa fu quella scatenata da Diocleziano. È curioso che un così grande imperatore non ne abbia visto l'inutilità, anzi la controproducenza. Ma pare che sia stato un moto d'ira a suggerirgliene l'attuazione. Un giorno ch'egli stava officiando come Pontefice Massimo, i cristiani che gli stavano intorno si fecero il segno della Croce. Irritato, Diocleziano ordinò che tutti i sudditi, civili e militari, ripetessero il sacrificio e che coloro che vi si rifiutavano venissero frustati. I rifiuti furono molti, e allora l'imperatore ordinò che tutte le chiese cristiane fossero rase al suolo,

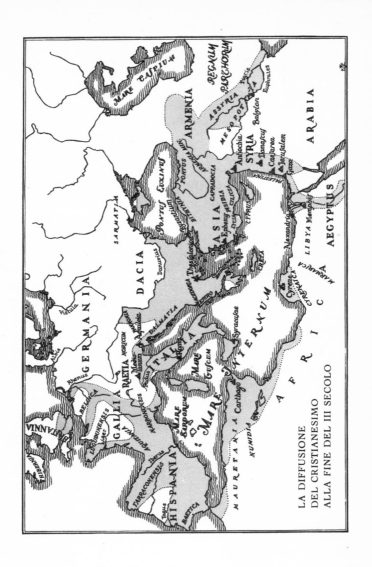

LA DIFFUSIONE
DEL CRISTIANESIMO
ALLA FINE DEL III SECOLO

tutti i loro beni confiscati, i loro libri bruciati, i loro adepti uccisi.

Questi ordini erano ancora in via di esecuzione quando egli si ritirò a Spalato, dove ebbe tutto il tempo e l'agio di meditare sui risultati di quella persecuzione, che costituì la prova più brillante del Cristianesimo e lo «laureò», per così dire, trionfatore. Gli *Atti dei martiri*, in cui si narrano, forse con qualche esagerazione, i supplizi e le morti dei cristiani che non si rinnegarono, costituirono un formidabile motivo di propaganda. Essi diffusero la persuasione che il Signore rendeva insensibili ai patimenti coloro che li affrontavano in nome Suo e spalancava loro il Regno del Cielo.

Non sappiamo se anche Costantino ne fosse convinto, quando fece stampare la Croce di Cristo sul suo labaro. Sua madre era cristiana. Ma essa aveva potuto poco sull'educazione di quel ragazzo che se l'era fatta sotto la tenda in mezzo ai soldati, dove si era circondato di filosofi e rètori pagani. Anche dopo la conversione, seguitò a benedire gli eserciti e le messi secondo il rituale pagano, in chiesa ci andò di rado, e a un amico che gli chiedeva il segreto del suo successo, rispose: «È la Fortuna che fa di un uomo un imperatore». La Fortuna, non Dio. Nel trattare coi sacerdoti, aveva un po' il piglio del padrone, e solo nelle questioni teologiche li lasciava fare non perché ne riconoscesse l'autorità, ma perché si trattava di faccende di cui s'infischiava. Nella testimonianza dei cristiani contemporanei, come Eusebio, che avevano i più fondati motivi di gratitudine per lui, egli passa per qualcosa di poco meno che un santo. Ma noi crediamo ch'egli sia stato soprattutto un uomo politico equilibrato, freddo, di larga visione e di gran buon senso che, avendo constatato di persona il fallimento della persecuzione, preferì mettervi sopra un sigillo.

È molto probabile tuttavia che a questo calcolo di contingente opportunità, in lui se ne siano aggiunti anche altri, più complessi. Egli doveva essere rimasto molto colpito dalla superiore moralità dei cristiani, dalla decenza della loro vita, insomma dalla rivoluzione puritana ch'essi avevano operato nel costume di un Impero che non ne aveva più nessuno. Essi avevano formidabili qualità di pazienza e di disciplina. E ormai, se si voleva trovare un buono scrittore, un bravo avvocato, un funzionario onesto e competente, era fra loro che bisognava cercarlo. Non c'era, si può dire, città in cui il vescovo non fosse migliore del prefetto. Non si poteva forse sostituire, ai vecchi e corrotti burocrati, quei prelati irreprensibili, e far di costoro gli strumenti di un nuovo Impero?

Le risoluzioni vincono non in forza delle loro idee, ma quando riescono a confezionare una classe dirigente migliore di quella precedente. E il Cristianesimo era riuscito proprio in questa impresa.

Costantino cominciò col riconoscere ai vescovi competenza di giudici nelle loro circoscrizioni o diocesi. Poi esentò i beni della Chiesa dalle tasse, riconobbe come «persone giuridiche» le associazioni dei fedeli, diede un prete per tutore a suo figlio dopo averlo battezzato, e alla fine cancellò l'Editto di Milano che garantiva la tolleranza di tutte le religioni su piede di parità, per riconoscere il primato di quella cattolica, che da quel momento fu la religione di stato, rendendo obbligatori per tutti i cittadini i precetti del Sinodo.

Agendo più da papa che da re, indisse il primo Concilio *Ecumenico*, cioè «universale», della Chiesa, per risolvere i dissensi interni che la rodevano. Egli stesso fornì, coi fondi dello stato, i mezzi a trecentodiciotto vescovi e a infiniti altri prelati minori per raggiungere Nicea, presso Nicomedia. C'erano gravi questioni da mettere a posto. Alcuni estremisti dell'ascetismo avevano fatto secessione da un sacerdozio che ai loro occhi si mostrava troppo disposto ai compromessi e attaccato ai beni di questa terra, e avevano dato inizio a un movimento monastico.

Quasi nello stesso tempo il vescovo di Cartagine, Donato, lanciò il progetto, che fece subito proseliti, di un'«epurazione» ai danni di quei sacerdoti che avevano abiurato per paura durante le persecuzioni e di coloro che da essi avevano ricevuto il battesimo. La proposta era stata respinta, ma aveva dato luogo a uno scisma che doveva continuare per secoli. Però il pericolo più grosso era quello rappresentato da Ario, un predicatore di Alessandria che attaccava la dottrina alla base, confutando la consustanzialità di Cristo con Dio. Il vescovo lo aveva scomunicato, ma Ario aveva seguitato a predicare e a fare seguaci. Costantino aveva mandato a chiamare i due litiganti e aveva cercato di far da mediatore fra loro invitandoli a trovare un compromesso. Il tentativo era fallito e il conflitto si era allargato e approfondito. Ed era soprattutto questo che aveva reso necessario il Concilio.

Il papa Silvestro I, vecchio e malato, non poté intervenire. Attanasio sostenne le accuse contro Ario che rispose con coraggio e onestà. Era un uomo sincero, povero, malinconico, che sbagliava in buona fede. Dei trecentodiciotto vescovi due soli lo sostennero fino alla fine, e furono scomunicati con lui. Costantino assisté a tutti i dibattiti, ma non intervenne che di rado, per richiamare i contendenti alla calma e alla ponderatezza, quando la discussione si accendeva. Quando il verdetto che riaffermava la divinità di Cristo e condannava Ario fu formulato, egli lo tradusse in un editto che bandiva l'eretico coi suoi due sostenitori, ne condannava al rogo i libri e comminava la pena di morte a chi li avesse nascosti.

Costantino chiuse il Concilio con un grande banchetto agli intervenuti, poi si diede a organizzare la sua nuova capitale che, con solenne cerimonia, dedicò alla Vergine. La chiamò *Nova Roma*, ma i posteri le diedero il suo nome: quello di Costantinopoli.

Non sappiamo s'egli si rendesse conto che, con questo trasferimento di capitale, egli decretava praticamente la fine dell'Impero romano e l'inizio di un altro, che avrebbe continuato, sì, a chiamarsi «romano», ma di cui l'Italia sarebbe stata solo una provincia con Roma per capoluogo.

Costantino fu uno strano e complesso personaggio. Faceva gran scialo di fervore cristiano, ma nei suoi rapporti di famiglia non si mostrò molto ossequente ai precetti di Gesù. Mandò sua madre Elena a Gerusalemme per distruggere il tempio di Afrodite che gli empi governatori romani avevano elevato sulla tomba del Redentore, dove, secondo Eusebio, fu ritrovata la Croce su cui era stato suppliziato. Ma subito dopo mise a morte sua moglie, suo figlio e suo nipote.

Si era sposato due volte: dapprima con Minervina, che gli aveva dato Crispo, un bravo ufficiale che si era coperto di medaglie nelle campagne contro Licinio; poi con Fausta, la figlia di Massimiano, che gli aveva dato tre ragazzi e tre bambine. Pare che Fausta, per escludere dalla successione Crispo, lo accusasse presso l'imperatore di aver cercato di sedurla; e che poi Elena, che per Crispo aveva un debole, raccontasse a Costantino ch'era stata Fausta a sedurre il figliastro. Per non sbagliare, l'imperatore accoppò ambedue. Quanto al nipote Liciniano, figlio di sua sorella Costanza che lo aveva avuto da Licinio, dicono che lo mise a morte perché complottava.

Niente di tutto questo si trova nella *Vita di Costantino* scritta da Eusebio a mo' di panegirico e intesa, logicamente, all'esaltazione di chi aveva fatto, di una setta perseguitata, la Chiesa dell'Impero. Costantino non era un santo, come dice il suo biografo. Fu un grande generale, un accorto amministratore, un lungimirante uomo di stato, che commise tuttavia qualche errore anche lui.

Il giorno di Pasqua del 337 dopo Cristo, trentesimo compleanno della sua ascesa al trono, si rese conto di essere alla fine. Chiamò un prete, chiese i sacramenti, lasciò la stola di porpora per indossare quella bianca dei battezzandi, e aspettò tranquillamente la morte.

Dinanzi al tribunale degli uomini, i servigi ch'egli aveva reso alla causa della civiltà cristiana sono largamente sufficienti a farlo assolvere dei delitti di cui si macchiò. Dinanzi a quello di Dio, non sappiamo.

L'EREDITÀ DI COSTANTINO

Costantino fu l'unico fra i successori di Augusto che sia rimasto sul trono oltre trent'anni. Ma sciupò la sua grandiosa opera di ricostruzione col più assurdo dei testamenti, dividendo l'Impero in cinque fette e assegnandole rispettivamente ai suoi figli Costantino, Costanzo e Costante, e ai due nipoti Delmazio e Annibaliano.

La cosa ci stupisce perché egli non poteva non aver visto cos'era avvenuto con la spartizione di Diocleziano e che baruffe si erano scatenate fra tutti quegli Augusti e Cesari. Ma, una volta che aveva deciso così, poteva almeno prendere la precauzione di dare ai suoi tre ragazzi dei nomi che li differenziassero un po' meglio. È un bel pasticcio, anche per chi vuòl riassumerne la storia, dipanare l'aggrovigliata matassa di quei quasi omonimi. Cercheremo di fare del nostro meglio.

A facilitarci il lavoro semplificando le rivalità provvidero i reggimenti di guarnigione nella capitale che, appena calato nella fossa il grande defunto, insorsero e fecero un bel massacro in cui perirono due dei cinque eredi: Annibaliano e Delmazio. A loro tennero compagnia anche i fratellastri del morto e i loro figli, meno due, Gallo e Giuliano, che vennero mandati al confino e di cui sentiremo riparlare, oltre a un numero imprecisato di alti gerarchi. Costantinopoli era appena nata, e già inaugurava quel repertorio di carneficine che doveva nei secoli punteggiarne la storia.

Era stato davvero Costanzo, come si disse più tardi, a ordinare quella strage? Con precisione non si sa. Si sa soltanto ch'egli si trovava in città quando si svolse, che non fece nulla per impedirla, e che ne rimase il maggior beneficiario. Egli riunì gli altri due fratelli a Smirne e con essi addivenne a una seconda spartizione. Per sé tenne tutto l'Oriente con Costantinopoli e la Tracia; a Costante, ch'era il minore, diede l'Italia, l'Illiria, l'Africa, la Macedonia e l'Acaia, ma obbligandolo a una specie di vassallaggio verso Costantino II, cui erano toccate le Gallie.

Se Costanzo escogitò questa clausola per provocare una rivalità fra i due e restare poi l'arbitro, bisogna dire che il colpo gli riuscì in pieno. Non erano trascorsi tre anni ch'essi già venivano alle mani. Ma alla prima battaglia Costantino, ch'era di carattere focoso, si buttò troppo avanti, cadde in un'imboscata e fu ucciso. Costante non perse tempo ad annettersi tutti i suoi possedimenti. E Costanzo, il quale forse sperava in una guerra lunga, che avrebbe logorato le forze di ambedue i contendenti, rimase a bocca asciutta, e con un rivale solo, sì, ma più potente di lui.

La fortuna anche stavolta lo aiutò sotto forma di un complotto contro Costante che, in Gallia, vinceva battaglie su battaglie contro i ribelli perché era un buon generale, ma come uomo di stato non valeva nulla, spremeva i sudditi con le tasse, li irritava con le sue testardaggini e li scandalizzava coi suoi costumi. Un comandante di milizie barbare, Magnenzio, lo uccise, e si proclamò imperatore. Ma altrettanto fecero subito Vetranione, che comandava le truppe in Illiria, e Nepoziano, nipote del morto.

Costanzo aveva ora le carte in regola per intervenire in Occidente col pretesto di ristabilirvi la giustizia. Proprio in quel momento egli aveva concluso una tregua col re persiano Sapore che gli aveva procurato fino ad allora un sacco di grane e tenuto impegnati i suoi eserciti. Alla testa dei quali egli mosse ora contro gli usurpatori, ma accompagnando quella militare con un'abile azione diplomatica, ch'era poi l'arte in cui meglio riusciva. Vetranione abboccò, unì le sue truppe a quelle di Costanzo nella pianura di Serdica dove gli era venuto incontro, e s'inginocchiò dinanzi a lui chiedendogli perdono. Il perdono fu accordato, e anzi vi si aggiunsero galloni e medaglie. Poi i due eserciti marciarono insieme contro Magnenzio, lo sconfissero in Ungheria, lo inseguirono fino in Spagna e qui lo obbligarono a uccidersi con suo fratello Decenzio. Così l'Impero fu di nuovo riunito sotto un solo sovrano.

A differenza del suo predecessore e padre, costui non era un grande generale, non amava le guerre, e cercava di evitarle. Ma quando vi era obbligato, la faceva fino in fondo, sia pure con gran cautela, e vi rischiava coraggiosamente la pelle. Perché aveva una gran coscienza dei suoi doveri e li assolveva senza badare a spese e sacrifici. Era un uomo solitario e sospettoso, malinconico e taciturno, senza slanci, senza calore umano, senza vizi né abbandoni. In molte cose somiglia a Filippo II di Spagna e a Francesco Giuseppe d'Austria. Come loro era pio, ma alla fede non univa le altre due virtù teologali: la speranza e la carità. Anzi era pessimista, incapace d'indulgenza, e credeva che per salvare un'anima fosse molto spesso necessario bruciare un corpo. Aveva sposato tre volte, non per amore, ma per desiderio di un erede. Nessuna delle tre mogli glielo aveva dato. Ora si trovava senza successori. Nemmeno i suoi fratelli avevano avuto il tempo di lasciarne. Di vivo, nel gran cimitero in cui aveva trovato sepoltura la vasta progenie di Costantino, non erano rimasti che i due ragazzi scampati al massacro del 337: Gallo e Giuliano.

Costoro da anni vegetavano in una cittaduzza di Cappadocia, sotto la tutela di un vescovo ariano, Eusebio, che anche lui di carità ne aveva poca, in una vita da collegio, solitaria e desolata. La loro mamma Basilina era già morta, quando sotto i loro occhi si era svolta la carneficina in cui erano periti il padre, gli zii, i cugini, e perfino i servi. Gallo aveva dieci anni, allora; Giuliano, sei. E ambedue seppero più tardi che il responsabile diretto o indiretto del massacro

399

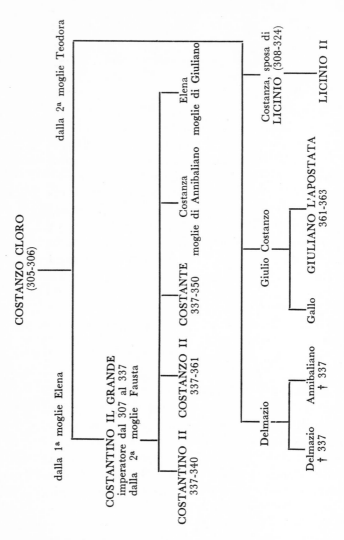

COSTANZO CLORO
(305-306)

dalla 1ª moglie Elena   dalla 2ª moglie Teodora

COSTANTINO IL GRANDE
imperatore dal 307 al 337
dalla 2ª moglie Fausta

Costanza, sposa di
LICINIO (308-324)

LICINIO II

COSTANTINO II   COSTANZO II   COSTANTE   Costanza   Elena
337-340   337-361   337-350   moglie di Annibaliano   moglie di Giuliano

Delmazio   Giulio Costanzo

Delmazio   Annibaliano   Gallo   GIULIANO L'APOSTATA
† 337   † 337   361-363

L'EREDITÀ DI COSTANTINO

era stato lui, Costanzo, che ora all'improvviso si ricordava di loro.

L'eletto fu Gallo, il maggiore, che dal giorno all'indomani, da prigioniero qual era, si trovò marito di Costantina, la sorella dell'imperatore, nominato Cesare e insediato ad Antiochia con poteri quasi assoluti. A tenergli la testa a posto, in quel brusco salto che avrebbe dato le vertigini a chiunque, non aveva nemmeno l'intelligenza, di cui era cospicuamente sprovveduto. Quel che gli era capitato di vedere da ragazzo gli aveva fatto credere che l'assassinio e l'inganno fossero la regola, fra gli uomini, e per mettere se stesso al riparo seguì quella di dar corpo a ogni sospetto e di uccidere qualunque indiziato. Prima ancora che Costanzo si accorgesse dell'errore commesso con quella scelta, aveva già scannato non solo singoli uomini, ma intere popolazioni. L'imperatore, temendo che una scomunica lo spingesse all'aperta ribellione, fece finta di nulla e, mostrandoglisi sempre amico, lo chiamò a Milano dove si trovava in quel momento. Inquieto, Gallo mandò prima Costantina a scrutare le intenzioni di Costanzo. Ma Costantina morì durante il viaggio. Gallo dovette decidersi a venire di persona. Ma, arrivato in Pannonia, un distaccamento di soldati lo arrestò e lo condusse a Pola, dove lo relegarono nel palazzo in cui Costantino aveva fatto uccidere il suo primogenito Crispo. Costanzo teneva molto alle tradizioni di famiglia, anche negli accoppamenti. Un processo sommario, facilitato dalla testimonianza ben remunerata di un eunuco di corte, condusse alla pena di morte immediatamente eseguita.

Costanzo era di nuovo senza successori, e invecchiava. Il giorno che aveva deciso di liberarsi di Gallo, aveva rimandato al confino anche Giuliano, sospettandolo complice di suo fratello. Ma quel ragazzo era l'unico nelle cui vene scorresse ancora il sangue di Costantino. Dopo molte esitazioni, lo richiamò e lo nominò Cesare. Il successore non poteva essere che lui.

Quella scelta fatta controvoglia si rivelò subito eccellente. Giuliano, che passava per un perdigiorno dedito soltanto alla letteratura e alla filosofia, appena si trovò con qualche responsabilità addosso, ci fece subito la mano. Non aveva mai visto una caserma quando l'imperatore gli diede in appalto le province occidentali allora in piena rivolta. Giuliano dapprima lasciò fare ai generali, ma studiando attentamente le loro mosse. Poi prese il comando effettivo delle truppe, affrontò le orde franche e alemanne che s'erano infiltrate oltre il Reno, le annientò, soffocò la ribellione degl'indigeni, e ristabilì l'autorità imperiale sulla Britannia. Mai titolo di Cesare era stato dato a un uomo con tanta pertinenza.

Purtroppo proprio in quel momento il re persiano Sapore riprese il sentiero di guerra, e per pararne la minaccia Costanzo chiese a Giuliano di mandargli una parte del suo esercito. Giuliano, che aveva preso gusto al mestiere di soldato, obbedì, ma a malincuore, e non si sa fino a che punto nascondesse ai suoi uomini il rammarico di doversi separare da loro. Comunque, essi furono sicuri di interpretare i suoi desideri rifiutando di obbedire, e anzi acclamandolo Augusto, cioè imperatore. Subito Giuliano si affrettò a scrivere a Costanzo che tutto questo era avvenuto al di fuori, anzi contro la sua volontà. Ma quando Costanzo gli rispose che lo perdonava se rinunziava al titolo e faceva atto di sottomissione, Giuliano, invece di aderire, gli mosse contro alla testa del suo esercito. Egli non aveva scassinato la banca, ma si rifiutava di restituire la refurtiva che, non si sa come, gli era piovuta in casa.

La guerra non ci fu perché Costanzo, partito anche lui per farla, morì in viaggio. Quando aprirono il testamento, tutti videro con sommo stupore ch'egli aveva designato unico erede colui che era venuto a combattere e, in caso di vittoria, probabilmente a uccidere. Come sempre, egli aveva obbedito non ai sentimenti, ma alla ragion di stato. E, riconoscendo nel fellone le qualità di un grande politico, ne aveva fatto il suo successore. Giuliano lo ricambiò tributandogli solenni esequie, vestendosi a lutto e piangendo a calde lacrime sulla bara. Fu una bellissima commedia, recitata magnificamente da ambedue le parti.

Su Giuliano son corsi fiumi d'inchiostro, come se non bastassero quelli che ha profuso egli stesso. Perché era grafomane e aveva la passione dei proclami, dei panegirici e dei saggi fra il filosofico e il politico. Ma forse l'importanza di questo imperatore, che regnò venti mesi soltanto, è stata un poco esagerata.

La ragione per cui si è fatto tanto baccano intorno al suo nome è che gli si attribuisce il proposito di restaurare il paganesimo contro il Cristianesimo. Già Costanzo aveva dovuto dedicare la maggior parte del suo tempo alle questioni religiose. Egli anzi aveva agito, oltre che come imperatore, come papa, intervenendo nelle beghe interne della Chiesa fra donatisti, ariani e meleziani. Perché era cristiano, sì, e di quelli ferventi. Ma molto paganamente considerava la Chiesa uno strumento dello stato e, con la scusa di proteggerla, intendeva controllarla.

Giuliano ebbe gli stessi interessi religiosi, ma orientati in senso opposto, e perciò si guadagnò il titolo di «Apostata». A riempirlo di rancore verso la nuova fede, non c'è dubbio che deve aver contribuito quel vescovo Eusebio che, come suo tutore, aveva condito con la frusta le lezioni di catechismo. L'unico affetto, nel confino di Nicomedia, Giuliano lo aveva trovato in un vecchio servo scita, Mardonio, che gli leggeva Omero e i filosofi greci. Non si è mai saputo se Mardonio fosse pagano o cristiano. Si sa soltanto ch'era imbevuto di classicismo, e fu lui a ispirarne l'amore al suo padroncino e pupillo. Questi si guardava intorno, e non gli pareva che i cristiani da cui era circondato dessero un grande esempio. Non era, checché si sia detto, un uomo di profondo pensiero, e basta leggere i suoi scritti per convincersene. A volte i suoi ragionamenti si perdono nel vaneggiamento.

Aveva una gran memoria, ma non capiva nulla d'arte, si accaniva puntigliosamente su problemi filosofici secondari perdendo di vista quelli principali, si compiaceva di citazioni e di virtuosismi estetizzanti. Era fatale ch'egli confondesse la Chiesa con i suoi cattivi pastori e che accomunasse questi a quella nella medesima antipatia. Comunque, non fa onore alla sua intelligenza politica l'idea, che gli viene attribuita e che forse coltivò davvero, di un ritorno al paganesimo come religione di stato. Già, ogni *ritorno*, in politica, è uno sbaglio.

La famosa *apostasia* di Giuliano fu soprattutto un marcato agnosticismo. Egli si disinteressò delle eresie che seguitavano a dilaniare la Chiesa, ed è probabile che le vedesse con simpatia. Ma agli ebrei riconobbe libertà di culto e concesse di ricostruire il tempio di Salomone, le cui impalcature però andarono distrutte da un terremoto, nel quale gli scrittori cristiani salutarono un castigo del Cielo. Che sottomano egli abbia incoraggiato il ripristino degli antichi culti pagani, lo si è detto, ma non è stato provato. Comunque, non ne dovette ricavare molte soddisfazioni, perché la gente non vi aderì che svogliatamente e senza entusiasmo. Ad Alessandria fu ucciso dai pagani il vescovo Giorgio, ad Antiochia fu incendiato dai cristiani il tempio di Apollo: né in un caso né nell'altro Giuliano ordinò rappresaglie. Voleva mostrarsi imparziale.

Dio sa come e dove sarebbe finita questa sua anacronistica politica religiosa, se Sapore non lo avesse costretto a riprendere le armi. Egli preparò quella difficile e pericolosa spedizione con la consueta cura, allestendo uno sterminato esercito e una flotta di mille navi con cui discendere il Tigri. I primi scontri gli furono favorevoli, ma la città di Ctesifonte gli resisté con le sue formidabili fortificazioni e alla fine lo obbligò alla ritirata. Ma chi avrebbe fatto risalire la corrente alle navi? Giuliano diede ordine di bruciarle. Non poteva fare altrimenti, ma la decisione demoralizzò i soldati e li riempì di furore. La contrada era povera, sassosa, bruciata dal sole, ostile. Le cavallerie persiane disturbavano la marcia infliggendo gravi perdite coi loro dardi. Uno di essi raggiunse Giuliano conficcandoglisi nel fegato. L'imperatore tentò di estrarlo con le sue mani, allargò lo sbrano e provocò una emorragia mortale. Capì di essere alla fine, si chiamò intorno al letto dove lo avevano adagiato due filosofi amici suoi, Massimo e Prisco, e con loro si mise a discutere serenamente sull'immortalità dell'anima.

Dicono che a un certo punto si ficcò la mano nella ferita, la ritrasse lorda di sangue e, spruzzandone in aria alcune stille, esclamò con rabbia: «Galileo, hai vinto!».

Ma probabilmente non è vero.

AMBROGIO E TEODOSIO

A nominare il successore, soprattutto per provvedere alla propria salvezza in quell'ora di pericolo, fu l'esercito, che lo scelse, seguitando a ritirarsi, fra i suoi ufficiali. E fu un certo Gioviano, cui la sorte concesse di compiere, come imperatore, un gesto solo, ma stupido e vile: una pace frettolosa, che concedeva ai persiani l'Armenia e la Mesopotamia, come a pagamento di una vittoria ch'essi non avevano mai riportato.

Ciò fatto, Gioviano si ammalò e morì, prima di raggiungere la capitale.

Di nuovo l'esercito si fermò per designare un altro imperatore e stavolta il prescelto fu Valentiniano, un bravo generale, figlio d'un cordaio della Pannonia, che Giuliano, dicono, aveva in precedenza silurato perché non aveva voluto rinnegare la sua fede cristiana. Sgomento delle responsabilità che, col trono, gli piovevano sul capo, Valentiniano si associò a parti uguali il fratello Valente, cui lasciò Costantinopoli con le province orientali, per sé tenendo quelle occidentali, di cui Milano era ormai la capitale. Correva l'anno 364 dopo Cristo.

Ambedue i fratelli ebbero subito due grossi problemi da affrontare. Valente si trovò di fronte all'insurrezione di Procopio che, unico parente di Giuliano, si mise alla testa di alcuni distaccamenti in Cappadocia facendosene proclamare imperatore. Fu sconfitto, catturato e decapitato. Valentiniano dovette vedersela con gli alemanni che, alla notizia della morte di Giuliano di cui avevano una paura birbona perché li aveva sonoramente battuti, ripresero i loro sconfinamenti in Gallia. L'imperatore li accerchiò e annientò sul Reno. Poi mandò in Britannia il suo miglior generale, Teodosio, che vi rimise ordine sbaragliandovi sassoni e scoti. Ma questo bravo soldato fu mal ricompensato dei servizi che aveva reso. Perché, spedito subito dopo in Africa a ristabilirvi la pace, cadde vittima degl'intrighi di alcuni funzionari malversatori che, con le loro calunnie, lo fecero processare per tradimento, condannare e decapitare.

Valentiniano, ingannato anche lui, commise certamente questo errore in buona fede. Non era un uomo di eccelsa mente, ma aveva buon senso e un carattere saldo e diritto. Purtroppo, era soggetto a scoppi di collera, e fu in questi iracondi soprassalti che compì i due più grossi sbagli della sua vita: la firma al verdetto di condanna di Teodosio, e la propria morte. Infatti si lasciò fulminare dalla sincope il giorno che prese una solenne arrabbiatura con i quadi che gli si erano ribellati.

Siamo nel novembre del 375 dopo Cristo. Ma la successione al trono stavolta era già regolata, perché Valentiniano otto anni prima si era associato come collega il figlio Graziano, cui, a quindici anni, aveva dato in moglie la tredicenne Costanza, figlia postuma di Costanzo, la cui vedova aveva sposato poi Procopio ed era rimasta vedova anche di lui, ma con un figlio in più: Valentiniano II. Sì, è un po' difficile, me ne rendo conto, e per questo cercherò di spiegarmi meglio.

Valentiniano aveva, oltre al fratello Valente cui restava la metà orientale dell'Impero, un figlio di nome Graziano. Costui aveva sposato Costanza, figlia dell'imperatore Costanzo. Sua madre Giustina, rimasta vedova, aveva poi sposato l'usurpatore Procopio, il quale le aveva dato un figlio di nome Valentiniano, che era quindi fratellastro di Costanza. Ci siamo?

Ora Giustina, ch'era una donna ambiziosissima, tanto aveva armeggiato e intrigato da spingere il consuocero Valentiniano ad assumere come collega non solo Graziano, ma anche Valentiniano, che aveva allora quattro anni. Sicché, alla morte dell'imperatore, mentre a Costantinopoli restava Valente, a Milano saliva sul trono il giovinetto Graziano, tutore di Valentiniano II, con cui poi avrebbe diviso il potere.

Era un brutto momento perché proprio allora stavano calando dalla Russia valanghe di barbari più terribili di tutti gli altri: gli unni. Essi erano già arrivati a contatto dei goti, che il re Ermanrico aveva raccolto in una federazione ai confini orientali dell'Impero. Atterriti, costoro chiesero a Valente di esservi annessi promettendo in cambio di farvi da sentinelle. Valente, dopo molte esitazioni, accettò, ma per pentirsene subito, quando vide quei nuovi sudditi, che oscillavano fra i due e i trecentomila, darsi al brigantaggio e al saccheggio com'era loro costume. Egli era in procinto di riprendere le armi contro la Persia. Dovette accantonare il progetto per accorrere a Adrianopoli, dove i riottosi goti si erano spinti. Invece di aspettare il nipote Graziano che, come si era convenuto, giungeva dal Nord per stritolare il nemico in una morsa, Valente attaccò subito, da solo, e ci rimise tutto l'esercito. Egli stesso, ferito, fu arso vivo nella capanna in cui i suoi attendenti lo avevano ricoverato.

Graziano, rimasto solo, non osò attaccare. Sebbene avesse solo vent'anni, si era già mostrato un buon generale. Ma ora diede prova anche di grande assennatezza. Si ritirò cautamente, dispose le sue forze a protezione dell'Illiria e dell'Italia. E, rendendosi conto di non poter dividere le responsabilità dell'Impero con un bambino qual era il suo cognatastro Valentiniano II, pensò di associarsi un collega per l'Oriente. Con molta sagacia, lo scelse nel generale Teodosio, l'omonimo figlio di quello che Valentiniano aveva fatto ingiustamente accoppare in Africa. E gli affidò l'Impero d'Oriente. Ma intanto sulla scena era comparso un altro e decisivo personaggio: quell'Ambrogio, vescovo di Milano, che

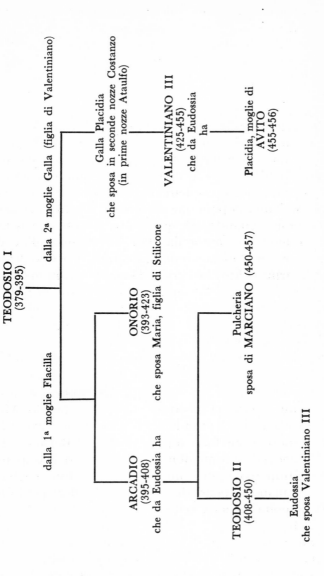

TEODOSIO I
(379-395)

dalla 1ª moglie Flacilla   dalla 2ª moglie Galla (figlia di Valentiniano)

ARCADIO
(395-408)
che da Eudossia ha

ONORIO
(393-423)
che sposa Maria, figlia di Stilicone

Galla Placidia
che sposa in seconde nozze Costanzo
(in prime nozze Ataulfo)

TEODOSIO II
(408-450)

Pulcheria
sposa di **MARCIANO** (450-457)

VALENTINIANO III
(425-455)
che da Eudossia
ha

Eudossia
che sposa Valentiniano III

Placidia, moglie di
AVITO
(455-456)

L'EREDITÀ DI TEODOSIO

ora tutti gl'italiani, e specialmente i lombardi, venerano come santo.

Non era un prete e non veniva dal seminario. Era un bravissimo funzionario laico, che sino al 374 aveva fatto il governatore della Liguria e dell'Emilia. Come tale, si era trovato a dirimere le controversie tra cattolici e ariani, che anche in quelle diocesi infuriavano. Lo aveva fatto così bene che alla morte del vescovo Ausenzio, ariano anche lui, fu acclamato suo successore. Non era nemmeno battezzato, in quel momento, e l'elezione aveva tutti i crismi dell'irregolarità. Ma Valentiniano I, che aveva una grande stima di lui, l'aveva confermata. E Ambrogio in pochi giorni ricevette i sacramenti, gli ordini e il cappello episcopale.

Era un uomo che, se fosse nato oggi in America, sarebbe diventato un Ford o un Rockefeller. E Graziano che, morto suo padre, gli si affidò in pieno, trovò in lui il suo più valido collaboratore. Vescovo e sovrano condussero insieme la lotta contro il paganesimo e l'eresia ariana. Quest'ultima, morto Valente che n'era stato prigioniero, non ebbe più difensori. Teodosio, che forse doveva in buona parte la sua nomina ad Ambrogio, fu, in materia religiosa, un suo zelante esecutore di ordini. Il paganesimo era definitivamente sepolto. E in seno al Cristianesimo era il Cattolicesimo che trionfava.

Purtroppo, le cose non andarono altrettanto bene sul piano strettamente politico. Accusando Graziano di essere, come oggi si direbbe, un democristiano piedipiatti e baciapile, il governatore della Britannia, Magno Massimo, gli si ribellò. Il complotto aveva degli affiliati anche alla corte del giovane imperatore, che si trovava in quel momento a Parigi e che fu pugnalato mentre cercava di scappare. Ipocritamente, Massimo deplorò l'incidente in una lettera a Teodosio in cui gli proponeva di ripartire in tre l'Impero lasciando a Valentiniano, sotto la tutela di sua madre e di Ambrogio, l'Italia, e di affidare a lui, Massimo, le province occidentali.

Teodosio era un galantuomo dai riflessi lenti. I suoi nemici lo chiamavano un «cacadubbi», e forse effettivamente, nel ponderare le decisioni, esagerava un po'. La fine dell'amico e collega Graziano, cui tanto doveva, lo aveva indignato. Ma una guerra, nelle condizioni in cui si trovava allora l'Impero coi goti in subbuglio e gli unni e i persiani alle porte, gli parve una scelta da scartare. Mandò una risposta dilatoria e tergiversante. Massimo la interpretò in senso positivo. E, dimenticando l'accusa di baciapilismo lanciata contro Graziano, spiegò un grande zelo nella lotta contro gli eretici per guadagnarsi il favore di Ambrogio. Nonostante gl'impegni assunti verso Valentiniano, pensava con ghiottoneria all'Italia, riuscì a farvi accettare alcuni fra i suoi reparti più fedeli col pretesto di rafforzarvi le guarnigioni di frontiera, e tutto sarebbe finito con un altro regicidio, se Giustina, impaurita, non fosse scappata da Teodosio portandosi dietro il figlio imperatore e la figlia Galla che, fra parentesi, era un fior di figliuola.

Tanto bella che Teodosio, nel vederla, se ne invaghì di colpo, e l'amore fece quello che il calcolo politico non aveva potuto, per spingerlo a castigare l'usurpatore. Lo scontro fra i due eserciti avvenne in Pannonia. E Massimo, sconfitto, venne decapitato. Teodosio sposò Galla, riaccompagnò la suocera e il cognatino a Milano, tenne loro compagnia per un pezzo, e anche con questo gesto stabilì una specie di tutela dell'Impero d'Oriente su quello d'Occidente.

Ambrogio nel frattempo aveva continuato la sua battaglia contro l'eresia. Gli ariani, debellati da Teodosio a Costantinopoli, in Italia erano stati protetti da Giustina, che sulle loro teorie aveva educato Valentiniano. Essa domandò ora che almeno una chiesa venisse loro concessa. Ambrogio rispose di no. Valentiniano gli comminò l'esilio. E Ambrogio non si mosse. Era un santo, sì, ma aveva un gran caratteraccio. Subito dopo avvennero altri clamorosi episodi. I cristiani di Callinico bruciarono la sinagoga. Teodosio, tuttora a Milano, ordinò che venisse ricostruita a spese dei colpevoli. Ambrogio andò a chiedere la revoca di quell'ordine. E, siccome non venne ricevuto, prese penna e calamaio: «Io ti scrivo perché tu mi ascolti nel tuo palazzo. Altrimenti mi farò ascoltare nella mia chiesa...».

Cos'era successo nel mondo, che consentiva a un prete di elevarsi a giudice del capo supremo dello stato, di cui sino a quel momento non era che un semplice funzionario? Teodosio, se fosse stato Valentiniano I, sarebbe stato colto anche lui da una sincope, tale fu la sua collera. Invece tacque e si piegò. Poco dopo dovette intervenire contro quelli di Tessalonica, che avevano massacrato le guardie, ree di aver arrestato un auriga, idolo dei «tifosi». Ci andò con la mano un po' pesante, è vero, ma stavolta non si trattava di questioni religiose. Eppure anche in tale occasione Ambrogio insorse, parlò dal pulpito, rifiutò d'incontrarsi con l'imperatore e gli proibì l'accesso alla chiesa finché quegli non ebbe domandato solennemente e umilmente perdono. Era il trionfo del potere spirituale su quello temporale, e per celebrarlo fu composto un inno apposta: il *Te Deum laudamus*.

Il paganesimo ebbe ancora un sussulto con Arbogaste, un condottiero franco che gli era rimasto fedele e che aveva reso segnalati servigi all'Impero sotto Graziano. Ora era capo delle guardie di Valentiniano, ma disprezzava quel ragazzetto che si metteva in ginocchio davanti ad Ambrogio e gli baciava l'anello. Un giorno il giovane imperatore fu trovato morto nel suo letto. Arbogaste disse che si era ucciso, ma non ne usurpò il posto. Si rendeva conto che l'Impero romano, per quanto decaduto, non era ancora arrivato al punto di accettare sul trono un barbaro come lui. E v'innalzò Flavio Eugenio, capo degli uffici civili, qualcosa come cancelliere di Sua Maestà, per sé serbando il comando dell'esercito.

Neanche stavolta Teodosio reagì subito. Anzi, lasciò passare due anni prima di decidersi al castigo. In questo periodo Arbogaste impose ad Eugenio una politica che voleva essere di tolleranza e di equidistanza dalle due religioni. Ma dovette rendersi conto anche lui che il paganesimo non resuscitava nemmeno con le iniezioni di adrenalina.

Nel 394 l'imperatore e l'usurpatore scesero in guerra. Flavio e Arbogaste, che aspettavano il nemico in Italia, costellarono i valichi delle Alpi Orientali con statue di Giove, il quale fece così la sua ultima comparsa tra gli umani, armato di fulmini d'oro. Teodosio, prima di partire, era andato nel deserto della Tebaide a visitare un anacoreta che gli aveva predetto la vittoria.

Ognuno dei due eserciti aveva insomma mobilitato il proprio dio, e infatti lo scontro fu risolto da una specie di miracolo meteorologico: una violentissima bora che, soffiando negli occhi dei flaviani, quasi li accecò. Giove, Arbogaste ed Eugenio vennero travolti nella stessa catastrofe. Ma a sconfiggerli in nome di Gesù, sia pure sotto il comando dell'imperatore romano Teodosio, erano stati soprattutto i goti pagani agli ordini di Alarico.

Teodosio, giunto trionfatore a Milano, vi morì d'idropisia. L'imperatore romano non aveva ancora cinquant'anni, e non era mai andato a Roma, ormai tagliata fuori dalla grande politica. Era stato non un grande, ma un buon sovrano: leale e onesto, anche se un po' timorato e timoroso.

Lasciava due figli: Arcadio di diciotto anni, e Onorio di undici.

LA FINE

Quello di Occidente che toccava al bambino Onorio era un Impero che già Teodosio aveva considerato satellite di quello d'Oriente, che un vescovo aveva sottoposto alla tutela spirituale della Chiesa, e che, per difendersi, aveva dovuto accettare entro i propri confini popolazioni barbare, ancora pagane e assolutamente digiune di stato e di diritto. Ma anche all'interno si disgregava. Non più tutelate da un esercito che le guerre esterne risucchiavano ai confini, le piccole comunità di villaggio e di provincia sempre più si rimettono per la loro difesa ai signorotti, che possono disporre di milizie proprie. Si chiamano *potentes*, costoro, e si fanno sempre più indipendenti dall'autorità centrale via via che questa sempre più s'indebolisce. A favorirli è anche una legislazione che da Diocleziano in poi ha sempre più pietrificato la società, legando irrevocabilmente il contadino alla terra e al suo padrone, cioè facendone un servo della gleba, e l'artigiano al suo mestiere. Ormai si nasce col proprio destino e non si può più cambiarlo. Chi abbandona il podere o la bottega, anche se riesce a sfuggire ai carabinieri che subito lo ricercano, è destinato a morir di fame perché non trova altro impiego. E chi è ricco deve seguitare a pagar tasse, anche se aliena o perde la ricchezza. Altrimenti va in prigione.

Queste leggi, per assurde che possano sembrare, erano imposte dalle circostanze. Gli scheletri che vanno in pezzi, bisogna ingessarli. Il gesso non impedisce la decomposizione, ma la rallenta. Tutto questo però è la fine di Roma, della sua civiltà, del suo ordinamento giuridico, che faceva di ogni uomo l'arbitro della propria sorte, lo parificava agli altri dinanzi alla legge, e con la cittadinanza ne faceva non soltanto un suddito, ma anche un protagonista. È cominciato il Medio Evo. Il potente prende il posto dello stato, cui si contrappone con sempre maggior successo, fino a romperlo in una miriade di *feudi*, ciascuno col proprio signore alla testa, armato sino ai denti, sul groppone di una massa amorfa, minuta e inerme, abbandonata ai suoi capricci e senza più nessun diritto: nemmeno quello di cambiar professione e residenza.

Accanto all'undicenne Onorio, cui toccava in eredità quel crollante edificio, fu messo il generale Stilicone. Era un vandalo, cioè un barbaro di razza tedesca, e la sua scelta ci dice fino a che punto ormai i romani si erano liquefatti. Soltanto lui, fra tutti gli ufficiali dell'esercito, offriva garanzie di lealtà, di coraggio e di perspicacia. E infatti ebbe modo di fornirne subito le prove nella situazione che, calato Teodosio nella fossa, subito si arruffò fra Milano e Costantinopoli. Il defunto imperatore aveva diviso l'Impero, ma non aveva detto quali province appartenessero all'uno e all'altro moncone. Arcadio, salito sul trono di quello d'Oriente, e consigliato dal proprio Stilicone, che si chiamava Ruffino, considerò roba sua anche la Dacia e la Macedonia. Sorse una baruffa tra le due capitali. Alarico, che malgrado le promesse nessuno aveva compensato del contributo fornito a Teodosio nella guerra contro Arbogaste, marciò su Costantinopoli. E certamente l'avrebbe messa a sacco se Ruffino non fosse riuscito a persuaderlo che la Grecia era un boccone più prelibato. L'Impero, incapace di difendersi, salvava la capitale a spese delle province.

A indignarsene fu solo Stilicone, il barbaro, che mandò a Costantinopoli un distaccamento di truppe richiestegli da Arcadio, con l'ordine al loro comandante, Gaina, anche lui barbaro, di accoppare Ruffino. L'ordine fu scrupolosamente eseguito, e al posto del defunto fu nominato un suo avversario, il ciambellano di corte Eutropio, con cui fu possibile ristabilire un'intesa fra i due fratelli. Subito Stilicone ne approfittò per mettere a posto i goti, che saccheggiavano il Peloponneso. Li aveva già insaccati nell'istmo di Corinto, quando Costantinopoli, gelosa di un successo occidentale, stipulò un'alleanza con loro e ordinò al generale di lasciarli in pace. Stilicone si mangiò le mani, ma obbedì anche perché proprio in quel momento si era ribellata l'Africa, aiutata sottomano da Arcadio e da Eutropio, mentre ondate di barbari si rovesciavano in Balcania, e Alarico, l'alleato di Costantinopoli, dopo aver risalito l'Albania e la Dalmazia, entrava addirittura nella pianura Padana. Il povero generale vandalo, unico rimasto a credere nell'Impero e a servirlo con fedeltà, e costretto a trascorrere la sua vita sulla sella d'un cavallo lanciato al galoppo per tappare i buchi che si aprivano da ogni parte, tornò in Italia, batté Alarico ma senza distruggerne le forze perché pensava di allearselo contro quelle nemiche sempre più soverchianti. E, non fidandosi più di Milano che, senza difese naturali, poteva essere conquistata da chiunque, trasportò la capitale a Ravenna, un villaggio di poco conto, ma circondato di paludi malariche che avrebbero reso impossibile un assedio. Correva l'anno 403 dopo Cristo.

Il trasferimento fu fatto appena in tempo per sfuggire a un'invasione di altri goti, che si chiamarono ostrogoti per distinguerli dai visigoti di Alarico, e che, sotto il comando di Radagaiso, passarono le Alpi e si abbatterono sulla penisola sommergendola fino alla Toscana. Era la prima volta, dal tempo di Annibale, che l'Italia subiva un simile affronto. A Stilicone occorse un anno per raccogliere truppe. Solo nel 406 ne ebbe abbastanza per sorprendere quelle di Radagaiso a Fiesole e sterminarle. Ma nello stesso momento vandali, alani e svevi sfondavano le difese romane di Magonza ed entravano in Gallia, dove sbarcava anche dalla Britannia un usurpatore chiamato Costantino, che mise in fuga i barbari i quali però, invece di ritirarsi, sommersero la Spagna. Le più belle province d'Occidente erano praticamente perdute, e l'Italia in balìa di se stessa.

In questo marasma, in cui chiunque avrebbe perso la testa, Stilicone era l'unico che l'aveva serbata chiara. Mentre trattava con Alarico per garantirsene l'aiuto bandì una leva fra gl'italiani. Costoro rifiutarono di arruolarsi, ma lo accusarono di capitolazione di fronte al barbaro. Con che soldati da costui il generale potesse difenderli, visto che loro ricusavano di dargliene, Dio solo lo sa. Onorio, impaurito, dimenticò di colpo i servigi che per dieci anni gli aveva reso quel fedele capitano, e ne ordinò l'arresto. Stilicone avrebbe potuto benissimo insorgere perché le poche truppe di cui disponeva l'Impero erano fedeli soltanto a lui. Ma aveva troppo rispetto dell'autorità per ribellarsi. Lo trucidarono in una chiesa, a Ravenna. E fu forse il più stupido, ignobile e catastrofico dei delitti che siano stati commessi in nome di Roma. Esso non soltanto privò del suo miglior servitore l'Impero, ma fece capire a tutti i barbari, che ancora gli erano fedeli, che cosa esso fosse diventato. Erano costoro i migliori funzionari e soldati che ancora reggevano la baracca. Essi credevano al prestigio di Roma. E Roma, uccidendo Stilicone, lo distrusse con le sue mani.

Da allora tutto precipitò. Alarico, invece di venire in Italia come alleato, vi giunse da conquistatore. Propose un accordo a Onorio il quale lo respinse con una fierezza che sarebbe stata nobile se accompagnata da qualche gesto di coraggio, ma che diventava insolente e ridicola nella bocca di un uomo che si rinchiudeva a Ravenna facendosi difendere solo dalle zanzare e abbandonando il resto d'Italia all'avversario. Questi marciò addirittura su Roma e l'assediò. Il mondo trattenne il respiro. Come? Si osava addirittura porre assedio a Roma?

Lo stesso Alarico parve colto dal timor panico, quando la città si arrese senza combattere, e vietò ai suoi soldati di entrarvi. Ci venne solo e disarmato per chiedere al Senato di deporre Onorio. E il Senato, che ormai esisteva solo per figura, subito accondiscese. Ma l'anno dopo, siccome Onorio dal trono non scendeva, vi tornò e stavolta vi mise a bivacco tutto l'esercito, ma impedendogli, o cercando d'impedirgli, il saccheggio. I barbari si aggirarono per la città sbalorditi e spaventati dalla loro stessa audacia. Nelle selve germaniche da cui i loro antenati erano discesi, si era sempre favoleggiato di Roma come di un irraggiungibile miraggio. Più che spogliare, furono spogliati da una popolazione che aveva disimparato a combattere, ma aveva imparato a rubare. E lo stesso Alarico si trasformò da conquistatore in prigioniero, quando si trovò di fronte a Galla Placidia, la bellissima figlia di Teodosio, sorellastra di Onorio e di Arcadio. Da quel momento il re cui obbedivano i goti ebbe una regina cui obbedire. Se la portò dietro circondandola di tutti gli onori nella sua ultima avventura: la spedizione in Africa. Ma mentre la preparava sulle coste calabresi, la morte lo colse a Cosenza. I suoi soldati gli fecero costruire una immensa e fastosa tomba sotterranea. Eppoi, perché nessuno ne venisse a conoscere il segreto e la violasse, uccisero tutti gli schiavi che avevano lavorato a scavarla. A succedergli fu acclamato il fratello di sua moglie, Ataulfo, un bellissimo ragazzo, di cui Galla Placidia era già da un pezzo l'amante.

La violazione di Roma del 410 e la volontaria scelta di una principessa di sangue reale, che alla sofisticata reggia imperiale aveva preferito la disadorna tenda di un condottiero barbaro, precipitarono nello sbigottimento il mondo intero. I pagani dissero ch'era una vendetta degli dèi per il tradimento degli uomini. E i cristiani, i quali avevano lottato per quattro secoli contro Roma, ora alla sua caduta si sentirono improvvisamente orfani e ci videro il segno dell'avvento dell'Anticristo. «La fonte delle nostre lacrime si è disseccata», singhiozzò san Girolamo.

Solo Onorio sembrava infischiarsene. Chiuso tra gli stagni della sua Ravenna, rifiutò l'assenso al matrimonio di Galla con Ataùlfo e, insensibile allo sfacelo in cui precipitava la stessa Italia, vegetò fino al 423, quando morì. Troppo presto per i suoi giovani anni. Troppo tardi, per il modo come li aveva riempiti. Anche Ataùlfo era morto parecchio tempo prima sotto il pugnale di un barbaro, e Galla era tornata, vedova, a casa. Onorio l'aveva sposata di forza a un generale rimbambito, Costanzo; e siccome non aveva eredi, designò a succedergli il figlio nato da questo matrimonio: Valentiniano III.

Anche Arcadio, a Costantinopoli, era morto da un pezzo, lasciando sul trono un ragazzetto: Teodosio II. E tragicomico fu vedere in quel momento i due tronconi dell'Impero, incalzati dalla medesima catastrofe, rimettersi in contatto solo per litigare sulla delimitazione dei confini. L'Impero era già tutto in mano ai barbari, e i due romani imperatori, fra l'altro cugini germani, si contendevano una teorica sovranità su province praticamente già perdute. Un ultimo sprazzo di orgoglio e di coraggio la romanità lo dava soltanto in Africa, dove il generale Bonifacio, già condannato per alto tradimento, e il vescovo Agostino, assediati a Ippona, resistevano ai vandali di Genserico. Fu nell'infuriare della battaglia, dove cadde, che il presule scrisse la sua opera capitale: *La Città di Dio*.

L'incalzante prevalere dell'elemento germanico su quello romano trovava il suo simbolo e riassunto nelle vicende della famiglia imperiale. A Ravenna sul trono c'era Valentiniano III, ma la vera regina era Placidia, che come strumento del suo potere s'era scelto un altro barbaro, Ezio, degno successore di Stilicone. Essa aveva dimostrato di non credere ai romani neanche come mariti. Figuriamoci se se ne fidava come generali e uomini di stato. Quando all'orizzonte spuntò Attila alla testa dei suoi terribili unni, essa fece fare a sua figlia, Onoria, ciò che aveva fatto lei stessa con

Ataulfo: gliela propose in sposa. Capiva che ormai Roma, coi barbari, poteva vincere su un campo di battaglia solo: il letto.

Ma Attila non era Alarico. Invece di entusiasmarsi per Onoria, reclamò anche una dote spropositata: la Gallia. Era la più bella provincia dell'Impero e, sebbene la sovranità imperiale vi fosse soltanto teorica, la corte di Ravenna non vi poteva rinunciare. Attila vi straripò ugualmente, ed Ezio dovette scendere con lui in guerra. Ma, per procurarsi un esercito adeguato, fu costretto, con un miracolo di diplomazia, ad associarsi nell'impresa il re dei visigoti, Teodorico. La gigantesca battaglia si svolse nei Campi Catalauni presso Troyes. E i romani vinsero, ma di romano non avevano che l'etichetta. Barbari erano coloro che sconfiggevano altri barbari, e un barbaro romanizzato era il loro stesso comandante supremo. Esso rimase padrone del campo, ma non inseguì il nemico che si ritirava in buon ordine. Non aveva sufficienti forze o sperava di farsene un alleato, come Stilicone era riuscito a fare coi goti?

Nel 452, Attila ricomparve. Ma stavolta non attaccava la Gallia, sibbene l'Italia stessa. Valentiniano, che, morta sua madre, aveva assunto il potere effettivo, non volle ripetere l'indecoroso errore di Onorio abbandonando Roma al suo destino. E, contro il parere di Ezio che gli consigliava di fuggire in Oriente anche per sbarazzarsene, si trasferì nell'Urbe per condividerne la sorte. E qui si mise d'accordo col papa, Leone I, per mandare un'ambasciata di senatori ad Attila, già accampato sul Mincio.

La leggenda vuole che Attila s'impaurisse alla minaccia di essere scomunicato se osava attaccare Roma. Ma, essendo pagano, non vediamo proprio cosa potesse la scomunica significare per lui. Comunque, invece di passar l'Appennino, ripassò le Alpi, e l'anno dopo morì. Del vasto effimero Impero che si era costruito dalla Russia fino al Po, non rimase nulla, neanche il popolo, che si sbriciolò e venne rapidamente fagocitato dalle popolazioni slave e germaniche in mezzo a cui si era accampato da padrone.

La fine di questo pericoloso nemico fu un sollievo per l'Italia e l'Europa, ma una mazzata in testa per Ezio che, chiuso a Ravenna, non vi aveva punto collaborato. Valentiniano, che sempre aveva mal sopportato quel servitore con piglio di padrone, ci vide la buona occasione per disfarsi di lui, come Onorio aveva fatto con Stilicone. E lo fece di sua mano, infilandolo con la spada, un giorno che litigarono. Altro fatale errore perché di colpo tutti i barbari che, accampati nelle province dell'Impero, avevano accettato un teorico vassallaggio, si misero in subbuglio, e uno di loro accoppò lo stesso Valentiniano nel Campo di Marte. Genserico, il re dei vandali che ormai eran padroni dell'Africa, giunse col suo esercito annunziandosi vendicatore dell'imperatore. In realtà voleva farne occupare il posto dal proprio figlio Unnerico sposandolo alla figlia del defunto: Eudocia. Il matrimonio si fece. Ma mentre i soldati lo festeggiavano saccheggiando scrupolosamente la città e dando così alla parola «vandali» il significato che tutti sappiamo, il nuovo re dei visigoti, Teodorico II, faceva eleggere in Gallia un altro imperatore di sua fiducia, Avito.

Genserico tornò in Africa di corsa, ma con un bel bottino: la nuora, la consuocera vedova di Valentiniano con l'altra figlia Placidia, e alcune migliaia di romani altolocati, tra cui qualche dozzina di senatori, come per dire che Roma ormai era roba sua. Giunto a casa, allestì una flotta con cui occupò la Sicilia, la Corsica e l'Italia meridionale. Ma Avito aveva un grande generale, barbaro si capisce, ma della stoffa di Stilicone e di Ezio: Ricimero. Egli sconfisse il nemico in una grande battaglia navale, poi depose Avito che si consolò nella fede e si fece consacrare vescovo di Piacenza, e non gli nominò un successore che quattro anni dopo, nel 457, scegliendolo nella persona di Maioriano.

Lo fece solo per veder di richiamare all'ordine i vandali,

i visigoti, e tutti quegli altri barbari che avevano approfittato della mancanza d'un imperatore per proclamarsi anche formalmente indipendenti. Ma servì a poco. Essi seguitarono a fare il comodo loro. Maioriano tentò una spedizione contro Genserico che gli distrusse a tradimento la flotta, e Ricimero, indignato che volesse governare sul serio, lo fece trucidare, per sostituirlo con Libio Severo, uomo più arrendevole. Ma Genserico la pensava diversamente. Avendo rinunziato a far salire sul trono il figlio Unnerico, marito di Eudocia, riponeva ora le sue speranze nel senatore Anicio Olibrio cui aveva dato in moglie la sorella di sua nuora, Placidia. E aveva cominciato una nuova guerra, cioè aveva continuato con più vigore quella che già da anni combatteva contro Roma.

Per difendersene, Ricimero ebbe una buona idea: quella di offrire, alla morte di Severo, il trono a un uomo di fiducia di Costantinopoli, e di garantirsene così l'aiuto. Si chiamava Procopio Antemio. Venne in Italia nel 467, s'incoronò, armò una flotta di mille navi con centomila uomini agli ordini del generale Basilisco e la spedì verso le coste tunisine. Basilisco, appena sbarcato, non seppe far di meglio che accordare una tregua di cinque giorni a Genserico, che attaccò di sorpresa i vascelli e li incendiò. Si parlò di tradimento del generale. In realtà il tradimento lo aveva compiuto la corte di Costantinopoli che sotto sotto aveva concluso un patto d'alleanza col re dei vandali. Il quale riprese l'offensiva, sbarcò in Italia e mise per la terza volta Roma a sacco. Ricimero accettò Olibrio come nuovo imperatore, ma ambedue morirono in quello stesso anno 472.

I vandali cercarono d'imporre sul trono Glicerio. Ma Costantinopoli non lo riconobbe, nominò al suo posto Giulio Nepote e, per metterlo al sicuro da Genserico, comprò da costui una pace disastrosa riconoscendogli la signoria non solo su tutta l'Africa, ma anche su Sicilia, Sardegna, Corsica e Baleari. L'anno dipoi il re dei visigoti, Eurico, in cambio della neutralità, ottenne la Spagna. Burgundi, alemanni e rugi si spartirono il resto delle Gallie. E l'Impero d'Occidente si ridusse alla sola Italia. Nepote diede al generale Oreste l'ordine di licenziare l'esercito che non poteva più mantenere. I barbari che lo componevano si ammutinarono, Oreste ne prese il comando, e Nepote fuggì per raggiungere in Dalmazia quel Glicerio ch'egli stesso vi aveva confinato dopo averne usurpato il trono.

Oreste proclamò sovrano suo figlio, Romolo Augusto. Una sorte ironica volle dare a questo ragazzo, destinato a essere l'ultimo imperatore di Roma, il nome del primo. Ma i soldati barbari, inebriati della vittoria, ora reclamarono terre nel cuore stesso della penisola, e chi voleva la pianura del Po, e chi l'Emilia, e chi la Toscana. Uno dei loro ufficiali, Odoacre, prese la testa della rivolta, attaccò Oreste a Pavia, lo sconfisse e lo uccise. Romolo Augusto, che poi la storia ha chiamato «Augustolo», cioè «Augusto il piccolo» per distinguerlo dal grande, venne deposto e confinato nel Castel dell'Uovo a Napoli con una ricca pensione. Odoacre rimandò all'imperatore d'Oriente, Zenone, le insegne dell'Impero, e dichiarò che d'ora in poi avrebbe governato l'Italia come suo luogotenente.

Stavolta era proprio finita: non soltanto di fatto, ma anche di nome. Le aquile erano volate via. Cominciava il Medio Evo.

CONCLUSIONE

Qui finisce la nostra storia. Come tutti i grandi Imperi, quello romano non fu abbattuto dal nemico esterno, ma roso dai suoi mali interni. E il suo atto di decesso fu segnato non dalla deposizione di Romolo Augustolo, ma dalla adozione del Cristianesimo come religione ufficiale dello stato e dal trasferimento della capitale a Costantinopoli. Con questo duplice avvenimento comincia, per Roma, un altro capitolo.

La maggioranza degli studiosi sostiene che questa catastrofe fu provocata soprattutto da due fatti: il Cristianesimo e la pressione dei barbari che calavano dal Nord e dall'Oriente. Noi non lo crediamo. Il Cristianesimo non distrusse nulla. Si limitò a seppellire un cadavere: quello di una religione in cui ormai non credeva più nessuno, e a riempire il vuoto ch'essa lasciava. Una religione conta non in quanto costruisce dei templi e svolge certi riti; ma in quanto fornisce una regola morale di condotta. Il paganesimo questa regola l'aveva fornita. Ma quando Cristo nacque, essa era già in disuso, e gli uomini, consciamente o inconsciamente, ne aspettavano un'altra. Non fu il sorgere della nuova fede a provocare il declino di quella vecchia; anzi, il contrario. Tertulliano, che ci vedeva chiaro, lo scrisse apertamente. Per lui, tutto il mondo pagano era in liquidazione. E quanto prima lo si sotterrava, tanto meglio sarebbe stato per tutti.

Quanto ai nemici esterni, Roma era abituata da mille anni ad averne, a combatterli e a vincerli. I visigoti, i vandali e gli unni che si affacciavano alle Alpi non erano più feroci ed esperti guerrieri dei cimbri, dei teutoni e dei galli che

Cesare e Mario avevano affrontato e distrutto. E nulla ci permette di credere che Attila fosse un generale più grande di Annibale, che vinse dieci battaglie contro i romani, eppoi perse la guerra. Solo, trovò a contendergli il passo un esercito romano composto esclusivamente di tedeschi, compresi gli ufficiali, perché Gallieno aveva proibito il servizio militare anche ai senatori. Roma era già occupata e presidiata da una milizia straniera. La cosiddetta «invasione» non fu che un cambio della guardia fra barbari.

Ma anche la crisi militare non era che il risultato di una più complessa decadenza, innanzi tutto biologica. Essa era cominciata dalle classi alte di Roma (perché, come dicono a Napoli, «il pesce comincia a puzzare dalla testa») con l'allentamento dei vincoli familiari e il diffondersi delle pratiche malthusiane e abortive. La vecchia orgogliosa aristocrazia, ch'è stata forse la più grande classe dirigente che il mondo abbia visto, e che per secoli aveva dato l'esempio dell'integrità, del coraggio, del patriottismo, insomma del «carattere», dopo le guerre puniche, e più ancora dopo Cesare, cominciò a dar quello degli egoismi e del vizio. Le famiglie che la componevano furono, sì, anche decimate dalle guerre, dove i loro rampolli cadevano generosamente, e dalle persecuzioni politiche, ma soprattutto si estinsero per penuria di figli. Grandi riformatori come Cesare e Vespasiano tentarono di rimpiazzarla con dinastie più solide di borghesi provinciali e campagnoli. Ma essi si corrompevano a loro volta, e la seconda generazione era già di «gagà» rammolliti che non finivano a Cinecittà, solo perché Cinecittà ancora non c'era.

Questo cattivo esempio fece presto a dilagare, e già al tempo di Tiberio furono previste sovvenzioni ai contadini per incoraggiarli a fare figli. Evidentemente, a parte la falcidia delle pestilenze e delle guerre, anche la campagna faceva del malthusianesimo e si spopolava. Pertinace offriva gratuitamente le fattorie abbandonate a chi s'impegnava a col-

425

tivarle. E in questo vuoto materiale, conseguenza di quello morale, s'infiltravano gli stranieri, specie d'Oriente, in dosi così massicce che Roma non fece in tempo ad assorbirli e a rifonderli in una nuova e vitale società. Questo processo di assimilazione funzionò fino a Cesare, che chiamò i galli a partecipare alla vita dell'Urbe, facendone dei cittadini, dei funzionari, degli ufficiali e perfino dei senatori. Ma esso diventò impossibile coi germani, molto più refrattari alla civiltà classica, e si risolse in una catastrofe con gli orientali che vi s'insinuarono, sì, ma per corromperla.

Di tutto questo, la conseguenza fu, sul piano politico, il dispotismo cui Tiberio diede l'avvio, e che solo in alcuni casi fu «illuminato». Ma è sciocco prenderlo a bersaglio della critica e addossargli le colpe della catastrofe. Il dispotismo è sempre un malanno. Ma ci sono delle situazioni che lo rendono necessario. Roma era in una di queste situazioni, quando Cesare lo instaurò. Bruto, che lo uccise, se non era un volgare ambizioso, era certamente un povero diavolo che credeva di guarire il gran malato eliminando non il bacillo, ma la febbre. Anche l'esperimento socialista e pianificatore di Diocleziano fu un malanno e non risolse nessun problema. Ma le circostanze lo imponevano come ultimo disperato rimedio. A guardare le cose dall'alto e a voler dare loro una ragione, si può dire che Roma nacque con una missione, l'assolse, e con essa finì. Questa missione fu di raccogliere le civiltà che l'avevano preceduta, la greca, l'orientale, l'egiziana, la cartaginese, di fonderle e di diffonderle in tutta l'Europa e il bacino del Mediterraneo. Essa non inventò granché né nella filosofia, né nell'arte, né nella scienza. Ma fornì le strade alla loro circolazione, gli eserciti per difenderle, un formidabile complesso di leggi per garantirne lo sviluppo nell'ordine, e una lingua per renderle universali. Non inventò nemmeno delle forme politiche: monarchia e repubblica, aristocrazia e democrazia, liberalismo e dispotismo erano già stati sperimentati. Ma Roma ne fece dei modelli, e in ognuno di essi brillò per il suo genio pratico e organizzativo.

Abdicando con Costantino, essa consegnò la sua struttura amministrativa a Costantinopoli che ne visse per altri mille anni. E lo stesso Cristianesimo, per trionfare nel mondo, dovette farsi romano. Pietro aveva capito benissimo che solo infilando l'Appia, la Cassia, l'Aurelia, e tutte le altre vie costruite dagl'ingegneri romani, non le labili piste che menavano nel deserto, i missionari di Gesù avrebbero conquistato la terra. I suoi successori si chiamarono Sommi Pontefici come quelli che avevano presieduto alle faccende religiose dell'Urbe pagana. E contro l'austera regola ebraica, introdussero nella nuova liturgia molti elementi di quella pagana: lo sfarzo e la spettacolarità di certe cerimonie, la lingua latina, e perfino una venatura di politeismo nella venerazione dei santi.

Così, non più come centro politico di un Impero, ma come cervello direttivo della Cristianità, essa si apparecchiò a ridiventare *caput mundi*, e lo è rimasta fino alla Riforma protestante.

Mai città al mondo ebbe più meravigliosa avventura. La sua storia è talmente grande da far sembrare piccolissimi anche i giganteschi delitti di cui è disseminata. Forse uno dei guai dell'Italia è proprio questo: di avere per capitale una città sproporzionata, come nome e passato, alla modestia di un popolo che, quando grida «Forza Roma!», allude soltanto a una squadra di calcio.

CRONOLOGIA

AB URBE CONDITA

2000 circa a. C.   Calano in Italia popolazioni nordiche che si fondono con gli indigeni liguri e siculi: da esse si crede derivino gli umbri, i sabini, i latini.

1000 circa   Sviluppo di Alba Longa, capitale del Lazio.

21 aprile 753   Data tradizionale della fondazione di Roma.

Fino al 600 circa   I re agrari.

600-509   I re mercanti.

S.P.Q.R.

509 a. C.   Gli etruschi vengono cacciati dalla città e in Roma s'instaura un governo repubblicano.
Patto con Cartagine.

493   I plebei si ritirano sul Monte Sacro.
Dopo la vittoria romana al lago Regillo, viene stipulato tra romani e latini il *foedus Cassianum*.

451-449   Biennio dei decemviri e pubblicazione della Legge delle Dodici Tavole.

449   Altra fuoriuscita della plebe da Roma.

445   La *lex Canuleia* sui matrimoni tra patrizi e plebei.

396   Dopo una lunga guerra quasi secolare, Vejo viene distrutta.

386   I galli di Brenno sconfiggono i romani, entrano in Roma e la saccheggiano.

343-341   Prima guerra sannitica.

218 Annibale cartaginese prende Sagunto, attraversa le Alpi, batte i romani al Ticino e alla Trebbia.

217 Presso il lago Trasimeno i romani sono nuovamente sconfitti. Quinto Fabio Massimo il Temporeggiatore trattiene Annibale lontano da Roma.

216 In agosto, presso Canne, nuova disfatta romana. Annibale si ritira a Capua.

216-204 Annibale attende inutilmente rinforzi per riprendere la guerra.

212 I romani riprendono Siracusa. Morte di Archimede.

211 I romani riprendono Capua.

207 Un esercito di Asdrubale, andato in aiuto di Annibale, viene disfatto presso il Metauro.

215-205 Guerra e pace con Filippo di Macedonia.

204 Scipione porta l'esercito in Africa, e Annibale è così costretto a lasciare l'Italia.

202 Annibale viene battuto da Scipione a Zama.

201 Pace con Cartagine.

197 In una nuova guerra, Filippo V di Macedonia viene sconfitto dal console Flaminino a Cinocefale.

196 Il console Flaminino dichiara la liberazione della Grecia dal giogo macedone.
Rivolta di schiavi in Etruria.

195-190 Guerra contro Antioco di Siria e disfatta di Antioco a Magnesia.

186 Nuova rivolta di schiavi in Apulia.

171-168 Guerra contro Pèrseo di Macedonia e sua disfatta a Pidna.

149-146 Terza guerra punica.

146 Distruzione di Cartagine. Sacco di Corinto.

139-133 Rivolta di schiavi in Sicilia.

133 Tiberio Gracco viene eletto tribuno e propone la Legge Agraria.

123 Viene eletto tribuno Caio Gracco.

117-105 Vertenza e guerra con Giugurta di Numidia.

102 Mario distrugge i teutoni ad *Aquae Sextiae* (Aix in Provenza).

101 Mario distrugge i cimbri presso Vercelli, ai Campi Raudii.

100 Mario viene fatto console per la sesta volta.

90-88 Guerra sociale, contro i *socii* dell'Italia centro-meridionale; concessione della cittadinanza agli italici.

88 Silla marcia su Roma e Mario fugge.

86 Silla batte a Cheronea un esercito di Mitridate, re del Ponto. Mario muore.

82-79 Dittatura di Silla.

78 Silla muore dopo aver abdicato l'anno precedente.

72 Termina in Spagna una lunga guerra per soffocare la ribellione del mariano Sertorio.

74-64 Seconda guerra contro Mitridate.

72-71 Guerra contro i gladiatori e gli schiavi guidati da Spartaco.

69 Lucullo in Armenia.

67 Pompeo contro i pirati.

63 La congiura di Catilina sotto il consolato di Cicerone.

60 Cesare, Pompeo e Crasso si accordano tra loro formando il cosiddetto primo triumvirato.

58-51 La campagna di Cesare in Gallia.

53 Crasso perde la vita in Oriente, combattendo contro i parti.

I CESARI

49 Cesare, nel gennaio, passa il Rubicone con le sue legioni di Gallia in armi.
Guerra in Spagna contro i pompeiani.

48 La guerra contro Pompeo in Grecia.
Battaglia di Farsàlo e fuga di Pompeo.
Pompeo viene ucciso in Egitto da Tolomeo.

48-47 Cesare in Egitto contro Tolomeo.

47 Cesare batte Farnace a Zela.

47-46 Campagna d'Africa contro i pompeiani; vittoria di Cesare a Tapso.

46-45 Campagna in Spagna contro i pompeiani; vittoria di Cesare a Munda.

44 Il 15 marzo Cesare viene ucciso dai congiurati.

43 Antonio, Ottaviano e Lepido si accordano per il secondo triumvirato.
Cicerone viene ucciso per ordine dei triumviri.

42 Bruto e Cassio si uccidono nello scontro di Filippi.

40 Scontro di Perugia tra le forze di Ottaviano e quelle di Antonio.
Antonio va in Persia.

31 Battaglia di Azio tra Ottaviano ed Antonio e Cleopatra.

29 Ottaviano, rimasto unico signore, celebra il trionfo.

27 Il Senato abdica ai suoi poteri e gli conferisce il titolo di Augusto.

4 circa Nasce in Palestina Gesù Cristo.

9 dopo Cristo Massacro delle legioni di Varo in Germania.

14 Morte di Augusto.

Principi della famiglia Claudia:

14-37 Tiberio.

26   Tiberio si allontana da Roma e si ritira a Capri.

30   Probabilmente in questo anno muore a Gerusalemme Gesù Cristo.

31   Caduta di Seiano.

37-41   Caligola.

41-54   Claudio.

54-68   Nerone.

64   Roma viene gravemente danneggiata da un incendio di cui Nerone accusa i Cristiani, aprendo così la serie delle persecuzioni contro di loro.

68-69   Si succedono tre imperatori: Galba, Otone, Vitellio.

Principi della famiglia Flavia:

69-79   Vespasiano.

70   Gerusalemme viene distrutta da Tito.

79-81   Tito.

79   L'eruzione del Vesuvio.

81-96   Domiziano.

96   Ucciso Domiziano, il Senato nomina imperatore Cocceio Nerva.

98   Muore Nerva e indica imperatore Traiano.

98-117   Traiano.

101-107   Campagna per la conquista della Dacia.

113-117   Campagna in Oriente contro i parti.

117-138   Adriano.

138-161   Antonino Pio.

161-180   Marco Aurelio.

165-180   Guerra contro i quadi, i longobardi, i marcomanni, i sarmati.

180-192   Commodo.

193   Si susseguono in un solo anno Pertinace, Didio Giuliano e contemporaneamente Clodio Albino, Settimio Severo e Pescennio Nigro.

I Severi

193-211   Settimio Severo.

211-217   Caracalla.

212   Viene concessa la cittadinanza romana a tutti i liberi dell'Impero.

217-218   Macrino.

218-222   Eliogabalo.

222-235   Severo Alessandro.

235-268   L'anarchia militare.
Massimino.
Gordiano.
Balbino.
Gordiano II.
Filippo l'Arabo.
Decio (249-251).
Gallo.
Emiliano.
Valeriano.
Gallieno (253-268).

268-270   Claudio II.

270-275   Domizio Aureliano, *Restitutor Orbis*.

275-276   Tacito.

276-282   Marco Aurelio Probo.

282-283   Marco Aurelio Caro.

284-305   Diocleziano.

301   Editto sui prezzi.

303   Editto contro i cristiani.

305   Abdicazione di Diocleziano.

305-306   Costanzo Cloro.

305-312   Lotte tra Galerio, Massimiano, Massenzio, Severo, Massimino e Costantino.

312, 27 ottobre   Sconfitta di Massenzio al Ponte Milvio vicino a Roma.

312-337   Costantino (era già Augusto dal 307).

311   Editto di Galerio a favore dei cristiani.

313   Editto di Milano promulgato da Costantino a favore dei cristiani.

325   Costantino indice a Nicea il Concilio Ecumenico contro Ario.

330   Inaugura a Bisanzio la *Nova Roma*, cioè Costantinopoli.

337   Costantino riceve il battesimo e muore.
Costantino II, Costanzo, Costante, Delmazio, Annibaliano.
Annibaliano e Delmazio vengono uccisi.

337-361   Costanzo.

340   Muore Costantino II.

350   Muore Costante.

350-353   Lotta contro Magnenzio.

355   Giuliano viene nominato Cesare da Costanzo.

361-363   Giuliano l'Apostata.

363-364   Gioviano.

364-375   Valentiniano.

364-378   Valente (collega di Valentiniano).

367-383   Graziano (collega di Valentiniano anch'egli e suo successore).

374   Ambrogio, governatore della Liguria e dell'Emilia. Ambrogio vescovo di Milano.

375-392 Valentiniano II.

378 Valente viene sconfitto e ucciso dai goti nella battaglia di Adrianopoli.

379 Graziano prende come collega Teodosio.

379-395 Teodosio.

    383-388 Magno Massimo.

    392-394 Flavio Eugenio.

394 Flavio Eugenio cade in battaglia (al Frigido) contro Teodosio.

395 Arcadio e Onorio si dividono l'Impero.

395-408 Arcadio.

395-423 Onorio.

408 Uccisione di Stilicone.

408-450 Teodosio II.

410 Alarico saccheggia Roma.
Alarico muore mentre sta preparando una spedizione in Africa.

410-415 Ataulfo, re dei visigoti.

425-455 Valentiniano III.

430 I vandali di Genserico assediano Ippona, dove muore sant'Agostino.

451 Gli unni di Attila invadono la Gallia e vengono battuti da Ezio ai Campi Catalauni.

452 Attila fermato da Leone I in Italia.

453 Morte di Attila.

454 Valentiniano uccide Ezio.

455-456 Avito.

455 Sacco di Roma da parte dei vandali.

457-461 Maioriano.

461-465 Libio Severo.

467-472 Procopio Antemio.

472 Olibrio.
Muore Ricimero.

473-474 Glicerio.

474-475 Giulio Nepote.

474 Genserico è riconosciuto signore dell'Africa, della Sicilia, della Sardegna, della Corsica, delle Baleari.

475 Eurico, re dei visigoti, ottiene la Spagna.
Le Gallie sono spartite tra burgundi, alemanni e rugi.

475-476 Romolo Augusto.

476 Odoacre depone Romolo Augusto e rimanda all'imperatore d'Oriente, Zenone, le insegne dell'Impero, assumendo il solo titolo di «patrizio».
Termina così la serie degli imperatori dell'Impero romano di Occidente.

INDICE DEI NOMI

INDICE DELLE CARTINE

SOMMARIO

Finito di stampare nel mese di febbraio 1996
presso lo stabilimento Allestimenti Grafici Sud
Via Cancelliera 46, Ariccia RM

Printed in Italy

BUR
Periodico settimanale: 21 febbraio 1996
Direttore responsabile: Evaldo Violo
Registr. Trib. di Milano n. 68 del 1°-3-74
Spedizione abbonamento postale TR edit.
Aut. N. 51804 del 30-7-46 della Direzione PP.TT. di Milano

NELLA STESSA COLLANA

NELLA STESSA COLLANA

ISBN 88-17-11505-3